WARREN

ED & LORRA

NEWARREN

DEMONOLOGISTAS

Hooked on Spooks, A
NO SMOKING
THE BEST OF
TAIN

Para M.M.

ESPÍRITO (**es.pí.ri.to**):
Um ser ou personalidade sobrenatural, incorpóreo
e racional, geralmente considerado imperceptível
aos sentidos humanos no cotidiano, mas capaz de
tornar-se visível a seu bel-prazer e, em regra, tido por
perturbador, aterrorizante ou hostil à raça humana.

— *The Oxford English Dictionary*

Publicado mediante acordo com
Graymalkin Media, llc.

Título original: The Demonologist:
The Extraordinary Career of Ed and Lorraine Warren

Ilustração para A Divina Comédia, de Dante,
por Jean Edouard Dargent, 1870 (p. 4)

Diretor Editorial
Christiano Menezes

Diretor de Novos Negócios
Chico de Assis

Diretor de Planejamento
Marcel Souto Maior

Diretor Comercial
Gilberto Capelo

Diretora de Estratégia Editorial
Raquel Moritz

Gerente de Marca
Arthur Moraes

Gerente Editorial
Marcia Heloisa

Editor
Bruno Dorigatti

Capa e Projeto Gráfico
Retina 78

Coordenador de Diagramação
Sergio Chaves

Revisão
Gustavo de Azambuja Feix
Talita Grass
Retina Conteúdo

Finalização
Sandro Tagliamento

Marketing Estratégico
Ag. Mandíbula

Impressão e Acabamento
Ipsis Gráfica

DADOS INTERNACIONAIS DE CATALOGAÇÃO NA PUBLICAÇÃO (CIP)
Angélica Ilacqua CRB-8/7057

Brittle, Gerald
Ed & Lorraine Warren : demonologistas – arquivos sobrenaturais / Gerald Brittle ; tradução Giovanna Louise Libralon. — Rio de Janeiro : DarkSide Books, 2016.
272 p.

ISBN 978-85-9454-016-4
Título original: The demonologist : the extraordinary career of Ed and Lorraine Warren

1. Demonologia - Estudo de casos 2. Parapsicologia 3. Casas mal-assombradas 4. Fantasmas I. Título II. Warren, Lorraine III. Warren, Ed IV. Libralon, Giovanna Louise

16-0666 CDD 133.42

Índices para catálogo sistemático:
1. Demonologia - Casas mal-assombradas

[2016, 2025]

Rua General Roca, 935/504 — Tijuca
20521-071 — Rio de Janeiro — RJ — Brasil
www.darksidebooks.com

ARQUIVOS SOBRENATURAIS

GERALD BRITTLE

ED & LORRAINE WARREN

DEMONOLOGISTAS

Tradução Giovanna Louise Libralon

DARKSIDE

Fig66

ED & LORRAINE WARREN

DEMONOLOGISTAS

SUMÁRIO

GERALD BRITTLE

Introdução do Autor

É impossível preparar o leitor, em uns poucos e curtos parágrafos, para o que o aguarda nas páginas deste livro. Afinal, o que está registrado aqui é material que vai muito além de histórias de fantasmas, das excentricidades da assim chamada atividade poltergeist, e adentra em uma dimensão muito mais profunda — uma dimensão de horror e perversidade que é não apenas real: sua atuação está literalmente além do imaginável.

Apesar disso, o que se pode dizer é que todas as informações apresentadas neste livro são verdadeiras. Estes são casos reais que aconteceram a pessoas reais e, ressalvadas algumas poucas exceções, todos os incidentes ocorreram durante a segunda metade da década de 1970. Além disso, foi grande o cuidado para que fossem incluídos tão somente os casos dos arquivos dos Warren que tivessem sido testemunhados por clérigos e exorcistas ordenados, ou, em determinadas circunstâncias secundárias, as ocorrências em que os principais envolvidos eram críveis e confiáveis, e cujos comentários estivessem gravados claramente em fita. Deve-se enfatizar ainda que não há exageros ou hipérboles na apresentação dos fenômenos descritos neste livro. De qualquer forma, o espaço simplesmente não permite a inclusão de detalhes assombrosos que são necessários para inventar qualquer caso específico.

No entanto, em última análise, o principal objeto de interesse aqui não são os estudos de caso, os fenômenos perturbadores, nem mesmo as transcrições de vozes de espíritos. Outros casos poderiam ter sido usados. Outros fenômenos, mais aterrorizantes, poderiam ter sido revelados. Em vez disso, o que faz qualquer um tremer em seu íntimo é o significado do que Ed e Lorraine Warren têm a dizer. E não há porta-vozes mais dignos de confiança quando o tema é espíritos e fenômenos sobrenaturais. Os Warren dedicaram altruisticamente sua vida inteira ao estudo, ao ensino e à investigação das forças espirituais: suas experiências foram comprovadas e documentadas por padres, rabinos, médicos, médiuns, policiais e reconhecidos especialistas em pesquisas de fenômenos psíquicos.

Neste livro, Ed e Lorraine Warren revelam, de forma direta e franca, o incrível segredo daquilo que destrói a paz em casas mal-assombradas. Eles identificam a categoria de espíritos que vitima seres humanos com a possessão e denominam a atividade poltergeist por aquilo que ela é. Os princípios místicos revelados pelos Warren durante suas explicações foram minuciosamente pesquisados e verificados e, de acordo com a autoridade de textos teológicos e acadêmicos sobre demonologia e exorcismo, as declarações do casal estão corretas. Quando considerado em sua totalidade, o que os Warren dizem simplesmente desafia todas as nossas noções de vida, morte e do lugar do homem neste planeta.

Não obstante, o leitor deve lembrar que apenas raramente forças exteriores de fato interferem de maneira direta ou efetiva na vida das pessoas. O homem é capaz de criar suas próprias vitórias e monstruosidades, de modo que é irresponsável culpar forças sobrenaturais quando a verdadeira culpa quase sempre está dentro de nós mesmos. Portanto, não se deve supor que a dinâmica e as perturbações detalhadas nestas páginas aconteçam em cada esquina. As explicações e análises dos Warren dizem respeito somente àqueles casos em que o fenômeno de fato se manifesta e o agente *é* identificado como de origem verdadeiramente preternatural.

Por causa dos riscos potenciais de se criar uma réplica exata de um caso ou de uma circunstância específica, os diálogos em alguns capítulos são necessariamente reconstruções de conversas em que Ed e Lorraine Warren se recordam do evento, corroboradas pelo depoimento em primeira mão de testemunhas e/ou por gravações que os Warren fizeram no local dos fatos enquanto os fenômenos estavam em curso. Nomes, endereços, lugares e outros detalhes identificadores do tipo foram alterados quando necessário, para proteger a identidade dos indivíduos que foram espectadores ou vítimas dos fenômenos. A todas as pessoas e famílias cujos nomes e experiências são mencionados neste livro, estendo minha sincera gratidão, e espera-se que seus esforços e as provações incomuns que vivenciaram sejam ao menos um pouco remediados pela exposição que se faz aqui.

Por fim, o texto deste livro foi revisado, quanto à sua exatidão, por dois exorcistas católicos romanos, a quem expresso formalmente, por escrito, neste momento, meus agradecimentos por sua versada orientação. E à minha esposa e meus pais, minha imensa gratidão: seu apoio inabalável fez toda a diferença do mundo.

PREFÁCIO

Conhecer pessoas agradáveis em meio a problemas e confusão é sempre uma experiência especial. Conhecer pessoas agradáveis profundamente preocupadas com as dores e as mazelas dos outros — sejam psíquicas ou espirituais — é estar em contato com dons raros.

Em nossos tempos de caos, sofrimento e instabilidade, é inspirador encontrar indivíduos que transmitam um espírito de paz e respeito pelo próximo, independentemente de raça, credo, linhagem étnica ou convicção religiosa. Assim é o afável casal Ed e Lorraine Warren, que nos fala através das páginas deste livro.

Conheci Ed e Lorraine quando visitava sua paróquia, em Connecticut. À medida que sua história de vida se desvelava, emergiram claramente em mim duas impressões principais. Primeiro, aquele era um casal compassivo, afetuoso, devoto e realista, com dons especiais de mente, espírito e alma. Segundo, eles estavam empenhados na luta para proteger e/ou libertar pessoas que se encontravam sob o domínio de forças maléficas ou de influências negativas. Seu ardente desejo de livrar tais reféns do mal é uma aspiração santa e valiosa, e um trabalho sério que já conta com 35 anos de estudos, investigações e registros minuciosos feitos com precisão e análise científica. Os dons pessoais de discernimento psíquico e espiritual e de oração devota dos Warren levaram-nos a frequentes consultas com o clero para o ministério da Igreja e de seu poder benévolo sobre as forças do mal.

Enquanto padre católico, sinto-me especialmente tocado pela sinceridade, humildade e prudência que esse casal transmite, e pelo espírito de afabilidade que parece acompanhá-lo.

Diante de influências rebeldes e maléficas, determinadas a destruir ou obstruir o plano divino para o bem-estar temporal e eterno do homem, a humildade é a chave para a verdade que vence as forças enganadoras do mal. Tanto no Antigo quanto no Novo Testamento, Deus fala dos artifícios de Satã e seus demônios. Assim, o Senhor alerta o homem contra as mentiras de Satã: a verdade é o coração das palavras de Deus ao homem.

Para a pessoa que acredita no Deus da Bíblia, o culto demoníaco é uma prática pagã maligna que escolhe opor-se a Deus. Às vezes, Ele é apenas ignorado; muitas vezes, é imitado em padrões de rituais e encantamentos; outras vezes ainda, é diretamente blasfemado. As práticas e "brincadeiras" que fazem parte do culto demoníaco são de fato perigosas, como demonstra a história dos Warren. No entanto, este é um perigo profundo e real, não um mero acaso. Como muitas vidas foram intensamente perturbadas e algumas ceifadas mediante assassinatos e "acidentes", constitui extrema imprudência, por parte das pessoas, brincar com poderes que elas não podem controlar e menos ainda compreender.

O Deus da Bíblia é o Deus da verdade que descreve Satã como o Pai da Mentira. Abrirmo-nos às verdades de Deus e às Suas promessas é sermos humildes. Vivermos Suas verdades é estarmos a salvo do mal assustador que leva à destruição.

Pessoalmente, espero que todos aqueles que leiam estes relatos sejam tocados pela graciosa afabilidade de Ed e Lorraine Warren e abram o coração e a vida ao salvífico Espírito de Nosso Deus de Amor.

Reverendo John C. Hughes, M.S.

1
ALÉM DE AMITYVILLE

Do lado de fora do escritório de Ed Warren, no Condado de Fairfield, o relógio de uma antiga capela marcava o passar dos minutos com uma precisão discreta e mecânica. Tudo o mais estava imóvel. Era uma noite escura e fria, que já ia avançada, na Nova Inglaterra.

Dentro do escritório, uma luminária de latão iluminava a escrivaninha à qual Ed Warren, um homem de 50 anos, grisalho e pensativo, estava sentado, trabalhando. Centenas de livros o cercavam, a maioria deles trazendo estranhos títulos arcanos sobre a misteriosa tradição da demonologia. Acima da escrivaninha pendiam fotografias de monges e exorcistas de semblante carrancudo, cada qual ao lado de Ed Warren em cenários que lembravam monastérios. Para Ed, que estava ali trabalhando no silêncio sepulcral da noite, aquele fora um dia sinistro — um dia que ainda não tinha terminado.

No último instante antes da hora cheia, o movimento do relógio ganhou vida em uma sequência de cliques e relés, soando enfim três sonoras badaladas sombrias. À terceira, Ed ergueu os olhos, ficou atento aos sons da escuridão e então voltou a escrever. Eram 3h, a verdadeira hora das forças do mal, a hora do Anticristo. E agora, sem que o soubesse, Ed Warren seria atacado a qualquer instante.

Apenas algumas horas antes, Ed e Lorraine Warren retornavam à sua residência em Connecticut após terem sido chamados para investigar certas alegações sobre a existência de uma "casa mal-assombrada" no litoral sul de Long Island, em um agradável bairro residencial da cidade de Nova York. Em dezembro de 1975, a casa fora comprada por George e Kathleen Lutz, que para lá se mudaram com os três filhos pequenos por volta do Natal daquele ano. Um ano antes de os Lutz comprarem a casa, o filho mais velho do antigo proprietário assassinou os seis membros da família enquanto eles dormiam, às 3h15 da madrugada do dia 13 de novembro de 1974, com um rifle calibre .35.[1] Em 14 de janeiro de 1976, os Lutz fugiram da casa, afirmando que haviam sido vítimas de forças sobrenaturais manifestas. Esse caso veio a ser conhecido mais tarde como *Amityville*.[2]

Ao final de janeiro de 1976, a imprensa já havia tomado conhecimento das alegações da família Lutz acerca de sua bizarra experiência na casa, e convocou prontamente especialistas para investigar o caso. Os especialistas requisitados foram Ed e Lorraine Warren. Os Warren foram consultados porque, em círculos profissionais, são considerados talvez as maiores autoridades do país em questões relativas a espíritos e fenômenos sobrenaturais. Ao longo de pelo menos três décadas, Ed e Lorraine Warren investigaram mais de 3 *mil* perturbações paranormais e sobrenaturais.

A pergunta que os veículos jornalísticos queriam que fosse respondida era basicamente se havia um "fantasma" na casa à época.

A resposta dada pelos Warren ao final de três dias de investigação, porém, foi algo que ninguém podia esperar. Na realidade, a resposta era literalmente difícil de acreditar.

"Sim", revelaram eles, "na nossa opinião, havia um *espírito* atormentando os Lutz na casa. Contudo", concluíram, "*nenhum* fantasma estava presente."

O que significava essa afirmação paradoxal? Implicaria a existência de *outros* tipos de espíritos além de fantasmas?

Por incrível que pareça, a resposta que os Warren deram foi: "Sim!".

"Há dois tipos de espíritos que são encontrados em verdadeiras situações de lugares mal-assombrados", explicaram em 6 de março de 1976. "Um tipo é humano; o outro, no entanto, é *inumano*. Um espírito inumano é algo que nunca caminhou sobre a terra em forma humana."

A grave informação dada pelos Warren não se tratava de mera especulação bem-intencionada — porque, exatamente duas semanas antes, Ed e Lorraine Warren haviam se deparado com um espírito inumano na própria casa. Ed foi o primeiro a ver a aparição.

1 *The New York Times*, 15 nov. 1974. [As notas são do Autor, salvo indicação contrária.]
2 *Amityville* (DarkSide® Books, 2016), de Jay Anson. Trad. Eduardo Alves. [Nota do Editor.]

O escritório de Ed Warren situa-se em uma edícula, do tamanho de um chalé, ligada à casa principal por um longo corredor de alvenaria. Ed estava sentado, trabalhando nos detalhes preliminares do caso Amityville naquela fatídica madrugada de fevereiro, quando o trinco da porta ao final do corredor se abriu com um estalo, que foi acompanhado pela batida estrondosa da pesada porta de madeira. Em seguida, passos avançaram em direção ao escritório.

Ele recostou-se na cadeira, esperando Lorraine entrar com uma xícara de café, que seria muito bem-vinda.

"Aqui dentro", chamou. No entanto, passaram-se longos instantes, e sua esposa não apareceu. "Lorraine?", chamou ele outra vez, mas não houve resposta.

Em vez disso, o que ele ouviu, intensificando-se ao longe, foi um uivo sobrenatural de vento. Não era o assobio do ar sob os beirais da casa, mas o rugido ameaçador de um ciclone distante. Os pelos de seus braços arrepiaram-se.

"*Lorraine?*", chamou ele, com a voz mais forte. "*Você está aí?*" Mas, novamente, não houve resposta.

À medida que o agourento som de redemoinho aumentava em poder e intensidade, Ed repassou depressa na mente o que acontecera nos últimos instantes. Ocorreu-lhe, então, que havia escutado apenas *três* passos no corredor — não os passos contínuos de uma pessoa andando. Alguma coisa estava errada.

De repente, a luz da luminária da escrivaninha enfraqueceu à intensidade da chama de uma vela. Então, abruptamente, a temperatura no escritório despencou até alcançar a de uma câmara fria. Um odor desagradável e pungente de enxofre se fez sentir no cômodo.

Desconfiado daquele estardalhaço insólito, Ed Warren abriu a gaveta da escrivaninha e retirou dali um frasco de água benta e um grande crucifixo de madeira. Em seguida, levantou-se e deu alguns passos, saindo do escritório e entrando no corredor. Nisso, do corredor emergiu, rodopiando, um horrendo torvelinho cônico.

A coisa, sendo pontuda na base e larga no topo, era mais escura que a escuridão natural da noite. Muito maior que um homem, a massa rodopiante entrou na sala mal iluminada e deslizou lentamente na direção de Ed, parando uns três metros à sua esquerda. Ele observava enquanto a coisa parecia ficar ainda mais densa e escura que antes! De fato, ele conseguiu ver que, dentro do torvelinho, algo começava a tomar forma. Uma entidade começava a manifestar-se em forma física!

Como demonologista, Ed Warren sabia que precisava agir depressa, tomar a iniciativa antes que aquela assustadora massa escura se transformasse em algo ainda mais ameaçador e perigoso.

Segurando a cruz voltada para aquilo que agora assumia rapidamente a forma de um macabro espectro encapuzado, Ed Warren avançou. No instante em que o fez, porém, a entidade se moveu, desafiadora, *na direção dele*!

Ed parou e permaneceu firme enquanto a forma avançava, deslizando devagar. Quando a massa escura rodopiava a apenas poucos passos, Ed, de forma metódica e determinada, em um movimento que desenhava uma cruz, aspergiu o conteúdo do frasco de água benta na coisa. Em seguida, ele recitou o antigo comando: "Em nome de Jesus Cristo, *ordeno* que vá embora!".

Por segundos que pareciam eternos, a massa escura permaneceu imóvel, a não mais que trinta centímetros da cruz. Então, aos poucos, começou a recuar — mas não sem antes transmitir a Ed uma visão clara de ele mesmo e Lorraine envolvidos em um acidente automobilístico potencialmente fatal em uma rodovia. Com isso, a entidade retirou-se para o corredor de onde emergira.

Uma imensa sensação de alívio tomou conta de Ed Warren, que continuava de pé, suando em profusão, ali na sala congelante. Todavia, enquanto ele tentava reorganizar os pensamentos, rosnados ferozes, como os de animais brigando, de súbito irromperam do lado de fora da casa. Ed logo percebeu que *não* eram animais brigando: a aparição ainda estava na casa. Ela havia simplesmente subido as escadas para atacar Lorraine!

Evitando o corredor, Ed abriu às pressas a porta lateral do escritório e disparou pelos degraus nos fundos da casa.

Ele chegaria tarde demais.

No andar de cima, Lorraine Warren estava sentada na cama, lendo a biografia do padre Pio, um notável monge capuchinho que muitos acreditam estar destinado à santidade. Não importa o quanto se sinta cansada, Lorraine não dorme quando Ed precisa trabalhar sozinho, tarde da noite, no escritório. Após uma vida inteira trabalhando com o sobrenatural, Ed e Lorraine Warren sabem que nunca estão sozinhos — nunca.

Enquanto ela lia tranquilamente, uma atmosfera de terror espalhou-se pelo quarto. Então, baixando o livro, também percebeu que havia alguma coisa errada. *Muito* errada!

"Fiquei aterrorizada", lembra-se Lorraine, "mas não sabia do que estava com medo. Olhei pelo quarto, mas não havia nada ali. Então, observei nossos dois cachorros, que dormiam ao lado da cama. Eles estavam imóveis. À exceção dos pelos de cada um deles, que estavam completamente eriçados, arrepiados da cabeça ao rabo! Então, do nada, começou um verdadeiro pandemônio."

A entidade escura em redemoinho que Ed havia afugentado apenas um minuto antes parecia ter recuado pelo corredor e entrado na casa. O horrendo invasor anunciou sua chegada produzindo um som trovejante de pancadas que, para Lorraine, soavam "como se alguém estivesse batendo com um martelo em uma chapa de metal". O violento barulho de golpes sobressaltou-a — então, em questão de segundos, todo o calor do quarto desapareceu, o que a deixou tremendo de frio. Depois disso, o terrível som de marteladas parou, e também ela ouviu o som de um torvelinho vindo em sua direção. O barulho ameaçador e pavoroso vinha das bandas do corredor, no andar de baixo. Apavorada, ela ouviu o redemoinho subir as escadas e entrar, rodopiando, na cozinha, em seguida na sala de jantar, na sala de estar...

"O que quer que estivesse lá fora parecia estar *procurando* por mim", diz Lorraine. "O que era aquilo? Por que estava aqui? Então, de repente, um ciclone escuro arremeteu rodopiando para dentro do quarto e se colocou diante de mim.

"Eu não conseguiria sequer começar a descrever o absoluto terror e desespero que senti conforme aquela coisa mórbida, preta, dentro do torvelinho se aproximava cada vez mais de mim", lembra Lorraine. "Tentei me mover, mas não *conseguia*. Tentei gritar, mas as palavras não saíam! Naquele momento, tive uma sensação de morte iminente, como nunca havia sentido antes. Como médium, eu sabia que aquele era um espírito de morte. Mas ele parecia querer ainda mais que a morte: ele queria *a mim*, queria minha essência, meu ser.

"Então, a coisa ficou pior", continua Lorraine. "Senti que estava sendo arrastada *para dentro* daquela coisa escura furiosa. E não havia nada que eu pudesse fazer para impedir isso! Mecanicamente, fiz a única coisa em que consegui pensar: roguei, em nome de Deus, por proteção. Daí, de algum modo, tive condições de fazer uma cruz — uma cruz *grande*, enorme — no ar, entre mim e a coisa. Isso a fez parar. Mas ela não ia embora! Eu não sabia o que fazer em seguida. A essa altura, graças a Deus, Ed entrou correndo na casa. Nisso, a coisa rodopiou para o quarto ao lado, atravessou os tijolos e subiu pela chaminé. E, então, acabou. Não havia nada quebrado, nada destruído depois disso. No entanto, esse não foi o *nosso primeiro* encontro com um espírito inumano!"

O que confrontou Ed e Lorraine Warren naquelas primeiras horas da madrugada não era um fantasma. (Tampouco foi algo visto exclusivamente por eles. Existem relatos de outras pessoas sobre a mesma massa escura em redemoinho.) Antes, aquilo era a aparição de algo muito mais nefasto do que qualquer fantasma jamais poderia ser: a manifestação de um fenômeno relativamente mais raro, conhecido como espírito demoníaco inumano. Enquanto entidade preternatural, considera-se o espírito inumano como algo dotado de uma inteligência negativa e diabólica, focada em uma ira perpétua contra o homem e Deus.

Estudar o que esse espírito é, o que ele pode fazer e o que sua existência pode significar é, em última análise, o trabalho e a incumbência do demonologista.

Até recentemente, eram poucas as pessoas, à exceção de outros profissionais e clérigos exorcistas, que conheciam a vida de Ed e Lorraine Warren. O trabalho deles, por necessidade, não era público. Em vez disso, os Warren mantinham-se longe dos holofotes, quer trabalhando sigilosamente com indivíduos que estivessem passando por *verdadeiros* problemas relacionados com espíritos, quer como investigadores, realizando pesquisas nos locais onde fenômenos estranhos ou inusitados estavam em curso.

Os Warren começaram a investigar fenômenos espirituais na metade da década de 1940, mas foi somente na década de 1970 que eles de fato se tornaram conhecidos pelo público. Parecia que eles estavam sempre onde quer que ocorresse qualquer atividade bizarra ou nefasta. Em 1972, por exemplo, o fantasma de um servo do século XIX entrou em atividade em uma mansão em West Point — e começou a atormentar os convidados. Mais tarde, os jornais de Nova York noticiaram que os Warren haviam sido chamados pelo Exército para confrontar aquele espírito zombeteiro e colocar um fim nas suas travessuras.

No início de 1974, os Warren estavam de novo na mira do público. Dessa vez, eles foram vistos rapidamente por ocasião do encerramento de um caso em que um padre da Igreja Católica Romana teve que realizar um exorcismo em uma casa que vinha sendo destruída por vândalos invisíveis que chegavam até mesmo a atacar pessoas! Mais tarde, naquele mesmo ano, o casal tornou-se notícia novamente, dessa vez na rede de televisão, porque uma casa na região sul da Nova Inglaterra vinha sendo abalada por uma das mais inacreditáveis atividades do tipo "poltergeist" já registradas. "A causa das perturbações, em ambos os casos", diz Ed, conhecedor do assunto, "foi *demoníaca*."

Contudo, foi apenas em 1976, quando foram chamados a investigar relatos de uma irrupção de "atividade demoníaca" em Amityville, que Ed e Lorraine Warren, bem como seu extraordinário trabalho no campo dos fenômenos sobrenaturais, passaram a ser foco de atenção nacional.

Quem são essas duas pessoas, vistas em segundo plano nas fotografias da imprensa, mas raramente identificadas? Como elas são? E por que fazem o tipo de trabalho que fazem?

Embora se possa pensar que pessoas envolvidas com demonologia devem ser necessariamente fascinadas pelo macabro, Ed e Lorraine não são ocultistas nem excêntricos, tampouco estão empenhados em alguma espécie de cruzada religiosa. Ao contrário, a visão que os Warren têm da vida é qualquer coisa, menos negativa. Na realidade, eles são eficientes em seu trabalho apenas *por serem* pessoas muito positivas.

Ed Warren nasceu em Connecticut, em setembro de 1926. Robusto, de tronco largo e arredondado e natureza afável, Ed parece mais o quitandeiro da esquina que um demonologista. Nitidamente despretensioso, Ed não deixa transparecer em nada o misterioso conhecimento — e poder — que traz consigo. Tranquilo e despreocupado, dele emana aquele ar de competência que se vê em pessoas que aprenderam o que sabem do modo mais difícil.

Lorraine Warren, nascida a poucos quilômetros do futuro marido, em janeiro de 1927, é esbelta e atraente, sempre com um sorriso no rosto. A julgar por sua aparência — a de uma dona de casa elegante da Nova Inglaterra — ninguém jamais poderia supor que ela seja uma clarividente perspicaz e uma médium de transe leve. Além disso, Lorraine tem o dom bíblico do discernimento dos espíritos, do qual São Paulo fala em sua Primeira Epístola aos Coríntios.

Juntos, Ed e Lorraine Warren, cada qual na casa dos 50 anos de idade, formam um casal cordato e feliz que tem uma amizade única no casamento e uma visão claramente positiva da vida. Não obstante, tudo o que os Warren já viram e aprenderam ao longo de sua extraordinária carreira conjunta proporcionou-lhes uma sabedoria que vai muito além de sua idade.

Hoje, e não é de se surpreender, a pergunta feita com maior frequência a Ed e Lorraine Warren é: "O que *de fato* aconteceu no caso Amityville?". Embora nenhuma resposta breve pudesse solucionar a questão, talvez a explicação mais abrangente que os Warren já deram a respeito do caso tenha sido em uma palestra beneficente realizada em sua cidade natal, Monroe, em Connecticut, durante o verão de 1978.

A palestra foi dada no conservado prédio de tijolos da prefeitura municipal em um agradável e ameno início de noite, no final de agosto. Dez minutos antes da hora marcada para a exposição de Ed e Lorraine, as poltronas do novo e equipado auditório já estavam todas ocupadas. Aqueles que não conseguiram encontrar assentos acabaram descendo pelo corredor e sentando-se na parte da frente, com as pernas cruzadas. Havia muito alvoroço e tagarelice em meio à multidão. Por todo o recinto, palavras como *fantasma*, *espírito* e *exorcismo* podiam ser ouvidas aqui e ali nas conversas. Parecia que todos, ao menos naquela noite, tinham uma história de fantasmas para contar a alguém.

No palco estavam duas tribunas, um microfone cromado instalado em cada uma delas. Às 20h, as luzes do recinto diminuem, o silêncio toma conta da plateia e, no instante seguinte, os Warren sobem ao palco. Lorraine vestia uma longa saia de lã xadrez, blusa de babados e um colete de veludo preto; Ed, um casaco azul e uma gravata de tecido xadrez, que combinava com a saia da esposa.

"Nesta noite, senhoras e senhores, Ed e eu gostaríamos de compartilhar com vocês algumas das nossas experiências dentro de muitas casas mal-assombradas que têm aparecido recentemente nos jornais. Gostaríamos de mostrar o que descobrimos nessas casas, bem como discutir algumas das informações que obtivemos nos casos em que foi possível a comunicação com os espíritos que as assombravam."

Nesse momento, Ed dá um aceno de cabeça para o projecionista, que apaga as luzes do palco. Uma onda de vozes ansiosas elevou-se na sala. "Ah, não, eles vão mostrar fotos!", exclama uma garotinha, afundando sem demora na poltrona.

"Aqui temos uma *verdadeira* casa mal-assombrada", declarou Ed quando o primeiro slide foi projetado. "Digo que a casa é mal-assombrada porque aquela senhora de aparência bondosa que vocês podem ver ali, de pé junto à janela do andar térreo, é um fantasma."

E assim começa... É por isso que os Warren fazem palestras: não para contar histórias de fantasmas, mas para apresentar casos verdadeiros que mostram a existência dos fenômenos sobrenaturais e explicar como e por que eles ocorrem.

Como explica Ed: "A existência dos espíritos não é uma questão de fé, é uma questão de provas. Na verdade, a pergunta nem é tanto *se* os fenômenos estão ali, mas *por que* estão ali. E por que interferem tanto nos assuntos humanos?".

A razão por que os Warren fazem palestras públicas remonta a aproximadamente uma década, final dos anos de 1960. À época, em meio a experimentações de estilos de vida alternativos, um renovado interesse pelo oculto de repente floresceu. Fechada havia quase um século, a porta para o "submundo" foi escancarada de súbito, ao que se seguiu um drástico aumento no número de relatos de incidentes com fenômenos espirituais nocivos. Quase que imediatamente, os Warren foram soterrados com o que se provaram ser casos genuínos de opressão e possessão espiritual negativa.

A maioria das pessoas afetadas então era de jovens em idade universitária. Preocupados com esse grave desdobramento, os Warren deram início a um programa de palestras em *campi* universitários, nas quais alertavam estudantes de todo o país contra os perigos do oculto. Corroborando suas palavras com provas documentais — slides, fotografias, gravações em fitas cassete e artefatos físicos —, Ed e Lorraine deixavam uma impressão indelével naqueles a quem falavam. Em pouco tempo, o público ficou fascinado com suas experiências em primeira mão e suas pesquisas contínuas.

Embora hoje em dia eles façam palestras principalmente para plateias de estudantes, os Warren também falam a grupos comunitários e participam de programas de rádio e televisão, quando dispõem de tempo para tal. O que os tornou populares foram sua honestidade e sua experiência. Seu estilo descontraído, informativo e pragmático fez com que muitos céticos passassem a acreditar nesses fenômenos. Não obstante, mesmo que Ed e Lorraine apresentem uma explicação articulada dos fenômenos espirituais, eles têm consciência da gravidade de suas declarações. Por isso, os Warren não dizem nada que não possam comprovar com evidências críveis e casos documentados.

Durante sua palestra com slides, a plateia de Connecticut permanece sentada em silêncio enquanto Ed e Lorraine detalham caso após caso de fenômenos espirituais, ilustrando seus comentários com imagens de fantasmas, luzes produzidas por psiquismo, levitações e objetos materializados. (Dan Greenburg diz, em seu livro *Something's There* [Há Algo Ali, em tradução livre], que, se os Warren disserem que viram um fantasma, então eles viram um fantasma!) Quando as luzes do auditório são acesas novamente, dúzias de mãos erguem-se de imediato.

Um elemento obrigatório nas palestras públicas do casal é a sessão de perguntas e respostas que se segue à exposição. Nela, as pessoas podem compreender por si mesmas o estranhíssimo tópico dos espíritos, porque é possível fazer uma pergunta aos Warren e receber uma resposta direta e objetiva. Para Ed e Lorraine, isso é como uma conversa entre vizinhos.

"Agora que todos vocês estão prontos para entrar em uma casa mal--assombrada", brinca Ed com a plateia, "vamos à primeira pergunta!" Um senhor já idoso, usando óculos de aro dourado, levanta-se.

"Tenho idade suficiente para ser seu pai, Ed Warren, mas, em toda a minha vida, nunca vi nenhum desses tipos de *fenômenos*, como você os chama. Você já viu um fantasma pessoalmente? Já *viu* esses objetos levitando?" E voltou a sentar-se.

"Na minha vida, já vi muitos, muitos fantasmas materializados", responde Ed, pelo microfone. "Os fantasmas que vocês viram nesses slides hoje foram fotografados por mim ou por fotógrafos-médiuns que estavam trabalhando comigo nas investigações. Na verdade, ainda este ano iremos para a Inglaterra para tentar conseguir uma fotografia da Dama de Castanho de Raynham Hall — Lady Dorothy Walpole, um dos fantasmas mais famosos que existem. Não muito longe dali fica Borley, a região mais mal-assombrada do país. Lorraine e eu já vimos a Freira de Borley caminhando pela rua e, desta vez, tentaremos fotografá-la também."

Tomando um gole do seu copo de água gelada, Ed prossegue. "Quanto a levitações — sim, já vi levitações de todos os tipos. Esse caso que lhes mostrei esta noite foi por atividade demoníaca, não por fantasmas. Durante o seu desenrolar, testemunhei um refrigerador de pouco mais de 180 quilos se erguer do chão. Em outro caso, observei uma televisão de armário subir lentamente no ar, e então cair com um estrondo ensurdecedor, como o de uma explosão. No entanto, nada se quebrou! Esses são apenas dois exemplos que me vêm à mente, embora levitações ocorram em muitos casos em que espíritos — tanto humanos quanto inumanos — estão por trás da perturbação. Então, respondendo à sua pergunta, senhor: sim, já *vi* um fantasma; sim, já *vi* levitações acontecerem."

Ed aponta para uma loura alta que se levanta para falar.

"No livro *Amityville*, o autor cita uma antiga crença de que espíritos do mal não podem atravessar uma extensão de água", diz ela. "Isso é verdade?"

"Não, é só uma superstição antiga", responde Ed. "Espíritos não são afetados por barreiras físicas — nem pela distância, aliás. O simples ato de *pensar* em um espírito específico é suficiente para atraí-lo até você."

Lorraine chama um adolescente que estivera sentado nas primeiras fileiras, perto do palco. "O que vocês querem dizer com *sobrenatural*?", ele deseja saber.

"Se você procurar a palavra no dicionário, encontrará que 'sobrenatural' significa a atividade provocada por Deus e Seus anjos", responde

Lorraine. “Mas a maioria das pessoas não entende o termo dessa maneira. Então, em vez disso, usamos a palavra no sentido que é mais comumente compreendido, ou seja, atividade provocada por qualquer força ou agente que não faça parte do nosso reino físico, terreno. Tecnicamente, os fenômenos provocados por espíritos inumanos são chamados de atividade preternatural. Para explicar de outra forma, os fenômenos provocados por espíritos inumanos poderiam ser considerados milagres negativos.”

Em seguida, Ed aponta para uma mulher no meio do público. “Se eu morresse amanhã”, pergunta ela, “me tornaria um fantasma?”

“É possível”, responde Ed, “mas pouco provável. No entanto, se você morresse de repente, de forma inesperada — digamos, em um acidente — e se recusasse a aceitar o fato de estar morta, então muito provavelmente você permaneceria presa à Terra até perceber que está fora do jogo, que está morta. Nesse meio-tempo, enquanto estivesse tentando entender essa questão, já em espírito, você provavelmente permaneceria presa a lugares familiares — como a sua casa. Nada lhe pareceria diferente: você seria capaz de ver e ouvir outros membros da sua família exatamente como antes, mas eles não conseguiriam vê-la nem ouvi-la. ‘Qual é o problema?’, você poderia se perguntar. ‘Por que não prestam atenção em mim?’ Então, frustrada, você encontra uma maneira — pelo poder da mente sobre a matéria — de começar a fazer objetos se moverem, ou a bater portas, para chamar atenção. É claro, a única coisa que você de fato vai conseguir fazer é deixar sua família apavorada. A essa altura, seus parentes talvez entrassem em contato conosco, e então nós iríamos até a casa e teríamos uma conversinha com você, enquanto espírito — para que você conseguisse seguir para o outro lado corretamente.”

“Como vocês dois se envolveram no caso Amityville?”, pergunta aos Warren um senhor moreno, vestindo uma camiseta de rúgbi. “Além disso, o que vocês *fizeram* durante suas investigações que outros não fizeram?” As perguntas deixaram a plateia animada. É óbvio que todos também querem ouvir a resposta.

“Sua longa pergunta, senhor, pede uma resposta longa”, alerta-o Lorraine, com graciosidade.

“Não tem problema”, diz o homem.

“Então, tudo bem”, começa Lorraine. “Nosso envolvimento teve início na última semana de fevereiro de 1976, quando recebemos em casa um telefonema de uma jovem produtora de televisão da cidade de Nova York. Ela queria saber se tínhamos disponibilidade para investigar uma suposta casa mal-assombrada em Long Island. Eu disse que *talvez*, mas que primeiro precisaria saber de mais detalhes. Então, ela explicou a questão do assassinato dos DeFeo, em 1974, e da experiência dos Lutz na residência. Em seguida, falou que seu canal de TV estava fazendo a cobertura do trabalho de parapsicólogos e pesquisadores de fenômenos psíquicos que haviam entrado na casa logo após a fuga da família Lutz. No entanto, após um mês, aqueles investigadores ainda não tinham nenhuma resposta concreta. Então, ela queria saber se poderíamos realizar uma sessão espírita na casa e informar se eram espíritos que estavam por trás do problema.

"Eu respondi que sim, que poderíamos investigar a casa, mas realizar uma sessão espírita seria uma questão muito diferente. Ela compreendeu. Enquanto ainda estava ao telefone, consultei Ed, que concordou que não haveria problema em analisarmos o caso.

"Quando fomos para Long Island, encontramos George e Kathy pela primeira vez. Os Lutz estavam morando temporariamente na casa da mãe de Kathy. O casal disse que não queria sequer chegar perto da casa que havia comprado: nós tivemos que ir *até* eles para pegar as chaves da residência. Para não formarmos prejulgamentos com relação à investigação, não entrevistamos a família Lutz à época. No entanto, fizemos algumas perguntas pontuais ao casal, para atestar sua sinceridade. Sem dúvida, eles estavam sendo sinceros: estavam completamente apavorados! De sua parte, George nos pediu apenas uma coisa. Se fôssemos entrar na casa, que, por favor, pegássemos a escritura e a levássemos para ele. Nós concordamos e partimos para o local.

"A casa era bem bonita", continua Lorraine, ajeitando o cinto de tecido quadriculado sobre o colete de veludo. "Ed estacionou o carro na entrada da garagem e demos uma volta em redor dela, para termos uma ideia do lugar. Em seguida, destrancamos a porta da frente e entramos.

"Uma vez lá dentro, a primeira coisa que Ed e eu fizemos foi andar juntos pela casa, um andar por vez. O que encontramos foi uma residência que parecia ter sido evacuada às pressas. Sobre a mesa da sala de jantar havia uma casa feita de biscoitos de gengibre, toda decorada para o Natal. Jornais de meados de janeiro de 1976 estavam espalhados pelas mesas ou no chão. Os armários da cozinha estavam cheios de comida, bem como o refrigerador. No porão, um freezer vertical estava abarrotado com provisões que valiam algumas centenas de dólares; havia roupas dobradas sobre a secadora, prontas para serem guardadas. O barzinho tinha um estoque de garrafas de bebida lacradas. Os armários estavam repletos de roupas — ternos, vestidos, sapatos, tudo. Havia joias sobre a cômoda do quarto do casal Lutz. Relíquias de gerações anteriores, até mesmo os álbuns de fotografias da família foram deixados para trás, à vista, para serem levados. Em resumo, a casa estava exatamente do jeito que a casa de vocês provavelmente está hoje à noite, quando vocês vieram até aqui para assistir nossa palestra. Se aquelas pessoas tivessem inventado a história, elas com certeza não teriam deixado a escritura da casa para trás, junto de uma grande quantidade de pertences valiosos.

"Nossa investigação envolvia ir em frente e realizar a sessão espírita", diz Lorraine. "Portanto, voltamos à casa de Amityville em uma data posterior para realizar uma sessão espírita noturna diante de câmeras de televisão e equipamentos de gravação, como haviam solicitado que fizéssemos. No todo, creio que havia dezessete pessoas presentes.

"Três médiuns, eu entre elas, participaram da mesa durante a sessão", conta Lorraine. "As outras duas médiuns eram a sra. Alberta Riley e a sra. Mary Pascarella. Mary e Alberta são excelentes médiuns de transe; ambas profissionais, é claro, e também grandes amigas nossas. Antes do início da sessão, Ed lançou mão de provocações religiosas. Sabíamos que, se um espírito inumano estivesse presente, ele seria provocado a reagir se exposto a objetos sagrados. Entretanto, não sabíamos *como* ele iria reagir."

"Bem, tivemos uma resposta satisfatória", diz Ed, assentindo com a cabeça. "Ocorreram vários fenômenos — não em termos de atividade exterior aterrorizante —, mas como um ataque físico contra pelo menos metade dos presentes, em especial aqueles que tinham uma tarefa crucial durante a sessão. Comecei a ter reações físicas involuntárias, tais como arritmias cardíacas. Senti essas 'palpitações', como eu as chamo, por umas três semanas depois que estivemos na casa.

"Pelo menos metade das pessoas que presenciaram a sessão experimentaram ou relataram fenômenos naquele lugar, os quais elas julgavam ser fora do comum. Assim, embora a sessão espírita tenha sido basicamente um fiasco, esse fiasco foi resultado da ação de algum agente externo."

Perto do corredor, levantou-se uma mulher de cabelos escuros. "Certa vez, me disseram que o padre do livro sobre Amityville nunca existiu."

"Senhora", responde Lorraine, "o padre que participou do caso é nosso amigo. Nós o conhecemos muito bem. Não só o que foi relatado no livro aconteceu a ele como outras coisas que nunca foram reveladas também lhe aconteceram desde então. O padre já sofreu inúmeras vezes por seu envolvimento nesse caso."

Com esta resposta, os Warren agradecem à plateia e encerram a palestra. Como sempre, porém, esse não é o fim das perguntas. Metade das pessoas formam filas para sair, mas a outra metade coloca-se diante do palco e cerca o casal.

"Como vocês sabem que esses espíritos demoníacos de que vocês falam não são realmente algo humano — apenas fantasmas *perversos*?", pergunta um homem.

"Senhor", responde-lhe Lorraine, "às vezes, no início de um caso, não se pode distinguir entre um espírito humano negativo e um espírito inumano negativo. Ambos podem ser extremamente malvados, e às vezes até trabalham juntos. No entanto, apenas um espírito demoníaco tem o *poder* de provocar fenômenos negativos extraordinários como incêndios, explosões, desmaterialização, teletransporte e levitação de objetos grandes. Além disso, em casos de possessão, o espírito se identifica claramente. Ele *diz* o que é. Às vezes, revela o próprio nome. Se o senhor ouvisse uma gravação dos possuídos, não teria dificuldade em reconhecer a diferença entre um espírito humano e um inumano."

"Por que vocês não as reproduzem aqui?", interpõe uma mulher.

"Nós costumávamos reproduzir gravações para nossas plateias", responde Lorraine, "mas, em um grupo muito grande de pessoas, existem muitas psicologias receptivas. A exposição à ocorrência real pode acabar produzindo efeitos negativos sobre algumas pessoas."

E, por fim, decorre mais uma hora antes que os Warren consigam de fato deixar o prédio da prefeitura.

Mais tarde, naquela noite, após o término da palestra, Ed e Lorraine relaxam em casa na companhia de amigos. Por que eles respondem a tantas perguntas do público nas palestras?

"As perguntas fazem parte do programa", explica Lorraine. "Quando terminamos a exposição, sempre abrimos um espaço no evento para perguntas. Embora, às vezes", brinca ela, "eu acorde no meio da noite ouvindo um pedido distante de 'Mais uma pergunta, *por favor*'. Quanto às nossas palestras, eu as vejo como uma via de mão dupla. As pessoas vêm nos ouvir porque estão interessadas no que temos a dizer. Em troca, proporcionamos um bom *briefing*, acho que você poderia usar esse termo, de duas horas sobre o tema dos fenômenos espirituais. Quando terminamos a nossa exposição, interagimos com a plateia por meio de perguntas. Vemos nosso papel como tendo um caráter educacional. É por isso que tentamos responder às perguntas de todos."

Por que há tanto interesse em espíritos e fenômenos sobrenaturais hoje em dia?

"As pessoas sempre se interessaram pelo oculto", responde Lorraine. "Mas, nos últimos dez anos, o público tem sido exposto a *tanta* informação sobre o tema dos espíritos e do sobrenatural que agora está tentando realmente compreendê-lo. Em todos os lugares a que vamos, as pessoas já leram *O Exorcista*, já leram sobre o nosso envolvimento no caso Amityville. E querem saber mais. Querem descobrir como e por que esses fenômenos aterrorizantes ocorrem, e o que está por trás deles. O argumento de que espíritos são uma ilusão ou uma idiossincrasia psicológica já não se sustenta mais. As pessoas querem saber a verdade, mesmo que a resposta seja abertamente desagradável."

Os Warren demonstram tranquilidade ao falar sobre a existência dos espíritos. Como eles respondem à afirmação de que eles não existem?

"Nunca houve uma pessoa, no passado ou no presente, que pudesse provar a *inexistência* do sobrenatural", declara Ed. "Porém, dadas as mesmas considerações que qualquer pessoa poderia fazer em juízo, eu poderia — se fosse convocado por um motivo adequado — provar que fantasmas existem, que aparições existem, que casas mal-assombradas existem, que fenômenos sobrenaturais existem, e que espíritos demoníacos inumanos existem."

Ed mostra uma fotografia, tirada em uma casa infestada por espíritos demoníacos, do que parece ser o fantasma de um garoto.

"Isto não era um fantasma", diz Ed, meneando a cabeça. "O espírito que vinha comandando o ambiente naquela ocasião assumia muitos disfarces diferentes. Contudo, em última análise, todos eram o mesmo: eles eram *um* só. Quanto à fotografia, o garoto não tinha os olhos. Isso é uma marca registrada do demoníaco. Toda vez que ele se manifesta, há uma imperfeição — sempre existe alguma coisa anormal na sua aparência. Às vezes, a imperfeição é tão óbvia que, a princípio, passa despercebida, mas a imperfeição está presente."

Se há uma mensagem que Ed e Lorraine Warren tentam transmitir com clareza é que o oculto é basicamente um acidente esperando para acontecer. "Na última década", diz Ed, "houve um aumento de cem vezes em práticas ocultistas negativas. Por quê? Porque, na sua maioria, as pessoas *não sabem* que existem forças negativas reais no mundo. Em vez disso, fazem com que o oculto pareça um jogo, uma diversão, uma panaceia para tudo que os afligem. Basta ver o modo como o oculto é tratado nos jornais e nas revistas hoje em dia — como uma novidade inofensiva. Bem, ele não é inofensivo, ele pode ser perigoso! Quando Lorraine e eu fazemos palestras, apresentamos o que sentimos ser um contra-argumento necessário a todo esse interesse forjado pelo oculto. Nós mostramos o lado negativo do oculto como ele realmente é: um paraíso ilusório. Para aqueles que apenas se interessam pelo material, que querem aprender como evitar problemas com espíritos, o conhecimento do assunto representa não só poder, mas uma arma de *proteção*. Em outras palavras, conhecer previamente é estar preparado."

Após 34 anos nesse trabalho, eles já viram *de tudo*: o choque, o terror, os fenômenos inacreditáveis. Para Ed e Lorraine, os fenômenos fazem sentido; eles sabem *por que* estes acontecem. Após uma vida investigando o desconhecido, os Warren agora compartilham esse conhecimento do sobrenatural e de como ele funciona. Mas cuidado! "O demônio vem em muitas formas", diz Ed, com entonação significativa, "algumas bem piores do que aquelas sobre as quais falamos esta noite!"

FOTO 01. "Trabalhamos com qualquer clérigo ou religião que prega o amor a Deus e ao próximo. Ajudamos pessoas de todas as crenças", afirma ED WARREN.

FOTO 02. Foi através de suas pinturas que os WARREN tiveram contato com proprietários de casas mal-assombradas.

2
ARTE E APARIÇÕES

Por incrível que possa parecer, a demonologia e o exorcismo ainda são praticados na era moderna. De fato, existem sete demonologistas reconhecidos apenas na América do Norte. Seis são clérigos ordenados, membros de diversas das principais religiões. O sétimo é Ed Warren. Cada um deles é único. Todos vivenciaram horrores para além do imaginável. E cada um desses homens vive em constante risco de vida.

Como Ed Warren se envolveu com a demonologia? "Foi um chamado?", perguntaram-lhe.

"Não. Considero um chamado algo elevado e majestoso", admite Ed. "Mas acredito firmemente que o trabalho que faço hoje é algo que, sem dúvida, estava destinado a fazer. Digo isso porque inúmeros fatores decisivos me afetaram, mesmo na tenra infância.

"Eu tinha 5 anos de idade", recorda-se, "quando percebi, pela primeira vez, que alguma coisa fora do comum estava acontecendo neste mundo. A proprietária do lugar onde morávamos era uma idosa solteirona que não gostava de cães — ou de crianças. Ela se sentava à janela e de fato esperava você fazer alguma coisa errada. E quando fazia, ela saía correndo da casa, gritando feito louca.

"Bem, mais ou menos um ano após sua morte, eu estava no andar de cima, na mesma casa, tirando os calçados que usava para brincar. O sol já estava se pondo e o quarto ia ficando escuro. Enquanto eu estava ali, sentado no chão, a porta do guarda-roupa se abriu sozinha. Dentro da escuridão do guarda-roupa, vi um ponto de luz, mais ou menos do tamanho de um vaga-lume. Em poucos segundos, a luz cresceu e ficou do tamanho de um ser humano, e então, inacreditavelmente, a aparição da proprietária estava de pé diante dos meus olhos, semitransparente, vestindo o que parecia ser um tipo de mortalha. Ela franzia o rosto, como sempre, e estava com a mesma aparência que tinha em vida. Em seguida, desapareceu.

"Como eu contava com apenas 5 anos, não sabia se esse tipo de coisa era natural, mas tive a sensação de que não era, porque fiquei apavorado. Quando contei ao meu pai, que era policial estadual de Connecticut, ele me disse para esquecer o que eu tinha visto e nunca contar a ninguém. Bem, eu não contei a ninguém na época, mas também nunca esqueci do que vi."

À medida que Ed crescia, a busca por respostas a esses acontecimentos estranhos e misteriosos tornou-se uma cruzada que constituiu a base para sua futura carreira. Sendo uma criança observadora, ele queria saber por que essas coisas estranhas estavam sempre acontecendo à sua volta, e se outras pessoas tinham experiências semelhantes.

"Ao mesmo tempo em que minha infância se passava em uma casa mal-assombrada, eu frequentava uma escola católica. Eu com certeza não era o garoto mais religioso da classe. Na verdade, não gostava sequer de ir à igreja, porque tinha que me arrumar", continua Ed. "No entanto, quando os bons padres e as boas freiras da escola falavam sobre espíritos e sobre o diabo, eu — mais do que os outros na minha classe — tinha motivos para ouvir. Mesmo com pouca idade, eu já tentava compreender os incidentes bizarros de fenômenos psíquicos que via acontecer na minha própria casa. Minha educação de base, portanto, me deu uma visão metafísica geral do mundo. Eu não sabia se aquelas informações eram verdadeiras ou falsas, é claro, mas, mesmo assim, eu me lembrava delas.

"Além disso, aconteceram outras coisas comigo na infância. Meu pai era um homem muito devoto que nunca deixou de ir à missa um único dia de sua vida — talvez porque ele visse o lado mais feio da vida todos os dias, como policial. O que sei, porém, é que meu avô teve uma forte influência sobre meu pai. Meu avô foi um homem muito piedoso, muito devoto. Quando faleceu, deixou as economias da sua vida inteira para a igreja que frequentávamos, para que fosse comprado um vitral com a figura de São Miguel ao centro. Ainda criança, eu costumava entrar na igreja e olhar para aquele vitral enorme e lindo, com a luz do sol que o atravessava, e me perguntava quem era São Miguel. Hoje sei, é claro, que São Miguel foi o Arcanjo que expulsou Satã do céu, e é o patrono dos exorcistas.

"Uma das coisas mais desconcertantes que me aconteceu quando criança", retoma Ed, "foi que eu tinha sonhos com uma freira que vinha conversar comigo. Chegou ao ponto em que contei ao meu pai sobre essa mulher, e a descrevi em detalhes. Certa noite, meu pai disse, perplexo: 'Essa mulher era a sua tia'. Eu nunca conheci minha tia. Ela faleceu antes de eu nascer. Fiquei sabendo que ela havia sido freira e havia passado por sofrimentos físicos inacreditáveis. Meu pai costumava chamá-la de santa, por falta de um termo melhor. Em um dos meus sonhos, ela me disse algo que começou a fazer sentido apenas quando me tornei adulto. 'Edward', disse ela, 'você apontará a muitos padres o caminho certo a seguir, mas você mesmo nunca será padre.' Bem, não sou padre, mas de fato trabalho em conjunto com eles, e instruo aqueles que foram designados para trabalhar na área da demonologia e do exorcismo. Assim, com toda a franqueza, meu trabalho não é um chamado. Em vez disso, eu diria que estou simplesmente cumprindo meu destino."

Enquanto isso, a quase três quadras do futuro marido, crescia Lorraine Moran, a filha caçula, inteligente e precoce de uma digna família irlandesa. Além disso, ela era uma garota com uma verdadeira percepção do além, pois Lorraine nasceu com o dom da clarividência — a capacidade de ver para além do tempo e do espaço físicos.

"Eu não sabia que tinha o dom de um sentido adicional", lembra ela. "Eu simplesmente achava que todos tivessem os mesmos sentidos dados por Deus — você sabe", brinca, "todos os *seis* sentidos. Bem, descobri que não era assim quando eu tinha por volta de 12 anos de idade. Na época, eu frequentava uma escola privada só para meninas. Era o Dia da Árvore, e estávamos todas no gramado da frente, de pé, formando um círculo ao redor de um buraco aberto no solo com uma pá. Bem, assim que colocaram a muda na terra, eu a vi como uma árvore totalmente crescida. Ergui os olhos para ver seus galhos robustos, repletos de folhas farfalhando ao vento, sem saber que estava tendo uma experiência de segunda visão. A freira que estava de pé ao meu lado cutucou meu braço e perguntou, no seu habitual tom severo: 'Srta. Moran, por que está olhando para o céu?' Eu disse que estava apenas olhando para a árvore... 'Você está vendo o futuro?', ela me perguntou, no mesmo tom severo. 'Sim', admiti, 'acho que sim.'

"Bem, foi o suficiente — fui imediatamente mandada para uma casa de retiro, onde passei o fim de semana. Eu não podia conversar nem brincar, não podia fazer nada, apenas ficar sentada ali na igreja o dia todo, rezando. Aquilo me ensinou uma lição. Depois disso, quando se tratava de coisas que envolvessem clarividência, eu mantinha minha boca calada."

Em retrospecto, a experiência de Lorraine naquele Dia da Árvore serviu para canalizar suas habilidades para o bem, tornando-se uma ferramenta que acabaria por auxiliar milhares de pessoas. Ed, como a maioria das pessoas, não possuía quaisquer dons psíquicos aparentes. No entanto, a exposição contínua a dados psíquicos durante o final da década de 1940 e o início da década de 1950 (acumulados ao longo do período em que os Warren "caçaram fantasmas") fez com que a clarividência de Lorraine se desenvolvesse significativamente. Mais tarde, na década de 1970, ela foi submetida a testes na UCLA e sua clarividência foi considerada "muito superior à média".

As pessoas talvez estivessem inclinadas a chamar de destino o modo como os Warren se uniram. A princípio, o casal não planejava fazer do sobrenatural sua vocação. Em vez disso, como explica Lorraine, ele foi uma vocação que os *encontrou*.

"Ed e eu nos casamos — os dois aos 18 anos — quando ele estava na Marinha. Na verdade, nossa única filha, Judy, já tinha seis meses quando Ed voltou do teatro de operações do Pacífico e a viu pela primeira vez. Terminada a Segunda Guerra Mundial, tivemos que arranjar um meio de ganhar a vida, como todo mundo. Nós dois tínhamos habilidades para a pintura de paisagens e nutríamos o desejo de pintar. Ed já havia frequentado a escola de artes em New Haven antes da guerra, então, começamos nosso casamento presumindo que seríamos pintores."

A arte, no entanto, acabou por tornar-se o ponto de partida para a pesquisa psíquica. "Veja", continua Lorraine, "precisávamos de um tema para pintar — um bom tema, algo com que as pessoas pudessem sentir uma conexão. Casas mal-assombradas revelaram ser o tema ideal. Ed encontrava algum artigo sobre uma casa mal-assombrada no jornal ou conseguia alguma pista de um lugar assim com as pessoas da cidade. Então, íamos ao local no nosso antigo Chevrolet. Ed desenhava um belo esboço completo da casa e do terreno. Enquanto isso, é claro, o dono do lugar ficava espiando pela janela, se perguntando o que raios estava acontecendo. Éramos apenas crianças na época, então, um de nós batia na porta, mostrava aos moradores o esboço da casa e oferecia o desenho em troca de informações sobre a assombração. Se a história fosse bastante envolvente, pintávamos a casa para nossa coleção e, mais tarde, vendíamos o quadro em uma exposição de arte.

"Ao todo, passamos cinco anos viajando pelo país, pintando e investigando casas mal-assombradas — e não exatamente por coincidência, posso acrescentar. Antes de nos casarmos, Ed já havia devorado todos os livros disponíveis sobre o preternatural, embora eu não soubesse disso à época. Assim, além de pintar, ele ficava totalmente absorto em pesquisa de campo, sempre tomando notas a respeito daquilo em que os livros estavam errados."

De forma bastante concreta, os Warren usaram o mundo como sua universidade, adquirindo uma miríade de informações nesse período. Geralmente, eles eram os primeiros e, por vezes, os únicos pesquisadores a investigar um local mal-assombrado. Embora, na infância, Ed tivesse visto acontecerem à sua volta fenômenos que fariam os cabelos de qualquer outra pessoa ficar em pé, Lorraine não tinha experiência alguma com fantasmas e assombrações. Portanto, já adulta, ela permanecia naturalmente cética.

"No começo", recorda-se ela, "eu tinha bastante cautela com relação às pessoas com quem conversávamos. Eu achava que elas estavam sofrendo de algum excesso de imaginação, ou apenas inventando aquelas coisas para chamar atenção. Na verdade, algumas das coisas que as pessoas nos contavam pareciam um completo absurdo de tão estranhas — naquela época. Com o passar do tempo, porém, comecei a me convencer. Nós íamos a lugares diferentes, muito afastados uns dos outros, uma semana estávamos em Iowa, na outra, no Texas, mas normalmente havia uma semelhança, às vezes até mesmo certa exatidão nas histórias que aquelas pessoas contavam. E lá estávamos Ed e eu, com as mãos e os braços cobertos de tinta, oferecendo consolo a pessoas que, normalmente, tinham o dobro da nossa idade, e dizendo o que sabíamos sobre a dinâmica do reino espiritual."

O que os Warren *aprenderam* sobre fantasmas durante aquele período? O fenômeno é *real*? E, em caso positivo, eles foram indagados, como os espíritos se manifestam?

"Parece que a maioria das pessoas pensa que fantasmas andam se esgueirando no andar superior de residências antigas em um estado nevoento, vaporoso", diz Ed em resposta. "Mas não é assim: para ser visto, o fantasma ou a aparição precisa de energia física para se manifestar. Descobrimos que existem dois processos básicos pelos quais um espírito humano pode provocar sua própria materialização. Um deles requer uma presença humana; o outro, não.

"Quando um espírito preso à terra precisa de uma presença humana para se manifestar, ele ativa um processo complexo de transferência de energia para adquirir substância", explica Ed. "E a costela de Adão para a maioria das manifestações fantasmagóricas é nada mais que a aura humana. Ao redor do corpo de todo ser vivo existe um brilho bioluminescente que é resultado de uma descarga natural de energia do corpo.

Clarividentes como Lorraine conseguem ver e 'ler' a aura humana, que se revela em três camadas que refletem o estado físico, emocional e espiritual da pessoa. Espíritos também leem auras", observa ele, "e a aura de um indivíduo pode repelir ou atrair a presença de um espírito específico. De qualquer forma, o fantasma sorve pequenas porções de energia desse brilho bioluminescente, ou aura, que se reúnem e formam um globo ou pequenos pontinhos de luz. Essa energia luminosa, combinada com o calor e a energia eletromagnética do cômodo, é o que o espírito humano usa para se manifestar."

Instada a dar uma explicação mais simples, Lorraine diz: "Imagine que você está passando a noite na casa de um amigo. O lugar é tão agradável e alegre que você jamais pensaria em um fantasma. Nessa noite, você é levado ao quarto de hóspedes e, em pouco tempo, está dormindo profundamente. Em algum momento, no meio da noite, você acorda. Talvez o espírito tenha projetado fisicamente o som de vidro se quebrando ou da batida de uma porta, para chamar sua atenção. Sentando-se na cama, você é invadido por uma sensação de medo — você *sabe* que alguma coisa está errada. Olhando depressa ao redor do quarto, você vê dois globos azulados de luz, mais ou menos do tamanho de bolas de golfe, flutuando próximos um do outro, mais ou menos 1,5 metro acima do chão. Enquanto observa, talvez também veja raios de luz coriscando do seu corpo — isso é a energia eletromagnética que está sendo retirada da sua aura. Em um piscar de olhos, aquelas duas bolas de luz se juntam e formam uma bola maior, mais ou menos do tamanho de uma toranja. Essa bola então se alongará em um formato de charuto da altura de um ser humano.

"No lugar dos globos de luz, outras pessoas relatam ver centenas de minúsculos pontinhos de luz em uma nuvem que — como os globos — se fundem em um brilho cilíndrico maior. Em qualquer um dos casos, dentro desse brilho bioluminescente alongado começarão a surgir e a se definir as feições de uma pessoa até que o espírito alcance a máxima manifestação que puder. A propósito, para ser exata, isso será chamado de *fantasma* se as feições não forem reconhecidas por aquele que o vê; se as feições são conhecidas, trata-se de uma *aparição*. De qualquer forma, porém, você tem um visitante."

"A outra maneira pela qual um fantasma pode aparecer", explica Ed, "é basicamente diferente — e um pouco teatral. Em dias muito úmidos, com bastante chuva ou nevoeiro, ou em noites de tempestade, quando há eletricidade no ar graças às descargas dos raios e relâmpagos, um fantasma é capaz de se materializar com a energia disponível na atmosfera. Quando um fantasma ou uma aparição se manifesta dessa maneira, costuma haver um forte cheiro de ozônio no cômodo, e a materialização resultante parece ter um brilho azulado — um espetáculo e tanto, posso garantir. De qualquer forma, porém, é provável que o espírito se manifeste antes que você note a presença dele ou enquanto você observa. O ponto importante é que, em um caso, o espírito requer uma presença humana para se materializar, ao passo que, no outro, basta a Mãe Natureza. No entanto, é evidente que um espírito não precisa se manifestar para estar presente, porque ele não é intrinsecamente uma entidade material. O fantasma *já* está lá. Ele se manifesta apenas para atestar a própria presença àqueles que estão no reino físico."

O modo como um fantasma se manifesta é uma coisa — mas a aparência que ele assume diante de uma pessoa é outra história. Por que alguns fantasmas não têm cabeça ou se mostram desfigurados?

"A aparência de um espírito", afirma Ed, "depende inteiramente do modo como ele decide projetar a si mesmo, ou de como vê a si próprio em sua mente. É por isso que contatos com espíritos presos à terra nem sempre são eventos tranquilos, passivos. A tragédia vem em muitas formas, em geral acompanhada de violência, e os últimos pensamentos de um indivíduo tendem a dominar a mente do seu espírito após a morte física. Assim, via de regra, o fantasma se manifestará em um espetáculo grotesco, que representa o modo como ele morreu. Além disso, uma pessoa que encontra um fim trágico normalmente leva uma atitude negativa para o além-vida, muitas vezes culpando Deus pelas suas aflições. Em consequência, alguns espíritos *são* perversos e — ao contrário do que muitas pessoas podem pensar — um espírito maligno é capaz de provocar efeitos físicos e psicológicos que podem levar a doenças, ferimentos e até a morte. A opressão psicológica exercida por espíritos humanos pode resultar em depressão profunda, em hábitos perniciosos como embriaguez e insônia e até mesmo em impulsos suicidas. Os efeitos físicos podem variar desde doenças prolongadas até pontadas de dores agudas que não têm origem clínica no corpo."

Pelo menos metade das pessoas que buscam a ajuda de Ed e Lorraine Warren a cada ano nunca teve nenhum envolvimento com espíritos ou com o oculto. Em vez disso, elas costumam ser pessoas comuns, cotidianas, que inadvertidamente se envolveram em situações em que espíritos já estavam ativos antes da sua chegada. Isso aconteceu em Amityville, onde a família Lutz perdeu muito dinheiro e também sofreu uma catastrófica experiência emocional. Algumas pessoas compram carros mal-assombrados e, então, se veem forçadas a recriar acidentes trágicos. Outras ainda se veem incontrolavelmente possuídas pelo espírito de alguém ou de alguma coisa que claramente *não são elas*. E é frequente que as pessoas mais desprevenidas acabem sendo vítimas de fenômenos espirituais. Foi exatamente isso o que aconteceu em West Point.

Era o mês de outubro de 1972. Um oficial da Academia Militar dos Estados Unidos telefonou para os Warren um dia antes da data marcada para o casal realizar uma palestra geral para os cadetes dali. Embora os comentários do oficial fossem deliberadamente vagos, ele, não obstante, disse aos Warren que havia surgido um curioso problema de segurança, e queria saber se eles estariam dispostos a ajudar no caso — em caráter profissional — antes da sua palestra no dia seguinte, em Point. Sem fazer quaisquer questionamentos, os Warren concordaram em prestar seu auxílio. "Ótimo", disse o oficial, aliviado. "Mandarei um carro buscá-los amanhã, às 15h."

No dia seguinte, à tarde, uma lustrosa limusine preta com placas governamentais parou diante da porta da frente dos Warren. Ed e Lorraine, vestidos com trajes formais para a palestra, deslizaram para dentro do veículo, no espaçoso banco traseiro. O chofer, um sargento administrativo, disse-lhes que o percurso levaria cerca de uma hora, mas não deu qualquer outra informação.

Seguindo para o norte pela rodovia estadual Taconic Parkway e enfrentando ocasionais nevascas moderadas, a limusine manteve um ritmo constante de 95 km/h. Outras pessoas que viajavam pela estrada espiavam o carro enquanto os Warren se perguntavam que tipo de "problema de segurança" teria levado o governo a solicitar os seus serviços.

Um pouco depois das 16h, eles entraram pelos portões da Academia Militar dos Estados Unidos. O sargento parou o veículo junto à entrada dos escritórios do quartel-general, abriu a porta de trás e conduziu o casal ao oficial no comando de West Point.

O major Donald Wilson, um homem metódico e amistoso, convidou-os a se sentarem. Ele então os informou da programação que já estava preparada: jantar com os oficiais do corpo docente às 18h, seguido de uma palestra geral para todas as turmas, às 20h.

"Mais uma coisa..." Nos minutos que se seguiram, o major Wilson passou a explicar uma falha inexplicável de segurança que estava ocorrendo na residência de um dos oficiais de West Point. Naturalmente, a polícia do Exército já havia investigado o problema, mas em vão, admitiu ele. Os problemas tinham piorado ainda mais. Portanto, decidiu-se buscar uma opinião externa a respeito de um problema que parecia não ter uma explicação natural. "Então, se não houver objeção, o oficial gostaria de conversar com vocês antes do jantar."

"Ficaremos felizes em ajudar", respondeu Ed. "O senhor sabe qual é a natureza do problema?"

"Cá entre nós...", o major quase deixou escapar um largo sorriso. "Há um fantasma nos aposentos em questão."

Apagando as luzes, o oficial pegou seu quepe, acompanhou os Warren pela porta da sala e apresentou-lhes a um fotógrafo do Exército, que aguardava sentado no corredor. Estabeleceram-se limites estritos quanto à coleta de informações naquele dia — todos os registros documentais seriam de propriedade do governo norte-americano.

Do lado de fora, vozes fortes e cadenciadas quebravam o silêncio conforme os cadetes marchavam pela imobilidade cinzenta da tarde. O grupo caminhou tranquilamente até os aposentos do general, uma impressionante estrutura de tijolos.

Um auxiliar-geral do pessoal administrativo atendeu à porta da frente da mansão e convidou o grupo a entrar. Em poucos instantes, o general em comando e sua esposa chegaram ao hall de entrada e o oficial apresentou-os aos Warren. O general impressionou Lorraine, mostrando-se um homem gentil e compassivo, de grande sensatez e inteligência.

A esposa do general conduziu todos a uma sala de estar graciosamente mobiliada com peças antigas de vários períodos, herança dos generais anteriores ao longo de dois séculos.

"Nada macabro aconteceu aqui", disse o general, sentando-se no que parecia ser sua poltrona predileta. "No entanto, nesta casa ocorreram muitos incidentes que, até agora, ninguém conseguiu explicar de modo a me deixar satisfeito. Um histórico dos fatos: no porão, há um estúdio privativo. Esse cômodo é mantido trancado e seguro. Mas, não importa quantas vezes a cama que fica ali seja arrumada, ela é sempre encontrada desfeita mais tarde. No andar de cima, fantasmas foram vistos sobrevoando a casa. Esses eu não vi, mas se ouvem relatos sobre eles há anos e, ao que parece, eles acompanham o quartel. Agora, eu não contaria nada disso se não fosse por um problema insólito e persistente que temos: constatamos que pertences pessoais e outros objetos importantes desaparecem com regularidade. Eles não são *roubados*", enfatizou, "mas ficam temporariamente desaparecidos."

O militar parou de falar por um instante para colocar os óculos. "Tenho que reconhecer que nada disso é demasiado importante, a menos que colocado em perspectiva. Uma das responsabilidades do oficial em comando aqui é o protocolo social. Nesta casa, recepcionamos uma boa parcela de líderes governamentais e oficiais de alta patente do Exército. Recentemente, em ocasiões especiais, ocorreram alguns eventos potencialmente sérios. Carteiras foram roubadas, bolsos foram esvaziados, dinheiro e lembrancinhas pessoais foram furtados de eminentes dignitários e suas esposas. Algum tempo depois, todos os objetos roubados foram encontrados lá em cima, primorosamente dispostos sobre uma penteadeira na nossa suíte master." Os Warren permaneciam sentados, em silêncio, tentando compreender a natureza única do problema.

"Este absurdo *não pode continuar*", disse o general, com veemência. "No entanto, sabemos que ninguém cometeu tais atos. Por isso, minha pergunta a vocês, sr. Warren e sra. Warren, é a seguinte: se for um fantasma — e eu enfatizo, *se* for — então, me digam: um fantasma é capaz de manipular objetos físicos?"

"Sim", respondeu Ed, "é capaz, sim. Desde que os objetos não sejam muito pesados, como esses que o senhor descreveu."

"Tudo bem, então", falou o general. "Isso parece ser a obra de um fantasma para vocês?"

"Com base no que o senhor diz, sim", respondeu Ed. "Na verdade, é bastante provável que um espírito humano esteja atuando aqui, porque os objetos não desapareceram *por completo*."

Aturdido com a resposta, o general fitou Ed por um instante. "Você saberia dizer se nesta casa há um fantasma que rouba carteiras?".

Lorraine viu isso como sua oportunidade de responder: "Senhor, sou clarividente. O melhor a fazermos seria andar pela casa. Isso me permitiria afirmar se de fato um espírito está causando essas perturbações. É o melhor teste".

O general e a esposa concordaram, e o grupo levantou-se. Ed e o major Wilson seguiram rumo ao porão, com a chave do estúdio que ficava ali embaixo. Como sempre, a cama estava desfeita, como se alguém tivesse dormido ali. No entanto, tudo o mais estava em perfeita ordem. Eles fecharam o quarto e voltaram para o piso térreo. Na cozinha, o major Wilson mostrou a Ed uma tábua de cortar alimentos que ostentava uma mancha úmida. "Ela quase seca", disse-lhe o militar, "mas, toda tarde, fica molhada outra vez!"

Em outro ponto da casa, acompanhada do general e da esposa, Lorraine passava por todos os cômodos do piso térreo de olhos fechados, começando pela sala de estar. Ela permanecia de pé no centro de cada um deles, tentando perceber qualquer presença invisível.

Nada se revelou no térreo, embora Lorraine tivesse ficado um tanto fascinada em um dos quartos mais afastados da entrada da mansão.

"Este quarto", disse ela, "este quarto é onde John Kennedy se hospedava sempre que visitava o Point. As vibrações aqui são realmente belíssimas."

Um pouco desconcertada, a esposa do general disse a Lorraine que ela estava certa: "Este *era* o quarto do presidente; ele não podia subir as escadas por causa da coluna".

Após deixarem o piso térreo da mansão Thayer, a esposa do general conduziu-os por uma escadaria balaustrada que subia ao primeiro andar. Em cada cômodo, Lorraine captava impressões das pessoas poderosas que haviam passado algum tempo na casa, mas nenhuma sensação que indicasse um espírito zombeteiro.

Em um quarto do primeiro andar, Lorraine parou novamente por longos instantes. "Uma senhora idosa passou um longo período neste quarto", ponderou ela. "A mulher costumava ficar junto daquela varanda aberta e olhava para o campo."

Lorraine caminhou até a janela. À distância, ela viu os cadetes em formação na área de desfiles. Então, virou-se outra vez para o quarto. "Essa mulher era muito sensata e carregava um fardo junto de um homem, na sua vida. Ela o aconselhava... mas o homem não era o marido dela."

"Ele é o general Douglas MacArthur", disse o militar. "A senhora idosa é a mãe dele. Este era o quarto da sra. MacArthur quando o filho era superintendente aqui."

O grupo que estava no andar de cima desceu de volta à sala de estar, onde todos se reencontraram. "Após andar pela casa inteira", admitiu Lorraine, "não senti a presença de ninguém que pudesse ser o responsável por provocar os fenômenos que o senhor descreveu. Por outro lado, é possível que o espírito tenha deliberadamente nos evitado."

"Existe algum meio de descobrir isso?", perguntou o major.

"Sim", respondeu ela, "isso pode ser verificado no estado de transe."

Uma expressão apreensiva passou pelo rosto do major. "Isso significa que teremos que fazer uma sessão espírita?"

"Não", riu ela, "apenas vou precisar permanecer sentada por algum tempo aqui, esta noite, depois que o tumulto e as vibrações do dia tenham se apaziguado."

Com a concordância de Lorraine, decidiu-se realizar uma reunião na mansão após a palestra da noite. Se o problema pudesse ser resolvido de uma vez por todas, ao menos valia a pena tentar.

Em um jantar agradável às 18h daquele início de noite, os Warren foram apresentados aos oficiais do corpo docente de West Point, os quais, com suas respectivas esposas, mostraram-se curiosíssimos acerca de todos os aspectos da temática do sobrenatural. Às 20h, Ed e Lorraine fizeram uma palestra geral sobre espíritos para uma plateia militar espantada. Os Warren ilustraram sua palestra com os habituais slides de fantasmas, aparições e outros fenômenos inusitados, que provocaram as costumeiras exclamações de "Oh!" e "Nossa!". Embora a palestra tenha sido recebida com entusiasmo, nenhum dos cadetes imaginou sequer por um instante que tais coisas poderiam acontecer no Point.

Durante a sessão de perguntas ao final da exposição, uma jovem na casa dos 30 anos de idade levantou-se e disse aos Warren que sentia ser aquele um bom momento para contar algo que vinha carregando consigo a vida inteira. Ela queria que todos soubessem que aquilo de que os Warren estavam falando era verdade. Essas coisas incomuns de fato acontecem. Seu pai era o líder de voo daquela esquadrilha de caças que se perdeu sobre o Triângulo das Bermudas, em 1945, e nunca voltou para casa. Ele e os outros homens realmente se perderam no mar. E embora as pessoas talvez preferissem pensar que aquilo é algum tipo de embuste, não é.

Quando ela se sentou, a plateia em peso explodiu espontaneamente em gritos de aprovação e aplausos. Vendo isso como a oportunidade perfeita para encerrar a palestra, Ed cumprimentou os cadetes e disse boa-noite a todos.

Cinco minutos mais tarde, os Warren já estavam voltando à mansão Thayer, na companhia do oficial e de mais um grupo privativo de oficiais e suas esposas, os quais o casal havia conhecido durante o jantar. Lorraine explicou ao major que tinha a impressão de que o quarto da sra. MacArthur seria o lugar mais favorável para uma tentativa de comunicação.

O major, por sua vez, disse a ela que o general e a esposa tinham de partir em uma viagem para Nova York, de helicóptero, às 22h. Embora estivessem em outro local do *campus*, eles fariam uma parada na mansão antes de partir.

"Sem problemas", respondeu.

Após ser recepcionado à porta da frente por um auxiliar do pessoal administrativo, o grupo subiu ao primeiro andar e dirigiu-se ao quarto da sra. MacArthur, onde os oficiais e suas esposas se sentaram no chão. Lorraine sentou-se na cama. ("Uma cama", observa Lorraine, "um lugar em que as pessoas passam um terço da vida dormindo, é uma excelente fonte de vibrações.") Todas as luzes foram apagadas, à exceção de uma, e Lorraine fechou os olhos.

"Vejo um homem negro se aproximando", logo anunciou ela, falando alto, como um repórter de noticiário. "Ele está vestindo um uniforme escuro, sem galões nem condecorações. Esse homem está conosco agora."

Olhares dispararam pela sala, mas não se podia ver nenhuma figura com aquela descrição.

"Esse homem está tomado de um sentimento de medo, culpa e falta de aceitação. Ele está muito arrependido de alguma coisa." Lorraine parou, o corpo tenso, os braços totalmente estendidos ao lado do tórax. "Ele está falando comigo agora. Está dizendo que foi acusado de assassinato. Sua cela fica no porão. Mas o Exército o absolveu daquele assassinato. Ele se arrepende muito, muito, e já não consegue conter essa angústia. É por isso que ele vem pegando carteiras... ele quer que o Exército saiba da sua angústia."

Todos no quarto permaneciam sentados, em silêncio, esperando para ouvir mais.

"Qual é o seu nome, rapaz?", perguntou Lorraine. "Diga o seu nome... Ele está me dizendo que seu nome é Greer. Está soletrando: G-R-E-E-R. Qual é a data?... É no início de mil oitocentos e... — não, é no início de 1800. Ele já não sabe mais a data. Está dizendo que quer apenas que seu arrependimento seja compreendido. Ele quer saber quem eu sou."

Lorraine, em transe profundo, começou a pender para frente. Ed disse para ela inclinar-se para trás.

"Sr. Greer", disse ela, "fui enviada pelo Exército para descobrir qual é o seu problema... Não, sr. Greer, o senhor *não* é tido em desonra", disse ela, aparentemente em resposta. "Sua absolvição teve um motivo. Está nos registros que a morte que o senhor causou não foi um assassinato. Sua absolvição permanece."

"Escute, sr. Greer. Seu arrependimento é compreendido pelo Exército. Mas já é hora de sua angústia terminar. Não há nada que possamos fazer pelo senhor. O *senhor* está se prendendo; o *senhor* precisa se libertar da culpa. Já passou tempo suficiente. Estamos agora no século XX — na década de 1970. O senhor não entende os dias de hoje. Toda vez que o senhor tira os pertences de uma pessoa importante, coloca o Exército em uma posição muito perigosa... Ele está me dizendo que já não precisa fazer isso. Está confuso. Quer voltar à vida..."

Os braços de Lorraine afrouxaram; em seguida, ela começou a sair do transe.

"Lorraine", disse Ed, enfático, "fique com ele. Tente enviá-lo para o outro lado."

Lorraine continuou sentada, em silêncio, por longos instantes e, então, voltou a falar. "Para viver outra vez, sr. Greer, o senhor precisa ir para a luz. Já é hora de o senhor se entregar e recomeçar. Todos precisam fazer isso. Concentre-se na luz e vá em direção a ela. Vá ao encontro dos seus amigos e da sua família. Vá para casa, para a luz, sr. Greer. Concentre-se na luz e deixe que ela o leve..."

Lorraine despertou de súbito, os olhos arregalados. "Ele se foi. Perdi contato com ele", declarou a médium.

As luzes foram acesas enquanto os oficiais e suas esposas se levantavam, falando em tons ansiosos, aos sussurros. Lorraine, de pé no centro do grupo, fez uma descrição completa do homem e disse que, por fim, Greer havia simplesmente desaparecido.

Pouco tempo depois, a comitiva desceu ao andar térreo e partiu, mas os Warren e o major aguardaram na sala de estar. Alguns minutos depois, chegaram o general e sua esposa. Lorraine relatou sucintamente a comunicação que fizera, observando, em conclusão: "Não tive a impressão de que Greer quisesse estar aqui. De certa forma, acho que ele estava apenas esperando para ser dispensado. Depois disso, duvido muito que qualquer outro objeto venha a desaparecer. Mas, se isso acontecer outra vez, por favor, me informe — *há* coisas que posso fazer à distância".

"É muita gentileza sua", disse o general. "Contudo, há um pequeno porém. Nenhum negro jamais serviu no Point até este século. No entanto, prometo que o major verificará essa questão e encontrará uma resposta nas próximas semanas."

Enquanto conversavam no hall de entrada, ouviu-se um helicóptero pousar lá fora. Era hora de ir. Após uma troca de agradecimentos e despedidas nos degraus da frente, o general e a esposa atravessaram o gramado e embarcaram em um grande helicóptero militar que seguiria para Nova York. Perguntando-se se Greer teria realmente posto um fim no seu tormento de mais de um século, os Warren acomodaram-se no banco traseiro da limusine que os aguardava.

Algumas semanas mais tarde, durante uma palestra na Universidade de Boston, Ed e Lorraine, ainda no palco, foram chamados a atender um telefonema de West Point. O Exército queria que eles soubessem que uma pesquisa completa e minuciosa dos registros fora feita e descobriu-se que um homem negro, um porteiro de nome Greer, *havia* servido no Point. Designado para trabalhar na mansão Thayer no início do século XIX, ele fora acusado de um assassinato, mas o Exército o absolveu. Seus registros estavam em desordem e seriam agora arquivados como "Falecido". "E, a propósito, da próxima vez que vierem dar uma palestra no Point, poderiam, por favor, fazer alguma coisa a respeito do fantasma de um soldado de cavalaria da Guerra Civil que se recusa a deixar um dos nossos dormitórios? Precisamos do espaço."

O Exército, é claro, não é a única grande organização que teve que lidar recentemente com um fantasma. Depois da queda de um dos seus aviões comerciais L-1011 em Everglades, a Eastern Airlines foi vítima de recorrentes fenômenos espirituais nos seus aviões, como foi relatado em *The Ghost of Flight 401* [O Fantasma do Voo 401]. No ano que se seguiu ao desastre, muitas centenas de pessoas supostamente testemunharam os espíritos da tripulação morta manifestados em forma física a bordo de outros jatos Tristar. Em determinada ocasião, a voz do espírito de Don Repo, o engenheiro aéreo morto no acidente, teria sido captada pelo gravador do voo quando ele se materializou na cabine e conversou com membros da tripulação. Por vezes, é possível negar ou ignorar que tais eventos insólitos ocorram. Não obstante, em situações tais como a de West Point, quando os fenômenos simplesmente não cessam, o caminho mais certeiro é reconhecer que *há* algo ali — nem que seja apenas para fazer os fenômenos pararem de acontecer.

"Na realidade", ressalta Ed, "é positivo que o Exército tenha considerado o sobrenatural como uma hipótese válida. Nas minhas viagens, eu normalmente percebo que as pessoas que *não* acreditam em fantasmas muitas vezes *não querem* acreditar neles. Elas veem o sobrenatural como algo ameaçador, então, apagam as informações. Felizmente, esses oficiais do Exército não ajustaram uma realidade desagradável de modo a adequá-la aos seus propósitos. Em vez disso, eles analisaram os dados, consideraram as evidências de forma lógica e chegaram a uma conclusão racional que levou à solução do problema."

Quando alguém faz menção à temática dos fantasmas, a mente quase que de forma automática evoca imagens de castelos e solares senhoriais mal-assombrados na Inglaterra. Pela experiência dos Warren, existem mais fantasmas na Inglaterra ou nos Estados Unidos?

"A BBC me fez essa mesma pergunta em Londres, não muito tempo atrás", responde Ed. "Há lugares no mundo que são *realmente* mal-assombrados, e muitos desses lugares ficam na Inglaterra. O presbitério Borley, por exemplo, é quase como que um portal para o sobrenatural, e o tem sido por centenas de anos. Basta ler os livros recentes de Harry Price, como *Poltergeist Over England* [Poltergeist na Inglaterra], para descobrir isso. Porém, de longe, existem muito mais fantasmas nos Estados Unidos que na Inglaterra. O motivo disso é uma questão numérica. Embora o nível cotidiano de atividade espiritual seja o mesmo no mundo todo, o fato é que simplesmente existem mais pessoas nos Estados Unidos. Em outras palavras, onde há uma população muito numerosa, também existe maior probabilidade de que algumas dessas pessoas sejam pegas pela síndrome do fantasma quando morrem."

Em que lugares dos Estados Unidos uma pessoa está mais propensa a encontrar um fantasma?

"Em termos de lugares *físicos*", responde Ed, "descobrimos que a possibilidade de encontrar um fantasma é maior em construções antigas e isoladas. Casas de fazendas ou feitas de tijolos, mais antigas, construídas perto do mar durante a colonização dos Estados Unidos, têm o maior *potencial* de ser mal-assombradas por causa das gerações que viveram e morreram ali. Mas fantasmas não aparecem apenas em casas mal-assombradas. Por exemplo, recentemente, várias pessoas da vizinhança, inclusive a nossa assistente, Judy, comentaram ter visto um homem, vestindo uma gabardina, andando de lá para cá na rua, à noite, na frente da nossa casa — embora ele desaparecesse sempre que alguém se aproximava! Acontece que, dias antes, um rapaz havia trazido alguns destroços do voo 401, aquele avião a jato que caiu em Everglades. No exato instante em que entregou o primeiro destroço a Lorraine, o rapaz que estava de pé ao lado dela viu a aparição de Don Repo — o engenheiro aéreo que estava no caça. Era o mesmo homem que havia sido visto na estrada. Ele estava andando de lá para cá, esperando, porque, talvez por coincidência, nós nos encontraríamos com pessoas da família dele ainda naquela semana, ocasião em que Lorraine viu o engenheiro e outra aparição presentes durante todo o tempo em que conversamos. A propósito, devo mencionar também que o nome *Steward* ou *Stewart* foi comunicado a Lorraine no instante em que ela começou a fazer a psicometria das partes do 401."

A resposta abriu caminho para perguntas ainda mais profundas. Primeiro, por que o fenômeno ocorre? Existe alguma razão para que uma pessoa venha a se tornar um fantasma e outra não? Esse é o tipo de perguntas a que Ed e Lorraine conseguem responder em detalhes complexos. Ainda enquanto jovens artistas, eles vieram a descobrir que espíritos humanos presos à terra não passam de pessoas cujo corpo foi subtraído à entidade total. Enredados em um estado mental de confusão, esses infelizes possuem vida, mas não corpo. No entanto, com ou sem corpo, eles ficam presos em um limbo temporário entre este reino e o além. Certos fatores de alguma forma conspiraram para impedir que o espírito fizesse qualquer progresso adiante.

"A síndrome do fantasma", explica Ed, "é provocada por uma tragédia na vida de um indivíduo, ocasião em que a morte ocorre subitamente ou em circunstâncias muito traumáticas. Menos frequente é a situação em que o espírito se demora aqui por causa de um apego atipicamente forte a coisas deste mundo. Porém, em qualquer um dos casos, o espírito preso à terra se identifica com *este* mundo, não com o além. Agora, em regra, pessoas que conseguem contemplar uma vida após a morte farão a passagem corretamente. No entanto, a mente do espírito preso à terra tende a ficar enrijecida em um estado emocional específico. No fundo, o espírito busca uma solução, é claro, mas está *tão* enredado no próprio trauma e na sua tristeza que nada lhe faz sentido, exceto a contemplação do seu estado emocional. Muitas vezes, o fantasma não tem sequer consciência de que a morte ocorreu. Isso acontece porque a pessoa na condição de fantasma já não tem a mesma percepção que tinha enquanto ser de carne e osso. Quando se dá a comunicação, em geral você precisa dizer a eles — na verdade, precisa *convencê*-los — de que estão mortos, que foram dissociados do seu corpo físico. A mente, veja bem, não é afetada pelo advento da morte. Assim, se ela chega de repente ou em meio a um trauma emocional, o espírito fica preso em um estado de irresolução. É por isso que espíritos permanecem aqui, às vezes por gerações. O tempo não é um fator para os espíritos. Eles vivem em uma espécie de presente eterno. É a sabedoria e a percepção da realidade que permitem que o espírito humano siga adiante.

"Basicamente, quando um fantasma é responsável por fenômenos de assombração", continua Ed, "ou ocorreu na casa alguma situação emocional que desencadeia a perturbação, ou o espírito presente está tentando comunicar o seu problema ao reino físico. Tomemos primeiro as situações emocionais. As pessoas costumam se perguntar por que duas, três, uma dúzia de famílias mora em uma casa, mas apenas uma pessoa ou família vivencia fenômenos espirituais. A resposta é que normalmente aconteceu uma interligação emocional.

"Por exemplo, você tem uma casa antiga em que alguém cometeu suicídio cem anos atrás. Nesse meio-tempo, seis famílias podem ter vivido ali e não ter passado por nem um único evento estranho. Então, um dia, muda-se para lá alguém que também tenha uma inclinação para a autodestruição. Imediatamente começa a atividade espiritual. Ocorreu uma interação emocional. É como colocar pilhas em uma lanterna: estabelece-se uma conexão entre emoções compatíveis.

"Vejamos outro exemplo. Até talvez cinquenta anos atrás, as mulheres davam à luz em casa e, às vezes, elas morriam no parto. Agora, uma mulher que queira muito ter um filho e ser uma boa mãe dificilmente desejaria morrer no momento do parto. Então, ela pode permanecer presa à terra, na casa — emocionalmente ligada ao lugar. Cem anos depois, uma família com um recém-nascido se muda para essa casa. De repente, o fantasma de uma mulher da época vitoriana é visto no quarto do bebê. A presença da criança desencadeou uma resposta emocional. Esse tipo de fenômeno espiritual é muito comum e já perdi a conta de quantas vezes aconteceu.

"Outro motivo para que um fantasma se manifeste tem por base uma necessidade de comunicação. Nesses casos, o espírito preso à terra está tão enredado na própria tragédia ou situação não resolvida que se manifestará a qualquer um a fim de tentar comunicar seu infortúnio. É por isso que luzes se acendem e se apagam, ou se escutam batidas, ou pequenos objetos se movem na presença das pessoas. O espírito está *tentando* chamar atenção. Isso aconteceu em West Point. De vez em quando, porém, o fantasma não sabe que está ali. Tenho uma fotografia de um caso assim. Era um monge da Inglaterra e eu inadvertidamente o fotografei na igreja de Borley enquanto ele folheava um livro enorme.

"Um exemplo ainda melhor disso", prossegue Ed, "é um caso que aconteceu há poucos anos, aqui nos Estados Unidos. Uma família de sete filhos já adultos e o seu pai recentemente viúvo tinha um fantasma na sua casa. Até aí, tudo bem. Mas era um pouco mais que isso — o espírito era a aparição da mãe. Cerca de dois meses antes de a família nos contatar, essa mulher voltava de carro para casa com a própria mãe, de 65 anos, após terem feito compras de Natal, quando começou a nevar bastante. Ansiosa para chegar à casa antes que a tempestade piorasse, essa senhora chegou a um trecho ruim da estrada. O carro bateu em uma árvore, matando as duas na mesma hora. Embora a avó tenha feito a passagem de imediato, a mãe não o fez.

"Por que ela ficou para trás na forma de um espírito? Porque a última coisa que tinha em mente era chegar em casa: e foi para lá que ela seguiu, mas como um *espírito*. Pouco tempo depois do acidente, movimentações incomuns começaram a ocorrer na casa. Após alguns meses, ficou claro que a origem da atividade era o espírito da mãe. Digo *claro* porque o mais sensitivo dos filhos a viu, em um estado semimaterializado, regando plantas, arrumando as camas, fechando portas de armários; no meio da noite, quando estava frio, ela fechava as janelas — coisas desse tipo. No seu novo estado de consciência, essa mulher estava totalmente inconsciente de que era, então, uma desencarnada."

Como uma pessoa pode não perceber que é um fantasma?

"Bem, é algo parecido com uma amputação. Uma pessoa pode pensar que a sua perna amputada está ali, quando não está. Para o fantasma, é a mesma coisa, só que, no caso do espírito, o corpo *inteiro* foi amputado.

"No entanto, naquele caso, tive que lançar mão de um médium de transe profundo para se comunicar com a mulher", conclui Ed. "Foi uma sessão longa e comovente. No início, passamos pela rotina do 'Não eu. Eu *não sou* um fantasma', porque ela naturalmente se recusava a aceitar o fato de estar morta. Por fim, porém, naquela tarde, nós conseguimos fazer com que a mulher fizesse a transição corretamente, enquanto espírito. Os fenômenos na casa pararam de imediato, é evidente. Para alguns, pode parecer cruel fazer essa mãe seguir adiante, mas o espírito humano não é nenhum animalzinho de estimação. Portanto, era imperativo que essa mulher conhecesse a sua condição. Do contrário, no futuro, quando a família se mudasse dali ou morresse também, ela ainda continuaria presa à terra. Repito, tragédia e irresolução constituem os lemas da síndrome do fantasma."

A comunicação com uma entidade fantasmagórica ocorre, em regra, por telepatia. Esse foi o processo que Lorraine usou em West Point. Não foi necessário que Greer se mostrasse para se comunicar. A telepatia foi absolutamente suficiente para fazer o trabalho.

A telepatia, uma habilidade latente em todas as pessoas, é uma forma de transferência de pensamento. Em vez de uma ideia ser transmitida por meio da voz, ela é transmitida diretamente *pelo cérebro*. Assim como os olhos e os ouvidos, o cérebro — o órgão mais complexo do corpo — também é um órgão de percepção. Colocado de outra maneira, o cérebro pode manejar dados sensoriais que os outros cinco sentidos não podem. Os espíritos consideram esse "sexto" sentido o mais fácil de usar como canal de comunicação. Contudo, o que não se sabe largamente é que a transferência de pensamento é um fenômeno *físico*.

"O pensamento tem substância", explica Ed, "e a substância do pensamento são vibrações. *Toda* informação sensorial, qualquer que seja seu tipo, chega a nós por meio de vibrações. Nosso corpo é como uma imensa antena com receptores especializados para captar essas vibrações específicas. Assim como ondas de rádio, essas vibrações não podem ser vistas, embora estejam à nossa volta. E não apenas pensamentos: tudo no mundo tem uma vibração única própria, uma frequência especial. Por serem as frequências diferentes entre si, o cérebro é capaz de distinguir fisicamente uma coisa da outra.

"O único porém é que, para o cérebro humano, é impossível distinguir entre um som real, físico, e a *impressão* psiquicamente criada desse som. A frequência de ambos é idêntica. Desse modo, quando um fantasma se comunica por telepatia, isso é nada mais nada menos que transferência de vibrações de uma mente para a outra. O resultado é a comunicação. Logo, é claro que não haveria comunicação do outro lado se não existisse uma inteligência, uma mente gerando vibrações telepáticas direcionadas ao reino físico."

Como jovens artistas, Ed e Lorraine descobriram que grande parte dos fenômenos em casas mal-assombradas poderia ser atribuída à atuação de espíritos presos à terra. Com o tempo, eles aprenderam que essas entidades desencarnadas — embora às vezes responsáveis por fenômenos assustadores — não existiam de fato para um propósito sinistro. Além disso, apesar da estranha atividade que esses espíritos presos à terra eram capazes de desencadear, eles não eram dotados de poderes verdadeiramente misteriosos.

Em alguns casos raros, porém, ficou evidente aos Warren que havia outra categoria completamente diferente de fenômenos. As forças ativas nessas casas tinham poderes que eram de fato misteriosos. "Muitas vezes", diz Lorraine, "chegávamos ao local quando a perturbação ainda estava em curso. Nós víamos a atividade *por nós mesmos*, em primeira mão. Porém, acima de tudo, eu teria que dizer que o comportamento das pessoas contava a verdadeira história. Nós entrávamos em uma casa, e a família estava absurdamente apavorada com o que tinha visto ou vivenciado. Além disso, naquele tempo, havia pouquíssimas ou nenhuma instituição ou agência a que as pessoas pudessem pedir ajuda, então, muitas vezes, essas famílias tinham que resistir sozinhas a esses ataques inacreditáveis de espíritos maléficos. Quando chegávamos, elas em geral estavam exaustas, esgotadas por causa dos fenômenos incessantes que aconteciam à sua volta. E embora inúmeras dessas pessoas estivessem sendo atormentadas quase que ao ponto da loucura, muitas vezes elas não percebiam que os espíritos — para não dizer espíritos *demoníacos* — eram normalmente os responsáveis. O que estava acontecendo a essas pessoas era inquestionável: elas estavam sitiadas.

"Em última análise, o que Ed e eu tiramos dessas primeiras experiências foi a compreensão de que havia um espírito por trás dos fenômenos, *mas* esse espírito era muito pior, muito mais ameaçador que um simples fantasma."

"Um fantasma é basicamente uma entidade passiva com poderes e habilidades limitados. Geralmente, ele se manifestará de maneira aleatória, tentará se comunicar e, então, desaparecerá de vista. Tudo se resume a um ciclo: manifestação, comunicação, dissipação", declara Ed. "E o fantasma apenas raramente *faz* alguma coisa além de se dar a conhecer. Acabamos por descobrir que o espírito humano comum preso à terra é um solitário, acorrentado a um problema pessoal e buscando a solução para o caráter fundamental desse problema. O fantasma se comporta de formas previsíveis, quer desejando comunicar seu pesar ou ser deixado sozinho para contemplar o próprio infortúnio. No entanto, esses outros casos não ostentavam nem um único padrão sequer do espírito preso à terra. O enorme tumulto, os fenômenos negativos, o choque e o terror indicavam que algo *diferente* estava atuando."

Nos piores casos, os Warren encontravam situações em que as coisas estavam completamente fora de controle. Ao passo que um espírito humano relativamente dócil pudesse fazer levitar um lápis ou quebrar uma chaleira estimada, nesses casos, a casa inteira era destruída de maneira deliberada e sistemática. Não raro, as pessoas da casa eram atacadas, no âmbito mental *e* físico. De início, os Warren atribuíram essas perturbações a bandos de espíritos, talvez saqueando após a morte tal como o haviam feito na terra. No entanto, essa explicação otimista nunca se sustentou, pois esse era um fenômeno com um propósito — algo que *era* dotado de uma inteligência misteriosa —, alguma coisa que indicava um discernimento absolutamente perverso.

Enquanto um fantasma se manifestava a qualquer momento, do dia ou da noite, essa espécie de fenômeno ocorria com mais frequência na ausência de luz natural. As perturbações tendiam a começar após o pôr do sol e terminar antes do raiar do dia. E ao contrário de um fantasma, que demandava energia luminosa para se manifestar, essa coisa era preta quando visível aos olhos humanos, e parava de agir na presença de luz. Ela aparecia como uma grande massa sem forma, em regra descrita pelas testemunhas como "mais escura que a escuridão natural".

Além disso, tudo que era associado ao espírito era aterrorizante e negativo. Diferentemente de um fantasma, que desaparecia se despertasse medo, esse espírito apenas se *fortalecia* em uma atmosfera amedrontadora. Sua chegada fazia-se acompanhar de uma sensação de completo pavor e mau agouro; uma inegável atmosfera de maldade e animosidade selvagem tomava o lugar. Em geral, um fedor repulsivo, asqueroso — de enxofre, excremento ou carne apodrecida — enchia o lugar em que ele se materializava; muitas vezes, deixava para trás algum resíduo de sangue ou outros fluidos corporais. E, como um farol, ele irradiava um inveterado senso de ódio e ciúme destrutivo; sua atuação era cruel, violenta e iníqua. Ademais, os Warren notaram que, quando tais entidades estranhas estavam presentes, elas jogavam sujo, usavam linguagem obscena e causavam ferimentos e danos.

Caso após caso, os fenômenos com que os Warren se defrontavam traziam as mesmas marcas perversas e aterradoras. O que *era* essa força depravada de ódio e violência? Por fim, no entanto, eles já não precisavam conjecturar, pois, para fazer-se conhecer, o espírito costumava deixar pistas deliberadas e diretas: cruzes invertidas, montes de excremento, poças de urina. De fato, ele em geral escrevia, com audácia, o que era, especialmente em espelhos — ao contrário, da direita para a esquerda:

O Ɔ A Ì N O M Ǝ ᗡ

Ou, de maneira ainda mais clara:

M O R T E A D E U S

"Quando não rabiscava blasfêmias", diz Ed, "ele escrevia obscenidades degradantes, vulgares. Quando vi essas inscrições nojentas pela primeira vez, pensei que alguém na casa tivesse uma mente *realmente* doentia. Eu, ingênuo, tentei apagar esses grafites das paredes e dos espelhos para que Lorraine não fosse exposta a eles. Contudo, assim que eu os apagava, eles apareciam outra vez diante dos meus olhos. Logo ficou claro para mim que aquilo não era obra de seres humanos — *nem* de espíritos humanos.

"A princípio", admitiu ele, "toda a ideia de fenômenos demoníacos era incompreensível para mim, como tenho certeza de que o seria para qualquer um que se visse envolvido na mesma situação. Entretanto, também ficava cada vez mais óbvio que essas perturbações eram totalmente diferentes daquelas provocadas por espíritos humanos presos à terra. Essas entidades não só escreviam em paredes como, em casos raros, chegavam a *falar* — com uma voz física. Mesmo assim, nem Lorraine, nem eu conseguíamos aceitar o fato. Essas forças tipicamente negativas eram tão poderosas e ameaçadoras que fazíamos de tudo para evitá-las no nosso trabalho. Estar apenas nas proximidades do fenômeno já era emocionalmente pavoroso. Embora eu soubesse que estávamos fazendo um progresso efetivo na categorização do comportamento do espírito humano preso à terra, aquilo era algo que nunca havíamos planejado."

Para Ed Warren, a descoberta do reino demoníaco não era uma espécie de ponto-final em uma busca religiosa imoderada. Ele não saíra ao mundo e encontrara "demônios" para satisfazer os seus caprichos. "Deparamos com essa atividade por acidente, no curso das nossas investigações. Ela já estava lá quando a encontramos. Mas, ao contrário do que acontece com espíritos humanos, essas coisas não eram algo com que se deve mexer. Nós nos mantínhamos à distância e estudávamos sua atuação tanto quanto podíamos, ao mesmo tempo em que ajudávamos a pessoa ou a família envolvida. Foi apenas mais tarde que descobrimos com que ferocidade essas entidades inumanas atacavam qualquer emblema religioso — e, consequentemente, a real gravidade do problema do demoníaco para o clero piedoso." Seria possível que as crenças religiosas dos Warren seriam capazes de afetar o que viam? Parece que, em certa medida, uma pessoa estaria mais propensa a perceber atividades sobrenaturais se já acreditasse nisso.

"Faz sentido", concorda Ed, "mas o que vimos no nosso trabalho não poderia ter sido influenciado por aquilo em que acreditamos. Não temos nenhum motivo para influenciar as coisas ou agir com parcialidade. Não somos fanáticos pregadores da Bíblia. Não cobramos por nossos serviços e somos ambos física e mentalmente sãos. Você precisa compreender que somos chamados por outras pessoas que *já* estão vivenciando a atividade perturbadora. Seus filhos de repente começaram a agir de forma peculiar ou as coisas estão voando pela casa, e essas pessoas não sabem por que essas coisas estão acontecendo ou como fazer o fenômeno parar. Então, essas pessoas acabam pedindo nossa ajuda. Quando Lorraine e eu nos envolvemos, é sempre *após* a eclosão da perturbação, não antes — e aí fazemos o possível para identificar a origem da perturbação e agimos de acordo com o que descobrimos a fim de fazê-la parar, ou chamamos alguém que possa fazê-lo.

"Hoje em dia", diz Ed, "as pessoas que não estão familiarizadas com o problema gostam de filosofar acerca do demoníaco, como se fosse uma ocorrência puramente psicológica, ou dizem que ele nem sequer existe de fato. Entretanto, essas pessoas nunca testemunharam os fenômenos por si mesmas; do contrário, não fariam tais afirmações vazias. Ao menos *uma vez*, elas precisam ter a experiência de entrar em uma casa onde esses espíritos inumanos se manifestaram.

"Do lado de fora, os vizinhos estarão perambulando pela calçada. Eles instintivamente sabem que alguma coisa está errada. Quando você entra na casa, é provável que a família esteja aos soluços ou acuada, uns agarrados aos outros de tanto pavor, totalmente petrificados por causa de alguma coisa horrível pelo qual tenham passado. Suas roupas talvez estejam meio rasgadas. No ar, pode ser que paire um forte odor de enxofre, ozônio ou excremento. Se há uma possessão em curso, esse indivíduo é capaz de vir para cima de você como um tremendo monstro. Objetos estarão levitando. O interior da casa talvez esteja arruinado devido à ação de forças invisíveis: todos os objetos, grandes ou pequenos, estarão revirados e quebrados. É muito comum que se ouçam pancadas inacreditáveis vindas das paredes. E *nas* próprias paredes, é provável que afirmações obscenas ou antirreligiosas tenham sido escritas por mãos invisíveis em uma dúzia de línguas diferentes. Coisas vão se materializar e desmaterializar bem diante dos seus olhos. Objetos religiosos são profanados ou pendurados de cabeça para baixo, bem à vista de todos. Pequenas labaredas podem estar tremulando nos cantos das cadeiras, as cortinas talvez já tenham sido consumidas em chamas. Caos absoluto! E, envolvendo tudo isso, haverá uma atmosfera de perversidade tão densa que você poderia cortá-la com uma faca. Ecoarão gritos pavorosos, profundos gemidos sinistros ou gargalhadas maníacas, capazes de fazer o seu sangue gelar nas veias. Então, em algum momento — se você estiver sem sorte —, o próprio espírito pode surgir pela porta, ou sair da parede, ou se manifestar atrás de você e, de repente, fica muito claro que aquilo não é uma fantasia distorcida passível de explicação. É um verdadeiro ataque físico contra a humanidade e que ocorre de maneira proposital e direcionada."

Curiosamente, os Warren vieram a descobrir que os fenômenos provocados por espíritos inumanos ocorriam em etapas. No início, enquanto o espírito se estabelecia no lugar, a atividade era apenas moderada, cautelosa, para não causar alarme. Contudo, nem todas as pessoas estavam sujeitas a enfrentar tais fenômenos. Em geral, indivíduos específicos eram selecionados para a incursão ou o ataque. E havia um motivo *para que* eles fossem o alvo — como duas jovens enfermeiras descobriram recentemente.

3

ANNABELLE

Quando o telefone toca na casa dos Warren e um clérigo com um tom de voz sombrio do outro lado da linha pede para falar com Ed, é grande a probabilidade de que algo sério tenha acontecido. Foi assim com "Annabelle".

Desta vez, o encaminhamento vinha de um padre episcopal. Telefonando dos escritórios administrativos da Igreja em Connecticut, o clérigo estava repassando uma mensagem que recebera de um ministro de outro local do estado. Embora as informações dadas pelo padre fossem superficiais, ele disse a Ed que duas jovens enfermeiras haviam se "comunicado" com o que julgavam ser um espírito humano. Porém, o padre tinha dúvidas de que esse fosse mesmo o caso, porque o pedido de ajuda incluía o fato de que um amigo das garotas havia sido atacado — fisicamente. Conquanto os ferimentos não fossem sérios, a atividade ainda estava em curso, e uma das garotas parecia acreditar que havia algo estranho dentro do seu apartamento. "Você investigaria o caso mais a fundo", solicitou ele, "e, como demonologista, poderia recomendar alguma ação formal da Igreja, caso necessário?"

Concordando com a avaliação do clérigo de que algo de natureza espiritual negativa pudesse estar atuando, Ed Warren aceitou o encaminhamento. Com isso, o padre informou a Ed o número de telefone e o nome das jovens. Após falar com o sacerdote, Ed ligou imediatamente para o número que lhe fora dado. Ao conseguir contatar uma das enfermeiras, Ed averiguou a existência do problema e disse à jovem que ele e Lorraine estavam a caminho...

Embora o tráfego estivesse tranquilo na interestadual naquele dia, os Warren levaram bem mais de uma hora para chegar ao endereço do moderno prédio baixo de apartamentos. Após estacionarem o carro, o casal foi até a porta da frente e Ed tocou a campainha. Ele levava consigo um gravador de fita cassete, uma câmera e uma maleta preta. O som de passos que se aproximavam pelo lado de dentro logo se fez ouvir. Ferrolhos de trancas foram soltos, e uma jovem de 25 anos, atraente, ainda que de rosto sério, chamada Deirdre Bernard, abriu a porta. Ed e Lorraine Warren apresentaram-se e, em seguida, foram levados ao apartamento.

A jovem enfermeira conduziu os Warren até a cozinha, passando por uma ampla sala de estar. Ali, Cal Randell e sua noiva, Lara Clifton, estavam sentados à mesa tomando um café. Deirdre apresentou-lhes os Warren, mas os jovens falaram muito pouco. A expressão facial séria e esgotada dos três dizia tudo. Os demonologistas então se sentaram à mesa junto dos jovens. Após inserir a fita cassete no gravador, Ed ligou o aparelho e registrou o horário, a data, o endereço e o nome completo dos principais envolvidos no caso.

"Tudo bem", começou ele. "Eu gostaria de ouvir a história inteira, desde o começo. Quem aqui pode contá-la?"

"Eu posso", respondeu Deirdre.

"Certo. Cal, Lara, por favor, acrescentem qualquer detalhe que ela deixar de mencionar", orientou Ed.

"São duas histórias, na verdade", disse Deirdre. "Uma que começou no início da semana, com Cal. A outra é sobre Annabelle. Mas suponho que ambas sejam sobre Annabelle. Não tenho certeza."

"Quem é Annabelle?", perguntou Ed na mesma hora.

"Ela pertence a Deirdre", tornou Lara.

"*Pertence?*", indagou Lorraine. "Annabelle é um ser vivo?"

"Se ela *é* viva?", tornou Deirdre, confusa. "Ela se mexe. Age como se estivesse viva. Mas não, acho que ela não é viva."

"Annabelle está na sala de estar", disse Lara, apontando por cima da mesa. "Está sentada no sofá."

Lorraine olhou para a esquerda, para a sala de estar. "Você está falando da *boneca*?"

"Isso mesmo", respondeu Lara. "Aquela boneca de pano Raggedy Ann, grande. Aquela é Annabelle. Ela se mexe!"

Ed se levantou e foi até a sala de estar para inspecionar a boneca. Ela era grande e pesada, do tamanho de uma criança de 4 anos de idade, e estava sentada com as pernas estendidas no sofá. Os olhos pretos sem pupila encararam-no de volta, enquanto o sorriso pintado dava à boneca uma expressão de ironia sinistra. Depois de examinar a coisa sem tocá-la, Ed voltou à cozinha.

"De onde veio a boneca?", Ed perguntou a Deirdre.

"Foi um presente", respondeu a jovem. "Minha mãe me deu no meu último aniversário."

"Existe algum motivo para sua mãe ter comprado uma boneca para você?", indagou Ed.

"Não. Era só uma novidade — para decoração", disse a enfermeira.

"Tudo bem", prosseguiu ele. "Quando você começou a notar a ocorrência de alguma atividade?"

"Há mais ou menos um ano", disse Deirdre. "A boneca começou a andar *sozinha* pelo apartamento. Não estou querendo dizer que ela se levantou e andou por aí, nem nada assim. Quero dizer que, quando chegávamos do trabalho, ela nunca estava exatamente onde a tínhamos deixado."

"Explique essa parte um pouco melhor", solicitou Ed.

"Depois que ganhei a boneca de aniversário", explicou Deirdre, "eu a deixava em cima da cama todo dia de manhã, depois que a cama estava arrumada. Os braços ficavam ao lado do corpo e as pernas, estendidas para frente — exatamente como ela está sentada ali, agora. Porém, quando voltávamos para casa, à noite, os braços e as pernas estavam posicionados de formas diferentes. Por exemplo, as pernas estavam cruzadas na altura dos tornozelos, ou os braços estavam cruzados no colo dela. Depois de mais ou menos uma semana, isso nos deixou desconfiados. Então, para fazer um teste, de manhã eu cruzava de propósito os braços e as pernas da boneca, para ver se ela realmente se mexia. E, é claro, toda noite, quando voltávamos para casa, os braços e as pernas estavam descruzados e a coisa estava sentada ali em uma dúzia de posturas diferentes."

"É, mas ela fazia *mais* que isso", interrompeu Lara. "A boneca também mudava de cômodo sozinha. Voltamos para casa uma noite e Annabelle estava em uma cadeira ao lado da porta da frente. De joelhos! Mas, o engraçado foi que, quando *nós* tentamos fazer a boneca ficar de joelhos, ela simplesmente desabou. Era *impossível* colocá-la de joelhos. Outras vezes, nós a encontrávamos sentada no sofá, apesar de, ao sairmos do apartamento, de manhã, ela ter ficado no quarto de Deirdre, com a porta fechada!"

"Mais alguma coisa?", perguntou Lorraine.

"Sim", disse Deirdre. "Ela nos deixava bilhetinhos e recados. A caligrafia parecia ser de uma criança pequena."

"O que os bilhetes diziam?", indagou Ed.

"Diziam coisas que não faziam nenhum sentido para nós", respondeu Deirdre. "As mensagens eram como AJUDE A GENTE OU AJUDE CAL, mas Cal não estava correndo nenhum tipo de risco na ocasião. E quem era 'a gente'? Nós não sabíamos. Além disso, o mais esquisito era que os bilhetes estavam escritos a lápis mas, quando tentávamos encontrar um lápis, não havia nenhum no apartamento! E o papel em que ela escrevia era *pergaminho*. Revirei o apartamento, procurando papel tipo pergaminho, mas, outra vez, nenhuma de nós tinha esse tipo de coisa."

"Parece que alguém tinha a chave do apartamento e estava pregando uma peça de mau gosto em vocês", declarou Ed categoricamente.

"Foi exatamente o que pensamos", disse Deirdre. "Então, fizemos algumas coisinhas, como deixar marcas nas janelas e portas, ou ajeitar os tapetes de modo que qualquer um que entrasse aqui deixaria uma pista que pudéssemos ver. Mas nunca, nem uma única vez, apareceram sinais de que houvesse mesmo um intruso vindo de fora."

"Enquanto a boneca ficava mudando de lugar e nós passamos a desconfiar de ladrões, outra coisa absurda aconteceu", acrescentou Lara, em seguida. "A boneca Annabelle estava sentada na cama de Deirdre, como sempre. Quando voltamos para casa, uma noite, havia sangue nas costas da mão da boneca, e três gotas de sangue no peito dela!"

"Meu Deus, aquilo realmente nos deixou apavoradas", disse Deirdre, com franqueza.

"Vocês notaram qualquer outro tipo de fenômeno ocorrendo no apartamento?", perguntou Ed.

"Uma vez, perto do Natal, encontramos no aparelho de som uma botinha de chocolate que nenhum de nós havia comprado. Supostamente, ela veio de Annabelle", disse Lara.

"Quando vocês chegaram à conclusão de que havia um espírito associado à boneca?", indagou Lorraine.

"Sabíamos que alguma coisa esquisita estava acontecendo", respondeu Deirdre. "A boneca *de fato* mudava sozinha de um cômodo para o outro. Ela *realmente* ficava em posturas diferentes, todos nós vimos. Mas queríamos saber por quê. Será que podia haver uma razão plausível para a boneca estar se mexendo? Então, Lara e eu entramos em contato com uma mulher que é médium. Isso foi há mais ou menos um mês, ou talvez seis semanas depois que tudo isso começou a acontecer."

"O que vocês descobriram?"

"Descobrimos que uma garotinha morreu nesta propriedade", Deirdre contou aos Warren. "Ela contava 7 anos e o seu nome era Annabelle — Annabelle Higgins. O espírito de Annabelle disse que brincava nos campos muito tempo atrás, antes de estes apartamentos serem construídos. Ela nos disse que aqueles foram 'tempos felizes'. Como todos por aqui eram adultos e só se preocupavam com os seus empregos, não havia ninguém com quem ela pudesse interagir, só a gente. Annabelle sentia que nós conseguiríamos entendê-la. Foi por isso que ela começou a movimentar a boneca de pano. Tudo o que Annabelle queria era ser amada, então ela pediu se poderia ficar conosco e se mudar para dentro da boneca. O que podíamos fazer? Então, dissemos sim."

"Espere um instante", interrompeu Ed. "O que você quer dizer com ela queria *se mudar para dentro* da boneca? Está dizendo que ela propôs possuir o brinquedo?"

"Correto, esse foi o trato", tornou Deirdre. "Parecia bastante inofensivo. Somos enfermeiras, sabe, vemos sofrimento todos os dias. Tivemos compaixão. De qualquer forma, começamos a chamar a boneca de Annabelle dali em diante."

"Vocês fizeram alguma coisa diferente com a boneca depois de descobrirem que ela estava supostamente possuída pelo espírito de uma menininha chamada Annabelle?", perguntou Lorraine.

"Na verdade, não", disse Deirdre. "Mas, é claro, ela já não era só uma boneca. *Era Annabelle*. Não podíamos ignorar esse fato."

"Certo, antes que você vá em frente, vamos voltar um instante", pediu Ed. "Primeiro, você ganhou a boneca no seu aniversário. Depois de um tempo, a boneca começou a se mover — ou, pelo menos, a mudar de lugar o suficiente para que vocês o notassem. Isso as deixou curiosas, então vocês decidiram fazer uma sessão espírita, e um espírito se comunicou, dizendo que se chamava Annabelle Higgins. Esse suposto espírito de uma garotinha tinha 7 anos e pediu para vir morar com vocês, possuindo a boneca. Vocês concordaram, por compaixão. Então, passaram a chamar a boneca de Annabelle. Correto?"

"Correto", disseram Deirdre e Lara.

"Vocês alguma vez viram o fantasma de uma garotinha neste apartamento?", perguntou Ed.

"Não", responderam ambas as jovens.

"Vocês disseram que um chocolate apareceu aqui certa vez", comentou Ed. "Aconteceu mais alguma coisa estranha que vocês não conseguiriam explicar?"

"Uma vez, uma estatueta se ergueu no ar, do outro lado da sala", recordou Deirdre. "Então, ela deu uma cambalhota no ar e caiu no chão. Nenhuma de nós estava perto da estatueta — ela estava do outro lado da sala. Esse incidente nos deixou completamente apavoradas."

"Deixem-me perguntar outra coisa", continuou Ed. "Vocês não pensaram que talvez não devessem ter dado tanta atenção a uma boneca?"

"*Não era uma boneca!*", corrigiu-o Deirdre. "Era com o espírito de Annabelle que nós nos importávamos!"

"É isso mesmo!", disse Lara.

"Quero dizer, *antes* de vocês saberem qualquer coisa sobre Annabelle."

"Como poderíamos saber alguma coisa?", perguntou Deirdre. "Mas, pensando bem, vendo agora, talvez não devêssemos ter dado tanta credibilidade à boneca. Mas, de verdade, víamos a coisa como nada além de uma mascote inofensiva. Ela nunca fez mal a ninguém... pelo menos até outro dia."

"Vocês ainda acham que o que está movimentando a boneca seja o espírito de uma garotinha?", indagou Lorraine.

"O que mais poderia ser?", disse Lara, em resposta.

"É uma maldita boneca de vodu, é isso o que ela é", soltou Cal. "Faz muito tempo que falei a elas sobre aquela coisa. A boneca estava só tirando vantagem delas..."

"Tudo bem, Cal, acho que chegou a hora de você contar a sua versão das coisas", observou Ed, dirigindo-se ao rapaz.

"Deixe-me colocar desta forma: eu não gostei da boneca, e a boneca também não gostou de mim", disse ele. "Aquela coisa pensa, e bonecas não pensam, certo? Então, desde o começo, não achei que essa coisa andando pelo apartamento delas fosse bonitinha."

"Além disso, conte-me o que aconteceu a você", disse Ed.

"Conte a eles sobre os sonhos", persuadiu-o Lara.

"Bem", continuou Cal, "a coisa me faz ter pesadelos. Recorrentes. Mas, ainda assim, o que vou contar a vocês não é um sonho, na minha opinião, porque, de alguma forma, vi acontecer comigo. Da última vez que aconteceu, caí no sono em casa, um sono muito pesado. Enquanto eu estava ali, deitado, me vi acordar. Alguma coisa me parecia errada. Eu olhava ao redor do quarto, mas não havia nada fora do lugar. Então, quando olhei para baixo, para os meus pés, vi a boneca de pano, Annabelle. Ela estava subindo devagar pelo meu corpo. Ela chegou à altura do meu peito e parou. Então, abriu os braços. Um deles tocou um lado do meu pescoço, e o outro tocou o outro lado, como se estivesse fazendo uma conexão elétrica. Daí, eu me vi sendo estrangulado. Eu me contorcia e tentava empurrar a boneca para longe do meu peito, mas eu bem que podia estar empurrando uma parede, porque ela *não se movia*. Eu estava literalmente sendo estrangulado até a morte, mas não conseguia sair daquela situação, não importa o quanto eu tentasse."

"Sim, mas o padre com quem falei disse que você tinha *sido fisicamente* atacado. É isso que considera o ataque físico?", pressionou-o Ed.

"Não", declarou Cal. "Isso aconteceu aqui, neste apartamento, quando Lara e eu estávamos sozinhos. Eram mais ou menos 22h ou 23h e estávamos estudando alguns mapas porque eu ia viajar no dia seguinte. Tudo estava quieto naquela hora. De repente, nós dois ouvimos barulhos no quarto de Deirdre, o que nos fez pensar que alguém havia invadido o apartamento. Eu me levantei e fui em silêncio até a porta do quarto, que estava fechada. Esperei até os barulhos pararem, abri a porta com cuidado e coloquei a mão para dentro para acender a luz. Ninguém estava lá dentro! Só que a boneca Annabelle estava jogada a um canto, no chão. Entrei sozinho e caminhei até a coisa para ver se algo esquisito havia acontecido. Porém, quando cheguei perto dela, tive a nítida impressão de que alguém estava atrás de mim. Eu me virei no mesmo instante e, bem..."

"Ele não vai falar sobre essa parte", declarou Lara. "Quando Cal se virou, não havia ninguém ali, mas, de repente, ele soltou um berro e agarrou o peito. Ele estava com o tronco encurvado, tinha cortes e estava sangrando quando cheguei até ele. A camisa estava ensopada de sangue. Cal estava tremendo, apavorado. Voltamos para a sala de estar. Então, abrimos a camisa dele e, no peito, havia o que pareciam ser marcas de garras!"

"Posso ver a marca?", perguntou Ed.

"Já sumiu agora", disse-lhe o rapaz.

"*Eu* também vi os cortes no peito dele", manifestou-se Deirdre, em apoio aos amigos.

"Quantas havia?", indagou Ed.

"Sete", disse Lara. "Três eram verticais, quatro horizontais."

"Você tinha alguma sensação nos cortes?"

"Todos os cortes eram quentes, como se fossem queimaduras", disse o rapaz.

"Você já teve cortes ou ferimentos na mesma região do peito antes de acontecer esse incidente?", questionou Ed.

"Não", tornou ele.

"Você perdeu a consciência antes ou depois de o ataque acontecer?"

"Não", foi novamente a resposta.

"Quanto tempo levou para os ferimentos cicatrizarem?", perguntou Lorraine Warren.

"Elas cicatrizaram bem depressa", disse Cal. "Já tinham quase sumido no dia seguinte, e sumido totalmente no outro."

"Aconteceu mais alguma coisa desde então?", perguntou Ed.

"Não", foi a resposta de todos.

“Quem foi a primeira pessoa que vocês contataram depois que ocorreu o incidente?”

“Entrei em contato com um padre episcopal chamado Kevins”, Deirdre informou a Ed e Lorraine.

“Por que vocês decidiram chamá-lo em vez de chamar um médico?”, indagou Lorraine.

“Você acha que alguém de fora teria acreditado de onde tinha vindo aquela marca de garras no peito de Cal?”, perguntou Deirdre, retoricamente. “Além disso, concordamos que os cortes eram menos importantes do que o *modo* como Cal foi ferido. Queríamos saber se isso aconteceria outra vez. Nosso problema era: a quem perguntar?”

“Há algum motivo para vocês terem chamado especificamente o padre Kevins?”, questionou Lorraine.

“Sim. Confiamos nele”, disse Deirdre. “Ele dá aulas aqui perto, em uma faculdade que ministra apenas os dois primeiros anos dos cursos de graduação. Além disso, Lara e eu o conhecemos.”

“O que vocês contaram ao padre?”, perguntou Ed.

“A história toda — sobre Annabelle e como ela se movia sozinha, e principalmente sobre os cortes de Cal”, respondeu Deirdre. “No início, tivemos receio de que ele não acreditasse, mas não foi esse o problema — ele até que acreditou. No entanto”, concluiu ela, “o padre disse que nunca tinha ouvido falar desse tipo de coisa acontecendo hoje em dia. Nós estávamos morrendo de medo na ocasião, e perguntei o que ele achava que tinha acontecido conosco.”

“O que ele falou?”, indagou Ed.

“Ele disse que não queria fazer especulações”, respondeu Deirdre. “Mas o padre parecia realmente ter a impressão de que era uma questão espiritual, possivelmente algo importante, e disse que entraria em contato com alguém de grau mais elevado na Igreja — um tal padre Everett.”

“Foi isso o que ele fez”, informou-lhe Ed.

Então, preocupada, Lara perguntou aos Warren: “O que *vocês* acham que fez aquilo no peito de Cal?”.

“Vamos discutir isso em um instante”, respondeu Ed. “Primeiro, para encerrarmos, deixem-me apenas fazer algumas perguntas. Esse tipo de coisa já aconteceu a vocês antes — a qualquer um de vocês?”

“Não”, os jovens disseram aos Warren.

“O nome Annabelle, ou Annabelle Higgins, significava alguma coisa para vocês, na vida real, antes de esse incidente ocorrer?”

“Não”, responderam eles mais uma vez.

"Embora vocês nunca tenham visto nada de natureza espiritual aqui, Cal disse ter sentido uma presença no quarto antes de ser ferido..."

"*Existe* alguma coisa aqui", afirmou Lara, com firmeza. "Na verdade, já não suporto mais ficar neste lugar. Decidimos arranjar um novo apartamento. Vamos sair daqui!"

"Temo que isso não será de grande ajuda para vocês", disse Ed.

"O que quer dizer?", perguntou Deirdre, espantada.

"Para resumir, pessoal, vocês inadvertidamente trouxeram um espírito para dentro deste apartamento — e para as suas vidas. E não conseguirão se livrar dele com essa facilidade."

A afirmação de Ed era compreensivelmente inquietante. Por prudência, ele e Lorraine permaneceram calados para que os três jovens colocassem os pensamentos em ordem.

Passado um longo minuto, Ed tornou a falar. "Conseguiremos ajudá-los, e vamos começar hoje mesmo. Agora. A primeira coisa que eu gostaria de fazer é telefonar para padre Everett e pedir que ele venha até aqui. Então, vocês terão que compreender o que aconteceu e por que Cal recebeu aquela horrível marca de garras no peito. Eu poderia usar o telefone?"

Ed não teve problemas para contatar o padre episcopal, que já estava à espera do seu telefonema. Lorraine, enquanto isso, dirigiu-se à sala de estar para detectar a presença espiritual que estava no apartamento. Depois do telefonema, os Warren retornaram à cozinha junto dos outros.

"Tudo bem", disse Ed, impassível, "quando o padre Everett chegar, ele vai realizar uma espécie de bênção, um... exorcismo da propriedade."

"Eu sabia!", declarou Cal, enfático. "Eu sabia que ia dar nisso."

"Sim, creio que sim", disse-lhe Ed. "Mas, não estou certo de que algum de vocês saiba por que motivo. Para começar, *não existe nenhuma Annabelle*! Nunca existiu. Vocês foram enganados. No entanto, *estamos* de fato lidando com um espírito aqui. O teletransporte da boneca enquanto vocês estavam fora do apartamento, o aparecimento de bilhetes escritos em pergaminho, a manifestação simbólica de três gotas de sangue e os gestos que a boneca fazia, tudo isso é significativo. Essas coisas me dizem que havia *intento*, o que significa que havia uma inteligência por trás da atividade. No entanto, fantasmas — espíritos humanos — pura e simplesmente não conseguem provocar fenômenos dessas natureza e intensidade. Eles não têm esse poder. Em vez disso, o que se apossou deste lugar é algo inumano."

"Inumano?", perguntou Cal, perplexo.

"Demoníaco", disse-lhe Ed de imediato. "Normalmente, as pessoas nunca são incomodadas por espíritos demoníacos inumanos, a menos que façam alguma coisa para trazer essa força para as suas vidas. E, sinto dizer, garotas, mas vocês fizeram algo para trazer o demoníaco para as suas vidas."

"Como o quê?", Deirdre logo indagou.

"Bem, na sua maioria, vocês cometeram erros honestos mas, neste caso, cometeram os *piores* erros", respondeu Ed. "O primeiro erro de vocês foi ter dado tanta atenção para a boneca. Vejam, a razão pela qual o espírito movimentou a boneca, no início, era chamar atenção para si. Ao conseguir a atenção de vocês, ele passou a explorá-las. Em vez de retribuir a sua preocupação e o seu cuidado, ele simplesmente lhes causou medo e até mesmo ferimentos físicos. Essa é a natureza do espírito inumano: ele é negativo, gosta de provocar dor. Logo no início vocês não deveriam ter tolerado a atividade incomum. No entanto, em vez de cortar o mal pela raiz, o fato despertou a curiosidade de vocês e isso foi notado — em termos sobrenaturais.

"O erro seguinte foi contatar uma médium", prosseguiu Ed. "Quem quer que tenha atuado como médium foi involuntariamente usada pela entidade como instrumento de comunicação. Durante a sessão, esse espírito inumano transmitiu informações falsas a vocês. O espírito demoníaco é mentiroso. Ele já foi até chamado de Pai da Mentira. Vocês foram enganadas — por um espírito da mentira — e, sem suspeitar de nada, acreditaram na história. O pior erro, porém, foi dar ao espírito a *permissão* de que ele precisava para 'entrar na boneca'. Era isso o que ele queria e tirou proveito do fato de vocês ignorarem sua existência para fazê-lo."

"Por quê?", indagou Lara.

"Porque, para de fato interferir na vida de vocês, o espírito demoníaco precisa obter sua permissão para fazê-lo de algum modo. E, infelizmente, por meio da sua livre e espontânea vontade, vocês lhe deram essa permissão. Foi o mesmo que entregar uma arma carregada a um maníaco."

"Então, a boneca está possuída?", quis saber Deirdre.

"Não, ela não está possuída. Espíritos não possuem objetos: espíritos possuem *pessoas*", informou Ed. "Em vez disso, o espírito apenas movimentou a boneca pelo lugar, criando a ilusão de que ela estivesse viva. Mas, como vocês, moças, acreditavam que era o espírito de uma garotinha, Annabelle, a aparência e a realidade eram a mesma coisa. Em resumo, vocês se mantiveram abertas, e um espírito negativo e enganador tirou vantagem disso — com a sua permissão, é claro. Foi assim que o fenômeno foi provocado."

Ed fez uma pausa para ver se havia mais alguma pergunta, mas nenhuma foi feita.

"Agora, o que aconteceu a Cal no início desta semana", continuou ele, "acabaria acontecendo mais cedo ou mais tarde. Na realidade, vocês todos estavam correndo o risco de ser possuídos por esse espírito, e era isso o que a coisa estava realmente querendo. Mas Cal aqui não acreditou na encenação e, portanto, era uma ameaça constante à entidade. De uma forma ou de outra, acabaria havendo um confronto. E o que aconteceu? Para começar, o espírito tentou estrangular Cal até a morte. Quando isso não deu certo, ele o cortou com uma marca simbólica de garras. Já vimos essa marca de garras em outros casos: é um sinal indicativo de uma presença inumana. Vocês se safaram desta vez. Se tivessem dado ao espírito mais uma ou duas semanas, todos vocês poderiam ter sido mortos."

"Esse... esse... espírito demoníaco está no apartamento agora?", perguntou Lara, petrificada.

"Sim, receio que sim", respondeu Lorraine. "Há apenas uma entidade envolvida, mas seu comportamento é absolutamente imprevisível."

Parecia que as palavras dos Warren começavam a ser compreendidas. "Vocês estão falando sério, não é?", disse Deirdre, incrédula.

A campainha da frente tocou. O padre Everett havia chegado. A conversa na cozinha terminou quando Deirdre se levantou para atender à porta. Com a proximidade do pôr do sol, que aconteceria dali uma hora, Ed estava ansioso para que a residência fosse abençoada para que pudesse então retirar a boneca dali e voltar para casa.

Enquanto os Warren recolhiam suas coisas, o padre Everett — a quem Ed e Lorraine nunca haviam visto pessoalmente — entrou na cozinha. O padre episcopal, um homem alto de meia-idade, estava claramente desconfortável no seu papel de exorcista. Após a troca dos cumprimentos preliminares, Ed disse ao padre que, em seu julgamento, o espírito responsável pela atividade perniciosa era inumano, ainda estava no apartamento e que a única maneira de fazê-lo sair dali seria pelo poder das palavras escritas na bênção do exorcismo.

"Não estou de todo familiarizado com a demonologia", admitiu o padre. "Como você sabe que esse tipo de espírito está por trás da perturbação?"

"Bem, neste caso, não foi tão difícil chegar a essa conclusão", disse Ed, com franqueza. "Esses espíritos agem de formas características. O que está acontecendo aqui é basicamente o estágio de infestação do fenômeno. Um espírito, neste caso, um espírito demoníaco inumano, começou a movimentar a boneca pelo apartamento por meio de teletransporte e outros mecanismos. Após despertar a curiosidade das moças — que era o objetivo do espírito ao movimentar a boneca —, elas cometeram o erro previsível de trazer para cá uma médium, que fez com que a situação evoluísse. A mulher disse às garotas, no estado de transe, que o espírito de uma garotinha chamada Annabelle estava movendo a boneca. Comunicando-se por intermédio da médium, a entidade se aproveitou da vulnerabilidade emocional das moradoras do apartamento e durante a sessão conseguiu extrair delas a permissão para prosseguir com o seu intento. Visto que o demoníaco é um espírito negativo, ele começou então a provocar a ocorrência de fenômenos ostensivamente negativos: causou medo com os movimentos esquisitos da boneca; promoveu a materialização de bilhetes perturbadores, escritos à mão; deixou resíduos de sangue na boneca; e, por fim, chegou a ferir o rapaz, Cal, no peito, abrindo uma sangrenta marca de garras.

"Além da atividade, Lorraine também detectou que esse espírito inumano está conosco agora. Lorraine é uma excelente clarividente e nunca se enganou quanto à natureza de um espírito que esteja presente. No entanto, se o senhor quiser ir adiante, podemos desafiar a entidade agora mesmo com provocação religiosa. O senhor poderá ver por si mesmo..."

"Não, creio que não", tornou o padre Everett. "Por que não fazermos apenas o que tem que ser feito?"

Neste caso, o padre levou cerca de cinco minutos para recitar a bênção do exorcismo em cada cômodo do apartamento. A bênção episcopal de um lar consta de um documento prolixo de sete páginas e tem um caráter marcadamente positivo. Em vez de especificamente expulsar entidades malignas da residência, a ênfase é encher a casa com o poder da positividade — o poder de Deus.

Não houve problemas nem acidentes durante o procedimento. Ao terminar o exorcismo da residência, o padre abençoou as pessoas presentes e, em seguida, declarou que estava tudo bem. Lorraine também confirmou que o apartamento e as pessoas estavam livres da entidade espiritual infestadora.

Concluído o seu trabalho, Ed e Lorraine despediram-se e partiram de volta para casa. A pedido de Deirdre, e como precaução para que o fenômeno nunca tornasse a ocorrer no apartamento, os Warren levaram a grande boneca de pano consigo. Colocando Annabelle no banco traseiro, Ed concluiu que seria mais seguro evitar o percurso pela interestadual, caso a entidade não tivesse sido separada da boneca de pano. Seu palpite estava correto.

Imediatamente, Ed e Lorraine Warren sentiram-se alvo de um ódio feroz. Então, a cada curva perigosa da estrada, seu carro, que era novo, começava a morrer, fazendo com que a direção hidráulica e os freios falhassem. Repetidas vezes, o veículo esteve prestes a envolver-se em alguma colisão. Com certeza, teria sido fácil parar e lançar a boneca no matagal. Contudo, se o objeto profano simplesmente não se "teletransportasse" de volta para o apartamento das jovens, no mínimo ele colocaria em risco qualquer pessoa que o encontrasse.

Na terceira vez em que o carro morreu na estrada, Ed retirou da maleta um frasco de água benta e aspergiu o seu conteúdo sobre a boneca de pano, fazendo o sinal da cruz sobre ela. A perturbação no carro parou de imediato, permitindo que os Warren chegassem em casa sãos e salvos.

Ao longo dos primeiros dias que se seguiram, Ed manteve a boneca sentada em uma cadeira ao lado da sua escrivaninha. O brinquedo levitou várias vezes no início e depois pareceu ficar inerte.

Durante as semanas subsequentes, porém, a boneca começou a aparecer em diversos cômodos da casa. Quando os Warren saíam e a deixavam trancada no escritório anexo à casa, em geral, ao voltar, eles a encontravam, ao abrir a porta da frente, sentada confortavelmente na poltrona de Ed, no andar térreo.

Percebeu-se ainda que Annabelle trouxera um "amigo", um gato preto que, por vezes, se materializava ao lado dela. O gato rondava o cômodo uma vez, prestando atenção especial aos livros e outros objetos do escritório de Ed; em seguida, voltava para junto da boneca e desmaterializava-se a partir da cabeça.

Também ficou evidente que Annabelle odiava clérigos. Durante o processo de acompanhamento que se seguiu ao caso, fez-se necessário que os Warren consultassem os padres episcopais associados ao incidente no apartamento das jovens enfermeiras. Certa noite, ao voltar para casa sozinha, Lorraine apavorou-se com rosnados altos e fortes que reverberavam pela casa inteira. Mais tarde, ao ouvir às gravações na secretária eletrônica, havia dois telefonemas seguidos do padre Kevins. Entre as duas ligações estavam gravados os inconcebíveis rosnados que ela havia ouvido anteriormente na casa.

Certo dia, o padre Daniel Mills, um exorcista católico, estava trabalhando com Ed e perguntou sobre o novo objeto de decoração do escritório, a boneca Annabelle.

Ed detalhou o caso ao padre Daniel e entregou-lhe a papelada para que a analisasse. Após ouvir o relato de Ed quanto ao que havia acontecido, o sacerdote pegou a boneca de pano e disse, com indiferença: "Você é só uma boneca de pano, Annabelle. Não pode fazer mal a ninguém". O padre então arremessou a boneca preenchida de espuma de volta à cadeira.

“É melhor não falar isso outra vez”, alertou-o Ed, com uma gargalhada. Não obstante, uma hora mais tarde, quando o padre Daniel parou para se despedir de Lorraine, ao partir, ela rogou que ele tomasse muito cuidado ao dirigir, e insistiu que telefonasse assim que chegasse ao presbitério. “Vislumbrei uma tragédia com aquele jovem padre”, diz Lorraine, “mas ele tinha que fazer como quisesse.”

Poucas horas depois, o telefone tocou. “Lorraine”, disse o padre Daniel, “por que você me falou para tomar cuidado ao volante?”

“Porque”, disse ela, “seu carro ficaria sem controle e você sofreria um acidente.”

“Bem, você tinha razão”, declarou ele, categoricamente. “O sistema de freios falhou, quase morri em um acidente de trânsito. Meu carro está destruído.”

Mais tarde, naquele ano, em uma grande reunião social na casa dos Warren, Lorraine e o padre Daniel retiraram-se para uma sala de leitura a fim de conversar por alguns instantes. Por uma estranha coincidência, Annabelle havia passado àquele cômodo no dia anterior. Enquanto falava com Lorraine, o padre viu um ornamento decorativo em uma parede fazer um movimento rápido. De repente, o colar de dentes de javali de 61 centímetros que estava acima deles explodiu com uma força impactante. Ao ouvir aquele barulho impressionante, outros convidados foram de imediato à sala, momento em que alguém do grupo teve o cuidado de tirar uma fotografia. Quando revelado, o retrato estava absolutamente normal — exceto por dois fachos de luz intensa acima da boneca, ambos apontando na direção do padre Daniel Mills.

“Em outra ocasião”, conta Ed, “eu estava no meu escritório, trabalhando com um detetive policial em um caso que envolvia um assassinato relacionado a bruxaria na região. Como policial, ele já viu todo tipo de crime; definitivamente, não era o tipo de homem que ficava ‘apavorado’.

“Enquanto conversávamos, Lorraine me chamou lá para cima para atender a um telefonema interurbano. Eu disse ao detetive que ficasse à vontade para olhar o meu escritório, mas que tomasse o cuidado de não tocar em nenhum dos objetos, porque vinham de casos em que forças demoníacas haviam sido invocadas.

“Bem, não devia fazer mais de cinco minutos que eu havia saído do escritório quando esse detetive apareceu lá em cima, absolutamente branco. Quando lhe perguntei o que acontecera, ele se recusou a falar”, lembra Ed, abrindo um largo sorriso. “O homem apenas ficava murmurando: ‘A boneca, a boneca de pano é *real*...’ Ele estava falando de Annabelle, é claro. Aquela bonequinha fez com que ele passasse a acreditar nessas coisas!

Na verdade, pensando bem, todas as reuniões que tive com o detetive depois daquele dia aconteceram sempre no escritório *dele*."

"Ainda na semana passada, ocorreu um incidente parecido aqui", acrescenta Lorraine. "Contratamos um carpinteiro para vir construir mais estantes no escritório de Ed enquanto ele estava fora, na Escócia. O carpinteiro subiu as escadas e pediu que eu levasse a boneca para outro lugar, para que ele pudesse continuar trabalhando. Com toda a franqueza, a boneca me assusta. Mas Ed não estava em casa, então tive que tirá-la de lá.

"Objetos profanos como a boneca Annabelle têm uma aura própria. Quando você os toca, sua aura humana se mistura com a deles. Essa mudança atrai espíritos imediatamente. É quase como disparar um alarme de incêndio. Portanto, para me proteger, eu me aspergi com água benta e, em seguida, 'abençoei' a boneca de pano com água benta, fazendo o sinal da cruz sobre ela. Quando perguntei ao carpinteiro se ele queira se aspergir também, ele me lançou uma espécie de sorriso obsequioso, dizendo que não acreditava em espíritos nem em religião, e que dispensava esse negócio de bênção.

"Nessa hora, nossa gatinha, Marcie, estava deitada no escritório de Ed, como sempre faz. Assim que peguei Annabelle para levá-la para o outro lado da sala, os pelos de Marcie se arrepiaram e ela começou a soltar uns miados estridentes, aflita de pavor. Ela se esgueirou até a porta que dá para fora e começou a chamar de uma forma estranha, como eu nunca tinha ouvido um gato fazer antes. Marcie não parou até que abri a porta do escritório e deixei que ela saísse para a luz do sol. O carpinteiro observou tudo, pasmo. Então, sem dizer uma palavra, ele estendeu o braço, pegou o frasco de água benta da minha mão", diz ela, com um grande sorriso, "e se aspergiu na mesma hora. É como digo quando estamos fazendo trabalho de campo — nunca encontrei um ateu em uma casa mal-assombrada."

"É difícil para as pessoas aceitar a existência de algo que foram condicionadas a acreditar que *não* existia", afirma Ed. "No entanto, a *falta* de conhecimento permitiu que esse espírito negativo conseguisse entrar na vida de três jovens incautos. Se eles soubessem que tais espíritos sinistros existem, então é bastante provável que, hoje, um rapaz não teria sido fisicamente ferido com a marca da besta."

Não obstante, muitos sustentam que a noção de espíritos é irracional e infundada, dizendo que o fenômeno é uma ilusão, uma alucinação ou que simplesmente não existe. Na melhor das hipóteses, a atividade pode ser esclarecida pela ciência. Será mesmo? Recentemente, os Warren abordaram tal assunto em rede nacional de televisão.

A verdadeira ANNABELLE,
trancada no seu armário.

4

FENÔMENOS SOBRENATURAIS

Uma hora e meia após deixarem Connecticut, Ed e Lorraine Warren estão sentados em uma sala de bastidores, aguardando para gravar o *David Susskind Show*, na cidade de Nova York.

O tema do programa daquela noite é "O Oculto" e, durante o primeiro bloco, três pessoas contam como é morar em uma casa mal-assombrada. Os Warren vão participar do restante do programa, em uma discussão em formato de painel com o padre Alphonsus Trabold, o dr. Alex Tanous e dois pesquisadores de fenômenos psíquicos, que o casal acabou de conhecer. O padre Trabold, um amigo de longa data de Ed e Lorraine, é frade franciscano e professor de teologia. Ele também é especialista em demonologia e fenômenos paranormais. O dr. Tanous é um respeitado médium e teólogo que dá aulas na Universidade de Southern Maine. Para esse grupo, que está assistindo ao programa pelo monitor, fica logo evidente que o seu verdadeiro tema não é tanto o oculto em geral, mas os fenômenos espirituais em particular.

Quando o primeiro bloco termina, esses especialistas e escritores deixam a sala nos bastidores para tomarem seus lugares no set de filmagem. Após o intervalo comercial, David Susskind conduz a discussão diretamente ao ponto. "O fenômeno é real — ou é apenas uma excentricidade da mente humana?"

Apresentando explicações paraspsicológicas, o dr. Tanous e outros convidados defendem a opinião de que grande parte dos fenômenos é provocada por psicocinese, ou telecinese — o poder da mente sobre a matéria. O padre Trabold e os Warren concordam com as explicações, mas também alertam que parte da atividade *é* causada por alguma instrumentalidade exterior. Eles acrescentam também que é imprudente, quando não perigoso, subestimar acontecimentos incomuns em uma residência, em especial aqueles que podem de fato ser de origem demoníaca. Os Warren explicam ainda que o caso Amityville não foi uma fraude, e que os fenômenos absurdos, normalmente fantásticos, relatados pelos principais envolvidos eram *indicativos* da estratégia de forças demoníacas. "No entanto", ressalta o padre Trabold, "não se deve ter pressa demais em acreditar que toda e qualquer ocorrência estranha seja de origem sobrenatural."

O programa correu bem. No entanto, ele não explorou as implicações mais profundas dos fenômenos espirituais nem o que está realmente por trás deles. Ainda assim, quando tudo terminou, David, de fala tão amável atrás das câmeras quanto diante delas, agradeceu a todos por fazerem daquela noite tão interessante. Todos estavam felizes por atender ao convite. Para o telespectador, porém, que agora era agraciado com um entretenimento ameno, ainda havia muitas perguntas a responder. Qual é o papel da ciência no estudo do sobrenatural? O que é parapsicologia? Quais são os limites da abordagem científica de fenômenos espirituais? Onde a atuação do parapsicólogo se separa da atuação do demonologista?

Por certo, Ed e Lorraine Warren serão os primeiros a explicar que nem todo movimento ou atividade estranha é resultado da atuação de espíritos, menos ainda de forças demoníacas. "Em grande parte das vezes", diz Ed, "existe uma explicação natural para ocorrências esquisitas em uma casa, como cientistas já conseguiram provar para além de qualquer dúvida. No entanto, é errado crer que a legitimidade dos fenômenos espirituais dependa, em última instância, do veredicto da comunidade científica. O sobrenatural não é um tema científico *per se*; sua validade não pode ser determinada apenas por uma análise científica. É verdade que atividade espiritual genuína já foi registrada em fotografias e por meio de outros equipamentos de gravação, mas a questão envolve muito mais do que fenômenos observáveis."

Além disso, como observa Ed, não faltam evidências. "Aqueles de nós que lidam com o sobrenatural o tempo todo *sabem* que os fenômenos são reais — não há dúvida disso. Portanto, quando as pessoas me dizem que não acreditam em fantasmas e forças espirituais, o que estão de fato dizendo é que não têm familiaridade com os dados sobre o assunto. Ainda assim, eles existem — caso alguém se dê ao trabalho de procurar. Na verdade, grande parte deles foi reunida sob condições tão rigorosas que fazem com que muitas outras pesquisas científicas pareçam frágeis, em comparação. Por exemplo, tomemos um caso que Lorraine e eu começamos a investigar no último verão [1978], em Enfield, Inglaterra, no qual fenômenos envolvendo espíritos inumanos estavam em curso.

Então, não era possível registrar a atmosfera perigosa e ameaçadora dentro daquela casinha. No entanto, *era* possível filmar as levitações, os teletransportes e as desmaterializações de pessoas e objetos que estavam ocorrendo ali — e isso para não mencionar as muitas centenas de horas de gravações em fita cassete das vozes desses espíritos falando alto pelos cômodos. [Em uma conexão transatlântica com Enfield, essas vozes foram transmitidas pela rádio WVAM (Pensilvânia) em 16 de junho de 1978.] Não vou repetir o linguajar vulgar que as vozes usavam quando entrei no cômodo com elas, mas, enquanto estivemos lá, a Sociedade Britânica de Pesquisas Psíquicas já havia gravado, em videoteipe, 1.300 horas desses fenômenos, enquanto ocorriam. A BBC estava ali filmando o caso em separado, aparentemente para um documentário de televisão.

"Os fenômenos estão lá, realmente estão! É por isso que digo que ou você sabe *ou* não sabe que fenômenos espirituais existem. Se não sabe, vá investigar as descobertas por si mesmo, mas não me venha dizer que não acredita em espíritos. Porque eu *vou* provar a existência deles para você: na realidade, vou mostrar coisas que acontecem neste mundo que você não acreditaria que pudessem acontecer!"

Apesar da enorme quantidade de dados que cientistas e outros investigadores já conseguiram coletar, a abordagem científica continua sendo algo como uma espada de dois gumes. Embora o cientista talvez consiga confirmar a ocorrência de fenômenos incomuns, ele de fato não está em posição de julgar se tal atividade está sendo *provocada* por agentes espirituais. Por essa razão, o papel mais apropriado à ciência no estudo do sobrenatural é mostrar onde eventos estranhos *não* são obra de espíritos. Porque, via de regra, é possível encontrar explicações naturais para a ocorrência de atividades insólitas em uma residência.

"Interpretações equivocadas, identificações incorretas, enganos e alucinações explicam uma grande parcela da atividade 'sobrenatural' que é relatada", aponta Ed. "Um encadeamento de coincidências pode levar uma família a supor que tem um fantasma em casa. Outras pessoas podem ouvir 'vozes de espíritos' quando, na realidade, seu alto-falante de alta definição está captando ondas de rádio por conta própria. Problemas na fiação de uma casa podem fazer com que luzes pisquem ou eletrodomésticos não funcionem quando os circuitos estão sobrecarregados. E pessoas com tendências paranoicas vão tirar proveito de qualquer atividade incomum para satisfazer suas fantasias.

"Muitas vezes, as pessoas leem uma história de horror ou assistem a um filme aterrorizante e ficam assustadas. Em poucas semanas, essas pessoas começam a acreditar que há um fantasma no porão ou um vampiro no sótão, e não é possível convencê-las do contrário. Então, elas contratam supostos especialistas para irem à sua casa e se livrarem do 'fantasma'. Esses especialistas vão entrar na casa, desfilar para lá e para cá com túnicas de mago, acender cartuchos de fumaça comprados em lojas de produtos para mágica, recitar um monte de coisas ininteligíveis e, em geral, fazer um espetáculo de fingimento! Depois, vão cobrar milhares de dólares pela prestação de serviços de ocultismo. E isso continuará até que tenham arrancado até o último centavo daqueles infelizes. Sei de um caso em que impostores desse tipo engaram duas mulheres, dando-lhes um desfalque de 50 mil dólares!"

Talvez a primeira explicação *legítima* para incidentes peculiares em uma casa seja a *psicocinese*, o poder que a mente tem de levitar ou teletransportar pequenos objetos por um espaço. A PK, como é abreviada, é provocada pela transferência de energia psíquica para objetos. Tipicamente, o indivíduo que emana essa energia está em um momento de intensa pressão e estresse. Crianças frustradas ou furiosas costumam ser a origem de atividade PK. "Embora seja incomum, a psicocinese pode se assemelhar a fenômenos provocados por espíritos", sugere Ed. "Levitações PK raramente envolvem pesos acima de meio quilo. Até hoje, nenhum experimento demonstrou que a mente humana possa mover pesos superiores a um quilo. Espíritos demoníacos, ao contrário, normalmente movimentam móveis ou eletrodomésticos que demandariam dois homens fortes para serem erguidos.

"Às vezes, existem razões físicas comuns para movimentos estranhos", prossegue ele, "tais como perturbações magnéticas ou geológicas na área em que são relatadas as movimentações. Vez por outra, a eletricidade cria forças que promovem uma suspensão da gravidade ou outros efeitos inusitados perto de paredes. Aquecedores elétricos instalados em rodapés podem gerar eletricidade estática capaz de atrair ou levitar objetos leves de plástico ou de papel. Sabe-se que canos de aço e outros objetos metálicos dentro das paredes podem ficar magnetizados, o que lhes dá a capacidade de atrair pequenos pregos ou clipes de papel. Embora tal atividade possa *parecer* misteriosa, o que está realmente acontecendo é perfeitamente normal. Nas ocasiões em que não há uma explicação humana nem física para acontecimentos estranhos, então a causa da perturbação tende a ser mesmo a presença de espíritos. E quando espíritos *são* os responsáveis, na maioria das vezes, a atividade pode ser atribuída a poderes espirituais inumanos."

Não obstante, fenômenos insólitos, em si, não constituem a principal preocupação do demonologista. Em regra, esse é o trabalho do parapsicólogo, que estuda fenômenos incomuns a partir de um ponto de vista científico. No passado, a parapsicologia era muito malvista porque aqueles que se intitulavam parapsicólogos costumavam ser pessoas que se afirmavam especialistas e ostentavam títulos solicitados por correio como credenciais. Hoje em dia, porém, o assunto é uma área legítima de investigação, estudada por profissionais certificados nas principais universidades e instituições de pesquisa.

"Em geral", afirma Ed, "o parapsicólogo está em busca de uma única coisa: uma ligação entre fenômenos insólitos e as capacidades latentes da mente humana. No entanto, quando se depara com a problemática dos fenômenos espirituais inumanos, o parapsicólogo costuma se referir a eles como uma atividade 'poltergeist'. Poltergeist é uma palavra do alemão antigo que significa 'fantasma barulhento e travesso'. O termo, porém, é uma forma inadequada de registrar os fatos, porque não especifica nem lida com a *verdadeira* causa da perturbação.

"Ainda assim, a parapsicologia, por estar aliada à ciência, pode oferecer apenas explicações dentro do âmbito de conceitos científicos e técnicas de teste já aprovados. Em consequência, o parapsicólogo normalmente é colocado na posição contraditória de analisar o reino sobrenatural usando princípios que se aplicam apenas ao reino natural. Infelizmente, dada essa limitação, na maioria das vezes, o parapsicólogo conclui que aquilo que ele não pode testar simplesmente não existe. Por isso, ele lança mão de uma palavra evasiva como 'poltergeist' quando se faz necessária uma linguagem mais específica."

Como observa Ed: "Grande parte dos fenômenos espirituais é invisível e imensurável. As manifestações exteriores representam apenas uma parte de um quadro muito maior que não pode ser medido com instrumentos de teste. Embora a parapsicologia tenha nos fornecido muitos dados sobre fenômenos insólitos e a ligação deles com o homem, ela nunca sequer se aproximou de uma compreensão dos verdadeiros princípios metafísicos que regem a maioria dos fenômenos espirituais. Na realidade, como regra, o parapsicólogo não acredita na existência de espíritos — às vezes, até o ponto do ridículo. Ainda recentemente, por exemplo, eu estava em uma residência com problemas que eu sabia que estavam sendo causados por um espírito. Por acaso, acabei mencionando isso ao investigador chefe do projeto. 'Esse negócio de espíritos não existe', ele me disse. Bem, assim que ele falou isso, uma caixa de lenços de papel se ergueu no ar, atravessou a sala voando e o acertou na cabeça. 'Acho que admito estar errado desta vez', disse ele, perplexo".

Os Warren não se consideram parapsicólogos, visto que existe uma diferença fundamental entre a parapsicologia e a demonologia. A parapsicologia não dá credibilidade ao sobrenatural, ao passo que a demonologia se ocupa *apenas* de eventos sobrenaturais. Embora o parapsicólogo e o demonologista possam investigar o mesmo caso, cada um tende a olhar para os fenômenos a partir de perspectivas completamente diferentes.

"Meu trabalho", diz Ed, "é cuidar para que pessoas não se machuquem — seja física ou mentalmente — e fazer com que os fenômenos cessem ou entrar em contato com alguém que possa fazê-lo. Quando forças demoníacas estão envolvidas, esse 'alguém' acaba sendo o clero. Na minha experiência, o parapsicólogo parece estar preocupado apenas com o seu livro de registros. Ele costuma estar em uma investigação porque foi enviado para lá ou porque está trabalhando com alguma espécie de subvenção. Ele olha para as *pessoas* como a origem do problema e sua função é listar e registrar o máximo de fenômenos que puder. E é realmente melhor que ele não volte aos seus superiores com a explicação de que um fantasma estava por trás da perturbação!

"Eu não tenho esses problemas. Entro em um caso primeiro como investigador de fenômenos psíquicos", continua Ed. "E *não* entro nele esperando encontrar atividade espiritual. Se me convenço de que nenhum espírito está envolvido, saio do caso. Como demonologista, tenho interesse apenas em fenômenos *sobrenaturais*: se é natural, não é da minha alçada. A atividade natural continuará sem propósito ou direção e acabará desaparecendo. Mas perturbações sobrenaturais acontecem por um *motivo*. O cientista pode passar meses em um local mal-assombrado sem que ocorra nada passível de teste. Então, certa tarde, eu chego ao lugar com objetos religiosos, *provoco* o que está ali e, de repente, diante de testemunhas, começa o pandemônio. Esses são fenômenos sobrenaturais: você precisa ir além do manual de ciências para encontrar as respostas aqui."

"No nosso trabalho", Lorraine aproveita o gancho, "não estamos interessados apenas nos fenômenos, como o cientista estrito costuma estar. A base das nossas funções é com as pessoas porque, na maioria das vezes, a atividade espiritual está direcionada *para* as pessoas. Em geral, entramos em um caso quando a família já está sendo assediada há algum tempo. Normalmente, a polícia, os psicólogos e os parapsicólogos terão dito a essas pessoas que elas estão imaginando coisas ou que não estão dizendo a verdade. E eles falam isso porque não compreendem — ou não *querem* compreender — os fenômenos espirituais.

"Dada a nossa experiência, enxergamos as coisas de forma diferente: vemos pessoas normais nas garras de um verdadeiro horror. Nós não as desacreditamos sumariamente como se fossem desequilibradas nem lhes dizemos que estão tendo uma reação exagerada. Perguntamos a elas *por que* os seus sentimentos são tão intensos. Sabe, às vezes, as pessoas envolvidas em um caso ficam fora o dia todo e voltam para casa tarde da noite só para evitar sua residência, porque sabem que ela está mal-assombrada. Outras vezes, as pessoas são oprimidas ao ponto de se tornarem prisioneiras na própria casa, sem nunca sair de lá. Isso *não é* um comportamento normal."

"Para colocar de outra maneira", completa Ed, "quando tive que pegar as chaves com George Lutz para entrar na mansão de Amityville, ele não queria ficar a uma distância menor que quatro quarteirões da própria casa! Ele é um homem grande e robusto, faixa vermelha em caratê, ex-oficial da Marinha. Ele não respeita o que não existe. Antes de se mudar para aquele lugar de Amityville, a opinião de George era que os mortos estão mortos e não podem fazer mal a ninguém. Na noite em que ele me entregou as chaves, perguntei o que ele viu dentro da casa. O sr. Lutz me olhou bem nos olhos e disse: 'Sr. Warren, o senhor *sabe* o que eu vi'.

"Esse é o aspecto humano", ressalta Ed. "Mas os fenômenos também são importantes. Como demonologista, procuro determinados tipos de atividade, porque é a minha função — e do clero especializado — determinar se existe um agente externo; se de fato há uma inteligência por trás da atividade — uma inteligência de origem sobrenatural."

No entanto, como os Warren podem saber se uma inteligência está realmente por trás da perturbação se tal agente externo é invisível?

Lorraine explica: "Embora essa inteligência em geral escolha permanecer invisível, não *há* como cometer equívocos quanto ao que está por trás dos fenômenos, em especial se for um espírito demoníaco inumano. A atividade ocorrerá em círculos, ao contrário, em sentido anti-horário, ou em alguma evidente violação às leis da física. Pedras, por exemplo, ou porcas e parafusos cairão de um céu aberto sobre uma casa que está sofrendo um ataque demoníaco. Essas pedras vão cair com tal força que podem de fato penetrar o telhado. Também já vimos essa mesma chuvarada de pedras acontecer *dentro* de uma casa. E para que se perceba que tais eventos *não* são de origem natural, os objetos cairão em zigue-zague, desafiando a lei da gravidade, de modo que não reste dúvidas quanto ao que está realmente por trás deles. A propósito, essa chuva de pedras, ou até mesmo de pequenos animais como rãs ou peixes, não é rara — ela acontece em algum lugar deste país mais ou menos uma vez por semana.

"E não serão apenas objetos caindo: uma dúzia de outras ocorrências sobrenaturais estará acontecendo dentro da residência exatamente ao mesmo tempo. E enquanto esse show de fenômenos exteriores está acontecendo, um ataque semelhante, de caráter subjetivo, será lançado contra as próprias pessoas. Coisas pavorosas, como crianças inocentes se transformando em monstros sórdidos com força sobre-humana. Ou adultos envelhecendo de repente, da noite para o dia, ou assumindo as feições dos mortos. E, em muitos casos, esses efeitos não são totalmente reversíveis. Sim, essas coisas acontecem! Isso é muito real, algo seriíssimo. Quando forças demoníacas são as responsáveis por uma perturbação, normalmente, vidas são arruinadas."

Quando os Warren são chamados a investigar uma possível presença demoníaca, que procedimento usam para determinar a natureza do espírito presente?

"Quando nos encaminham um caso", responde Ed, "em geral é por meio de autoridades eclesiásticas. Depois de tomarmos conhecimento do problema, contatamos de imediato os principais envolvidos. Naturalmente, o fator tempo é essencial. Estamos lidando com algo que é bem capaz de provocar ferimentos ou até mesmo a morte.

"Ao chegarmos ao local dos fatos, eu me sento com a família e faço um interrogatório completo. Essas entrevistas são gravadas. Tenho milhares de casos gravados. Geralmente, falo muito pouco para que as pessoas tenham que *me* dizer o que vivenciaram. Fico atento a certas pistas e características que distinguem a atuação do espírito demoníaco de outros tipos de fenômenos.

"Vou querer saber, por exemplo, *quando* a família vivencia a atividade. A maioria dos problemas espirituais ocorre durante a noite, depois que o sol se põe. A família notou odores estranhos na casa ou rápidas variações de temperatura? É comum que um espírito projete odores para sinalizar a sua presença, ou absorva energia do cômodo, deixando-o muito gelado. Eles ouviram barulhos que sugerem a presença de um estranho na casa? Portas que batem sozinhas, sussurros, respirações pesadas e luzes que se acendem e apagam por si mesmas são fortes indicações de uma presença espiritual. A família é acordada em horários específicos da noite? Muitas vezes, um espírito vai recriar a sua própria tragédia no mesmo horário, todos os dias, normalmente no instante em que sua vida física chegou ao fim. A família tem medo de entrar em alguma área ou cômodo específico da casa? Um espírito humano tende a permanecer em um cômodo que lhe era familiar em vida; um espírito inumano habitará uma área da casa que ele considere mais hospitaleira em termos psíquicos.

"Se a resposta for sim a várias dessas perguntas, vou adiante e pergunto se eles usaram um tabuleiro Ouija. Essa é a forma mais comum pela qual espíritos negativos são atraídos. Eles realizaram uma sessão espírita? Aqueles que incentivam entidades invisíveis a entrar na sua casa costumam atrair espíritos de uma espécie que nunca imaginaram existir. Eles realizaram rituais satânicos ou de magia malévola? As pessoas riem da história de vender a alma ao diabo, mas o triste fato é que isso pode ser feito — e, aliás, com muita facilidade. Alguém da família esteve em uma casa mal-assombrada? Uma pessoa que demonstre interesse suficiente para entrar em uma casa verdadeiramente mal-assombrada está propensa a trazer consigo, para a própria residência, um espírito desesperado. Eles vêm tendo sonhos bastante realistas ou pesadelos ameaçadores que, depois, acontecem? Muitas vezes, o súbito conhecimento de eventos futuros é sinal de uma presença espiritual. Os espíritos costumam se comunicar com as pessoas por sonhos, estado em que o inconsciente está aberto e receptivo. Eles mataram alguém, por acidente ou de outra forma? O túmulo não é o fim, e um fantasma em busca de vingança por uma morte prematura é, às vezes, capaz de exigir uma forma própria de justiça. Algum membro da família esteve em contato com alguém que esteja possuído ou realize rituais de ocultismo com frequência? É muito comum que indivíduos possuídos ou envolvidos com as artes das trevas estejam cercados por uma multidão de espíritos. Uma pessoa vulnerável que tenha contato com um indivíduo possuído — ou até mesmo com um amador no trato com o oculto — corre o risco de se colocar sob a influência de espíritos, quer tal influência seja desejada ou não. Alguém da família sabe se foi amaldiçoado? Isso parece superstição, mas já lidei pessoalmente com dúzias de casos em que pessoas foram amaldiçoadas ou esconjuradas por outras de forma metódica. Um dos piores casos de possessão já registrados pela Igreja Católica Romana nos Estados Unidos ocorreu na década de 1920, quando um pai amaldiçoou a própria filha para que fosse atormentada pelo diabo.

"Depois que certas perguntas são respondidas", continua Ed, "peço que a família explique os fenômenos que ocorreram. Eles viram objetos se mover ou levitar? Se me dizem que um refrigerador levitou, sei que isso está além do poder da PK humana. Eles viram coisas desaparecer? Viram objetos atravessar paredes? Substâncias, objetos ou animais se manifestaram misteriosamente? Depois de uma hora fazendo essas perguntas, vou saber se as pessoas estão ou não sendo honestas; se a atividade é aleatória ou proposital; se há uma inteligência por trás dos fenômenos e se essa inteligência é de origem humana ou demoníaca."

Quando chamados a investigar um caso típico em que eventos estranhos estão acontecendo, os Warren trabalham sozinhos ou há outras pessoas presentes para testemunhar a perturbação?

"Em primeiro lugar", diz Lorraine, "não existe essa coisa de um 'caso típico': cada caso é diferente e tem a própria dinâmica peculiar. Quanto a testemunhas, na maioria das vezes, além de Ed, eu mesma e os principais envolvidos, outros indivíduos veem a atividade. Às vezes, Ed e eu de fato acabamos sendo as primeiras pessoas de fora a chegar ao local dos fenômenos mas, depois de feitos os preparativos para começarmos uma investigação, trabalhamos com diversos assistentes muito capacitados. Por exemplo, o principal assistente de Ed é um rapaz muito versado de nome Paul Bartz. Ele já está conosco há muitos anos e tem sido frequentemente exposto a atividade demoníaca. Além disso, costumamos chegar com um fotógrafo que estará ali para fotografar a atividade à medida que ela ocorre, bem como quaisquer formas espirituais que possam ser capturadas em filme. Nos raros casos em que é necessária a comunicação com a entidade, um médium de transe profundo também pode nos acompanhar. Se espíritos inumanos parecem estar por trás da perturbação, então Ed em geral traz consigo um padre ou acólito que queira ter uma experiência em primeira mão com fenômenos demoníacos. Posteriormente, se a atividade *estiver* sendo provocada por poderes inumanos, um clérigo local e um exorcista estarão presentes como testemunhas.

"No entanto, também é preciso lembrar que, antes de chegarmos, amigos, vizinhos, parentes, policiais, parapsicólogos, psicólogos e pesquisadores de fenômenos psíquicos podem já ter testemunhado a atividade na tentativa de ajudar a determinar o que está por trás do problema. Como a última coisa que as pessoas costumam pensar é em espíritos, Ed e eu somos, portanto, os *últimos* a serem chamados."

Existe alguma forma especial pela qual esses casos começam — quero dizer, os piores?

"Essa é uma pergunta muito genérica", responde Lorraine, "mas deixe-me respondê-la desta maneira. As emoções em uma casa tendem a desencadear os fenômenos. Desse modo, um lar feliz *é* a melhor proteção contra intrusos invisíveis. Como regra, fantasmas não tendem a ser felizes; eles normalmente vão se manifestar para alguém com que possam se identificar emocionalmente. O mesmo se aplica a espíritos inumanos — com a ressalva de que, nesses casos, as emoções teriam que ser *muito* intensas para atrair uma entidade demoníaca negativa. Contudo, em muitíssimos dos casos que temos investigado, os fenômenos foram *convidados* a entrar. Pessoas que pensavam que o sobrenatural fosse inofensivo ou que não acreditavam na sua existência trouxeram a atividade para as suas vidas *por livre e espontânea vontade*!"

Um aspecto particularmente impressionante dos fenômenos demoníacos é que o espírito demoníaco de fato apela para a violência quando exposto a artefatos religiosos, a recitações de orações ou a referências a Deus ou a Jesus Cristo. Como explica Ed, é por isso que o estudo das forças demoníacas é um assunto religioso, não científico.

"O assunto não é religioso porque *eu* digo que é religioso ou porque *eu* quero acreditar que seja verdadeiro", declara Ed. "Digo que o fenômeno é religioso porque é a esse poder que *ele* — o espírito demoníaco — responde. As pessoas podem não acreditar em Deus, mas esses espíritos acreditam."

Existe outra maneira de compreender o espírito demoníaco inumano exceto em um contexto religioso?

"Em última análise, a resposta é não. Você acha que não percorri essa mesma linha de raciocínio?", indaga Ed. "Você pode *chamar* o fenômeno de poltergeist, como faz o cientista, mas quando o espírito começa com a sua ação profana, esse rótulo se desfaz bem depressa. Simplesmente não há uma explicação secular — ou seja, não religiosa — para a existência desses espíritos."

Ed e Lorraine Warren dão palestras ao público — e a grupos profissionais que se ocupam de fenômenos espirituais — há pouco mais de uma década. Em 1968, quando os Warren fizeram sua primeira palestra pública, Ed e Lorraine já haviam dedicado mais de 22 anos à pesquisa e ao estudo dos fenômenos sobrenaturais. Contudo, eles não faziam ideia de que pessoas comuns tinham interesse em ouvir sobre suas experiências. Para grandes plateias, ponderavam Ed e Lorraine, o assunto em pauta era demasiado assustador. Além disso, apenas aqueles que haviam vivenciado os fenômenos teriam interesse no tema. É muito melhor deixar essas questões para lá.

"Não exatamente", argumentou o chefe de um comitê local de bolsas de estudo. "Por que não trazem uma dúzia das suas pinturas de casas mal-assombradas para a prefeitura e, então, dão uma palestra no dia da Exposição Artística de Jogos de Chá? O dinheiro dos ingressos daria um verdadeiro impulso à campanha de bolsas de estudo."

Em um gesto em prol da comunidade, os Warren concordaram. No dia marcado, suas pinturas foram expostas, uma ao lado da outra, em cavaletes ao longo do palco. Nervoso, Ed Warren, munido de um ponteiro, esclareceu os detalhes insólitos de cada caso diante de uma plateia lotada. A palestra prosseguiu por bem mais de uma hora.

No final, os Warren conseguiram levantar dinheiro suficiente para a cidade bancar não uma, mas duas bolsas de estudos naquele dia 7 de setembro de 1968 — aniversário de Ed Warren.

Embora as pessoas estivessem interessadas em ouvir histórias de fantasmas, Ed e Lorraine Warren acabaram percebendo que não podiam falar abertamente sobre fenômenos *demoníacos*. O tema era impopular: ele parecia envolver paradoxos e superstição — e desagradou às sensibilidades da época. Nem todos estavam preparados para aceitar o que os Warren tinham a dizer. Então, por alguma estranha razão, tudo isso mudou de repente.

"Em 1970", explica Ed, "quando começamos a palestrar em faculdades, comecei a ficar insatisfeito, indignado até, com as apresentações. Lorraine e eu presumimos sinceramente que pessoas mais instruídas quisessem saber *toda* a história sobre o tema dos fenômenos espirituais. Mas, naquela época, todos estavam em busca da 'verdade', só que tinha que ser um certo *tipo* de verdade que estivesse de acordo com os preconceitos em voga.

"Enquanto falávamos sobre casas mal-assombradas e fantasmas, as pessoas ficavam satisfeitíssimas. Quando tínhamos que mencionar espíritos demoníacos, demonologia, o diabo — ou pior, se citávamos Cristo, padres, ou religião —, uma onda de animosidade emergia da plateia, como se alguém tivesse apertado um interruptor. A hostilidade às vezes era tão intensa que não conseguíamos sequer prosseguir. Embora muitos estivessem acompanhando o que estávamos dizendo, outros se levantavam e iam embora. Na mesma hora, professores se tornavam especialistas e nos desafiavam com argumentos irrefletidos sobre a inexistência dos espíritos. Alguns chegaram a nos dizer que tudo que tínhamos vivenciado desde a década de 1940 não havia sequer acontecido! A situação chegou a tal ponto que pensei seriamente em voltar para o meu estúdio e levar uma vida tranquila como pintor enquanto trabalhava com pessoas que de fato precisassem de ajuda em questões espirituais.

"Um dia, no carro, eu disse a Lorraine: 'Chega. Não vou nem mesmo mencionar o assunto demonologia de agora em diante. Se as pessoas querem pensar que a coisa para em fantasmas e casas mal-assombradas, pois que seja. Não vou expor nosso trabalho ao ridículo para que algum repórter ressentido consiga publicar uma história, e não vou deixar que as pessoas transformem em zombaria o trabalho sério que o clero especializado faz nessa área'. Lorraine concordou comigo.

"Enquanto eu falava essas coisas, passamos por acaso por um grande prédio abobadado de uma sede de missão, situado às margens do rio Hudson. Eu sempre quis entrar naquele local, então dei meia-volta com o carro e estacionei. Entramos pela porta da frente e nos vimos em um saguão silencioso e de muito bom gosto. Um padre já idoso e curvado, com uma bengala, estava olhando vasos e outros objetos ornamentais chineses dentro de uma vitrine. Atravessei o saguão e parei ao lado dele. 'Nossa, padre', disse eu, 'essas coisas com certeza vieram de muito longe.' Ele tinha um semblante muito sereno, muito belo. O homem ergueu os olhos para mim e disse: 'Passei muitos anos de minha vida trabalhando na China, como missionário'. Com isso, começamos a conversar. Falei sobre o meu trabalho, e ele ficava assentindo com a cabeça, como se conhecesse bem tudo aquilo.

"'Realizei muitos, muitos exorcismos na China', disse ele, 'mas não conto a alguns padres daqui o que já fiz. Eles não sabem. Não acreditam.' Então, ele olhou bem dentro dos meus olhos e disse: 'Gostaria que você fosse ver a freira japonesa na biblioteca do primeiro andar'.

"'Por quê, padre?', perguntei a ele.

"'Porque ela tem algo a lhe dizer. Algo que você deveria saber.'

"Lorraine e eu subimos as escadas, entramos na biblioteca e encontramos a freira. Ela parecia uma mulher muito inteligente, tinha mais de 50 anos e vestia um hábito preto. Nós nos apresentamos e, então, contei sobre a conversa que tive com o padre idoso lá embaixo. Ela sorriu e assentiu do mesmo jeito que ele tinha feito.

"'Você está muito desanimado com as coisas que vêm lhe acontecendo ultimamente, sr. Warren', disse ela, exatamente assim. 'Não sinta mais esse desânimo. O trabalho que está fazendo tem um propósito. As coisas vão mudar para você muito em breve. Antes do que imagina!'

"Então, ela continuou e nos contou sobre o trabalho dela como freira e suas experiências com exorcismos pelo mundo todo. Quando terminou de falar, ela me deu um livro muito erudito sobre demonologia religiosa e exorcismo. O livro veio a ser importante para mim posteriormente. Porém, *daquele dia em diante*, quando saíamos para dar as palestras e acabávamos falando às pessoas sobre a existência das forças demoníacas, não houve mais ridicularização. Foi como se um enorme peso tivesse sido tirado das minhas costas. De repente, as pessoas passaram a ter interesse naquilo que estávamos dizendo e começaram a fazer perguntas sérias. Foi uma grande reviravolta. E agora, hoje em dia, o assunto desperta um interesse tremendo."

5
CONJURAÇÕES NO NATAL

Em meados de maio de 1978, os narcisos já floresciam, mas a primavera ainda não havia chegado a Connecticut. Lorraine planejara passar o sábado, dia 13, plantando cóleus no jardim do seu quintal, mas tempestades de vento atingiram o estado, seguidas de cinco dias de fortes chuvas. A condição climática foi o encerramento adequado de uma semana em que nada tinha dado certo. Na realidade, tensões vinham se acumulando em torno de Lorraine desde o início do mês, e ela sabia que algo logo teria que eclodir.

Com uma chuva torrencial que açoitava a casa, os Warren passaram aquela tarde de sábado planejando o itinerário da sua iminente viagem para a Inglaterra. Como seu trabalho frequentemente os levava ao Reino Unido, os Warren acabaram adquirindo um conhecimento especializado também dos locais mal-assombrados britânicos e, por causa disso, haviam sido convidados a apresentar uma palestra a bordo do *Queen Elizabeth II*, em junho. Ao chegarem à Inglaterra, eles passariam dois dias em Londres, cumprindo compromissos de entrevistas à BBC, e, em seguida, viajariam a Yorkshire, Edimburgo, às terras altas escocesas próximas do lago Ness e do Stonehenge antes de regressar a Southampton, em julho, para dar uma palestra na viagem de volta do navio.

Após terem feito algum progresso nos seus planos sobre o Reino Unido naquela tarde, os Warren saíram para jantar. Retornando pouco depois da meia-noite, Lorraine verificou as ligações registradas na secretária eletrônica: havia uma mensagem de um amigo de Los Angeles; em seguida, um telefonema da sua filha Judy, que estava de férias na Virgínia; depois, a solicitação de um rapaz para marcar um horário com Ed; e, por fim, uma estranha sequência de cliques e zumbidos incomuns, seguida da voz aflita de uma desconhecida:

"Espero que consigam me ouvir. Meu nome é Foster, sra. Sandy Foster. Não sei exatamente o que aconteceu aqui", disse ela, com a voz à beira do descontrole, "mas meus filhos ficaram assustados e... e... e foram perseguidos por alguma coisa..." Hesitação. Em seguida: "E tem alguém ou alguma coisa *na* casa, lá em cima, no quarto de uma das crianças. Por favor, liguem de volta assim que puderem".

Ed e Lorraine ouviram em silêncio enquanto a mulher angustiada dava seu endereço e número de telefone. Embora já fosse 0h40, Lorraine prontamente tentou retornar a ligação. "Quando um caso nos é encaminhado", explica Ed, "entramos imediatamente em contato com a pessoa ou a família que está tendo problemas. Se nos parecer necessário entrar no caso, então ofereceremos ajuda. Dizemos à família que não cobramos pelo nosso tempo, mas que precisamos ser reembolsados pelas despesas básicas [como tarifas aéreas, quartos de hotel e assim por diante]. Esclarecido isso, agendamos uma visita para o mais breve possível. Em geral, já estamos a caminho dentro de uma ou duas horas."

O telefone da sra. Foster chamou inúmeras vezes mas, em seguida, a conexão caiu. Lorraine desligou e discou de novo. Dessa vez, parecia que alguém havia atendido, mas o telefone continuava a chamar. Na terceira tentativa de contatar o número, Lorraine teve o mesmo resultado frustrante.

Sem saber o que fazer, Lorraine discou para a operadora de telefonia, que então discou o número e teve exatamente o mesmo problema. Por sua vez, a operadora chamou a supervisora dela, que ouviu à explicação de Lorraine de que estava tentando retornar a ligação de uma pessoa aflita. Compreensiva e solícita, a supervisora submeteu a linha a diversos procedimentos de testes eletrônicos, mas em vão. Ela admitiu estar intrigada: "Não há nada de errado com o telefone receptor; sua ligação *deveria* ser completada". Todavia, os Warren não conseguiram contatar a mulher naquela noite.

Como bem sabem Ed e Lorraine, o que aconteceu ao telefone dos Foster não era incomum. Na verdade, essa espécie de artifício eletrônico era clichê quando um espírito maligno estava atuando. Interferências, obstruções, confusão — táticas para ganhar tempo — são rotineiras para um espírito determinado e dotado da habilidade de manipular variáveis físicas e metafísicas.

Na manhã seguinte, domingo, 14 de maio, os Warren foram de carro até a igreja. No caminho, um intenso fedor rançoso de excremento espalhou-se pelo veículo. Então, na metade da celebração, o mesmo odor pútrido psiquicamente projetado assaltou os sentidos do casal. Mais uma vez, quando voltavam para casa, no carro, ficaram nauseados devido a um fedor repugnante. Contudo, Ed e Lorraine não o associaram ao caso demoníaco que estavam prestes a investigar naquela tarde.

Quando os Warren chegaram da igreja, Lorraine telefonou de imediato para a família Foster. A sra. Foster atendeu ao telefone no segundo toque. Lorraine contou-lhe sobre a dificuldade que teve para entrar em contato na noite anterior. "O telefone estava funcionando normalmente", respondeu a mulher, "mas não tocou depois da meia-noite. Sei disso porque estava esperando a sua ligação." O problema com o telefone perturbou ainda mais a mulher e, por isso, Lorraine marcou um horário para visitar a família naquela tarde.

Às 14h, os Warren já haviam chegado à residência dos Foster. A residência da família era uma típica casa ao estilo Cape Cod em uma área arborizada e na qual, Ed e Lorraine vieram a descobrir, a família já morava havia treze anos.

Todos os membros da família estavam presentes naquela tarde. Al Foster, guarda-fios de uma empresa de telefonia, era um homem de 35 anos e aparência jovial. Sua esposa, com quem Lorraine havia falado ao telefone, tinha a mesma idade do marido, mas parecia exaurida e perturbada. Todavia, eles não tinham testemunhado os fenômenos. Tudo fora vivenciado pelos três filhos do casal: Meg, de 15 anos; Joel, de 14; e Erin, de 11 anos.

Ed ajeitou a sua aparelhagem de gravação em uma mesa próxima enquanto Lorraine pedia permissão para caminhar pela casa. Quando os Warren trabalham juntos, Lorraine normalmente investiga a propriedade usando sua clarividência enquanto Ed entrevista a família. Ela começa pelo porão e segue até chegar aos andares superiores, parando em cada cômodo da casa. Uma vez que a clarividência é uma habilidade sensorial como os outros cinco sentidos, Lorraine não consegue evitar o recebimento de impressões psíquicas, assim como não poderia recusar-se a ver ou ouvir. Portanto, se existe uma presença espiritual em uma casa, são muito grandes as chances de que ela a perceba.

Quando ela saiu da sala, Ed deu início a uma extensa entrevista.

O sr. e a sra. Foster deixaram claro que não haviam vivenciado nenhum dos fenômenos a que os seus filhos se referiam. "Mas imagino", disse a sra. Foster, "que isso seja provavelmente culpa minha, pelo menos a partir do pouco que sei sobre o assunto. Meg sempre se interessou pelo oculto — bruxaria, feitiços, esse tipo de coisa. Ela tem uma pequena biblioteca, mas nenhum dos livros era sobre conjurações. Então, no último Natal, comprei um livro de conjuração de demônios e o dei de presente para ela. Eu sinceramente não imaginei que nada parecido com isso fosse acontecer."

"Tudo bem", disse Ed, voltando-se para Meg. "Onde está o livro?"

"Lá em cima", respondeu a garota. "É um livro de capa brochura. Ele explica como conjurar algo como 75 demônios diferentes. Descreve o ritual correto e explica o débito que você tem que pagar se o ritual der certo."

"E você realizou algum dos rituais?"

"Sim."

"Quais demônios você tentou conjurar?"

"Quais?", repetiu ela. "Não sei. Só fiz alguns dos rituais fáceis, aqueles que consegui entender e para os quais eu tinha o material necessário. Mas quando realizei os rituais, nada aconteceu. Então, parei."

"Às vezes, a resposta vem dias, semanas, meses ou até anos mais tarde", informou-lhe Ed. "Conte-me o que aconteceu a você essa semana. Você teve problemas, creio eu."

"Duas vezes", disse Meg.

"Quem estava aqui quando aconteceu?"

"Joel, Erin e eu", respondeu ela. "A primeira vez foi na última quinta-feira. Papai e mamãe tinham saído para ir à casa de um amigo. Ficamos em casa porque tínhamos aula no dia seguinte. Erin e Joel já estavam na cama. Eu tinha acabado de tomar banho. Desci para verificar se as portas estavam trancadas. Também desliguei o rádio e as luzes daqui de baixo antes de voltar lá para cima.

"Quando cheguei ao meu quarto, ouvi barulho de água correndo no banheiro. Não dei atenção àquilo, a princípio, mas, alguns minutos depois, segui pelo corredor até o banheiro e vi que todas as torneiras estavam abertas. Eu as fechei. Então, ouvi o rádio ligado outra vez aqui embaixo. As luzes também estavam acesas! Eu gritei: 'Quem está aí?', mas ninguém respondeu. Antes de descer de novo, olhei dentro do quarto de Erin. Ela estava dormindo na cama. Olhei no quarto de Joel também, mas ele ainda estava acordado. Perguntei se ele tinha ligado o rádio aqui embaixo. Ele respondeu que não. Então, desci, apaguei as luzes e desliguei o rádio pela *segunda* vez.

"Quando voltei lá para cima, ouvi água correndo no banheiro de novo! Fiquei louca de raiva, porque eu tinha certeza de que era Joel que estava fazendo aquilo. Só que, quando saí do banheiro, o rádio estava ligado no volume mais alto e todas as luzes daqui de baixo estavam acesas! Entrei no quarto de Joel e disse: 'Tem alguém na casa'."

"Joel, você ouviu o rádio?", perguntou Ed.

"Sim, ouvi, mas não dei importância", respondeu ele.

"Você abriu as torneiras?", indagou Ed depressa, na esperança de pegar o garoto de surpresa.

"É claro que não!", respondeu o menino. "Eu nem sequer saí da cama."

"Tudo bem. Meg", disse Ed, "por favor, continue."

"De lá de cima, ouvi que o rádio estava trocando de estações, então desci depressa outra vez, achando que os meus pais talvez estivessem em casa. Quando cheguei aqui em baixo dessa vez, o botão de sintonização do rádio estava se movendo *sozinho* de lá para cá. Fiquei ali observando, e foi então que comecei a ficar apavorada. Desliguei o rádio e apaguei as luzes de novo, mas quando eu estava subindo as escadas, na metade do caminho, senti uma espécie de mão muito gelada tocar o meu ombro, apenas por um segundo, no escuro. Eu quase gritei, mas me contive. Fui direto para o meu quarto, fechei a porta e apaguei a luz. Mas, antes de me deitar na cama, ouvi o som de passos, como se alguém estivesse saindo do meu quarto, passando para o corredor. Acontece que a porta não se abriu!"

"Você não achou que essas coisas eram estranhas?", perguntou Ed.

"Claro que achei", disse Meg. "Eu estava morrendo de medo!"

"Erin, você ouviu o rádio?", perguntou-lhe Ed.

"Não, eu estava dormindo", respondeu a garotinha.

"Diga, Meg, mais alguma coisa aconteceu depois que você ouviu os passos saindo do seu quarto?"

"Sim, muitas! Quando alcancei a cama, eu me deitei e fechei os olhos. De repente, ouvi uma porta aqui no térreo bater *muito* forte. Depois, ouvi móveis sendo empurrados de um lado para o outro e se quebrando, como se estivessem sendo arremessados por alguém muito furioso. Eu realmente achava que tinha uma pessoa na casa, mas estava apavorada demais para fazer alguma coisa, então só fiquei ali, de olhos fechados. Mas, apesar de estar com os olhos fechados, eu conseguia ver o meu quarto inteiro *através* das minhas pálpebras! Abri os olhos, mas nada estava diferente. Então, fechei os olhos outra vez. Daí — através das minhas pálpebras — vi uma luz prateada sair do bosque e flutuar para dentro do meu quarto. E ela também estava lá quando abri os olhos. Depois disso, só sei que alguma coisa — a mão de alguém — deu três puxões no meu cabelo. Cada vez ela puxava mais forte, até que, na terceira, meus olhos se encheram de lágrimas. Então, gritei e corri para o quarto de Joel."

"Joel", indagou Ed, "você ouviu todo esse barulho aqui embaixo?"

"Ouvi", respondeu ele.

"Por que não fez nada?"

"Eu estava com muito medo", admitiu o garoto.

"Boa resposta", disse Ed. "Erin, você ouviu alguma coisa?"

"Ouvi os móveis sendo jogados, e quando Meg gritou, eu também fui para o quarto de Joel."

"Mais ou menos que horas aconteceu tudo isso?", questionou Ed.

"Isso é o mais esquisito", contou Meg. "Eram mais ou menos 22h30 quando saí do chuveiro, mas o relógio no meu quarto estava três horas *adiantado*. E quando fui para o quarto de Joel, o relógio dele estava três horas *atrasado*."

"Certo. Depois que você foi para o quarto de Joel, os barulhos pararam?"

"Tudo ficou ainda mais alto", disse Meg.

"Vocês ouviram qualquer outro som na casa naquele momento? Pancadas nas paredes? Vozes? Batidas?"

"Não, apenas portas batendo, passos e móveis sendo arremessados", disse Joel.

"O que você ouviu, Erin?"

"O mesmo que Joel ouviu."

"Também ouvi o que, para mim, pareciam sussurros altos", declarou Meg.

"Você conseguiu distinguir o que eles diziam?", perguntou-lhe Ed.

"Não."

"E os passos?", prosseguiu Ed. "Eles seguiam para algum lugar?"

"Eles andavam em *círculos*", disse Joel. Meg concordou com um gesto de cabeça.

"Depois que foram para o quarto de Joel e continuaram ouvindo esses barulhos aqui embaixo", repetiu Ed, "o que vocês fizeram?"

"Nós discutimos", respondeu Joel. "Meg queria chamar a polícia, mas eu não queria deixar, porque sabia que não tinha ninguém aqui embaixo! Se a polícia viesse, achei que eles poderiam pensar que estávamos pregando uma peça neles."

"Por fim, ligamos para a mãe e o pai na casa do amigo deles", falou Meg. "Mas, quando eles chegaram, tudo já tinha parado. Tudo o que eles fizeram foi nos dizer que tínhamos 'ouvido coisas' porque estávamos cansados. Eles não acreditaram na gente!"

"Sra. Foster", perguntou Ed, "a senhora já viu ou ouviu alguma coisa estranha nesta casa?"

"Não; como eu disse antes, nunca vi nada. A única coisa estranha que já ouvi aqui é o pássaro canoro." Ela hesitou. "Por anos, tivemos um grande pinheiro do lado de fora da janela do nosso quarto. Alguns meses atrás, cortamos a árvore. Mas, agora, toda noite, nas últimas três semanas, Al e eu ouvimos um pássaro canoro cantando do lado de fora da nossa janela, onde a árvore ficava."

"Al, você também escutou o pássaro?", indagou Ed.

"Sim, toda noite", respondeu ele. "Nunca dei muita importância, mas pássaros não cantam à noite, não é?"

"Não", disse Ed. "Normalmente, não. Bem, parece que todos vocês já vivenciaram coisas estranhas aqui", resumiu Ed. "Acham que esta casa é mal-assombrada?"

"*Eu* acho que é", disse Meg.

"Eu também acho", tornou Joel. Erin e a mãe também estavam inclinadas a concordar.

"Sr. Foster?", perguntou Ed.

"Bem, eu não sei. Nunca estive presente quando qualquer coisa desse tipo aconteceu."

Nesse momento, Lorraine voltou ao térreo. Ela assentiu discretamente para Ed, com a cabeça, revelando que *havia* uma presença espiritual na casa e, em seguida, sentou-se à mesa da sala de jantar. Em vez de alterar o clima da conversa, Ed resolveu esperar até que tivesse todas as declarações da família gravadas para perguntar a Lorraine as impressões que ela teve.

"Vocês disseram que esses fenômenos aconteceram a vocês *duas vezes*", Ed lembrou as crianças. "O que aconteceu da segunda vez?"

"A segunda vez foi ontem à noite", respondeu Joel. "Apenas Meg e eu estávamos aqui. Aconteceu quase que exatamente a mesma coisa de quinta-feira. Dessa vez, Meg estava no quarto dela e eu tinha tomado banho. Quando saí do banheiro, ouvi o rádio ligado aqui embaixo. As estações estavam sendo mudadas devagar, e eu gritei: 'Deixe nesta'. Mas, quando desci as escadas, não tinha ninguém ali, só o cachorro. Ele estava rosnando, muito bravo, para alguma coisa na sala. Aquilo foi muito estranho, porque ele não podia ter ouvido alguma coisa. Nosso cachorro é surdo! Então, eu me lembrei da outra noite e corri de volta lá para cima e fui para a cama. Uns cinco minutos depois, começaram os passos aqui embaixo, fazendo a casa inteira tremer. E os móveis começaram a ser arremessados outra vez. Tive medo da primeira vez, mas ontem eu fiquei *realmente* apavorado."

"Você também ouviu isso, Meg?", perguntou Ed.

"Sim, o mesmo que ele ouviu. Cheguei a gritar, do meu quarto, para Joel: 'Você está ouvindo isso?'. Mas ele gritou comigo, reclamando: 'Cale a boca!'."

"Acho que eu não queria admitir que aquilo estava mesmo acontecendo de novo", reconheceu Joel.

"Quando estava no seu quarto, você viu ou sentiu alguma coisa estranha?", indagou Ed.

"Não, nada."

"E você, Meg?"

"Bem, quanto mais medo eu sentia, mais alta ficava a barulheira aqui embaixo. Da segunda vez, também vi uma nuvem escura, arroxeada, no meu quarto. Eu não conseguia olhar para ela diretamente — só pelo canto dos olhos. Enquanto aquela bola roxa estava no meu quarto, fiquei com os olhos fechados para não poder vê-la. Pelo tempo que permaneci deitada ali, fechei bem as minhas mãos. De repente, senti *outra mão* tentando forçar a minha a se abrir! Era bem forte, como a de um homem adulto. Ela não conseguiu abrir o meu punho, então puxou o meu braço e tentou me arrancar da cama. Ela puxou quase metade do meu corpo para fora da cama antes de eu gritar por socorro. Daí, ela me soltou, e corri para o quarto de Joel."

Ed olhou para Joel. "O que aconteceu em seguida?"

"Meg e eu queríamos ligar para a polícia, ou para os meus pais, ou alguém", respondeu o garoto, "mas não queríamos sair do quarto. Meg me contou sobre a mão, e nós dois sentimos que mais alguma coisa iria acontecer."

"Como o quê?"

"A gente não sabia", respondeu o garoto. "Mas sentimos um ar muito forte de *maldade* em volta da gente. Não sei como descrever. De qualquer forma, queríamos sair da casa, mas não queríamos ter que passar pelo andar de baixo. Meg disse que era melhor pularmos pela janela, mas achei aquilo loucura. Eu disse a ela que iríamos *correr* para fora. Meg vestiu roupas do meu armário porque ela não queria voltar para o quarto dela. Então, abri a porta do quarto. Dava para ver as luzes acesas aqui embaixo e ouvimos os passos pesados pela casa. Mas não demos a mínima, apenas queríamos sair: então, decidimos sair correndo para fugir daqui."

"Saímos para o corredor, mas nada aconteceu", disse Meg, "só que o andar inteiro estava muito quente, de fazer suar. Então, descemos as escadas, correndo o mais depressa que conseguimos, e saímos pela porta da frente."

"Vocês viram os móveis revirados na sala aqui embaixo?"

"Não, acho que não. Eles estavam fora do lugar, mas não lembro de ter visto nenhum móvel virado."

"Você viu, Meg?"

"Eu nem sequer olhei", admitiu ela.

"A única coisa de que me lembro da parte de dentro da casa", prosseguiu Joel, "é que o rádio não estava tocando — estava chiando, como se estivesse captando estática. De qualquer forma, saímos da casa e decidimos correr até o *campus* da universidade para ligar para alguém. Nunca vou me esquecer disso. Tinha cachorros lá fora e, quando nos viram correndo, começaram a correr com a gente. Mas, quando chegaram perto, eles correram *para trás*! E os pássaros — enquanto estávamos correndo, o bosque inteiro estava cheio de pássaros piando feito loucos!"

"Isso aconteceu a que horas mais ou menos?"

"Entre 23h e 23h30, ontem à noite."

"Além do fato de que pássaros não cantam à noite, houve alguma coisa esquisita em relação ao incidente? Você notou se os pios vinham apenas de um lado, talvez da esquerda?"

"É, *só do lado esquerdo*", disse o garoto, enfático. "Como o senhor sabe?"

"Não importa agora", respondeu-lhe Ed. "Apenas continue contando o que aconteceu lá fora, na rua."

"Estávamos correndo pela rua, mas tinha alguma coisa perseguindo a gente, atrás de nós", prosseguiu o adolescente. "Aquilo que estava na casa, seja lá o que fosse, *tinha nos seguido*. Estávamos correndo na direção do poste, porque sentimos que estaríamos seguros se conseguíssemos chegar lá. Mas parecia que não iríamos conseguir chegar à luz. Não conseguíamos avançar. Era como correr no mesmo lugar. Tinha algum tipo de campo de força segurando a gente."

"Se aquela força tivesse alcançado vocês, Meg, o que acha que teria acontecido?", perguntou Ed.

"Ela nos *alcançou*!", disse a garota. "Era pesada e tentou forçar a gente de volta pela rua. Se não tivéssemos alcançado a luz, ela teria matado a gente."

"Por que diz isso?"

"Porque não tinha ar para respirar", respondeu ela.

"De alguma forma", recordou Joel, "conseguimos chegar ao poste de luz. Dali, dava para ver a casa. Não estávamos tão longe assim. O barulho dos pássaros tinha diminuído bastante. Debaixo da luz, nós nos sentimos mais seguros; pelo menos já não sentíamos a pressão nos empurrando. Mas parecia que a lâmpada estava enfraquecendo, então decidimos correr sem parar até chegarmos ao *campus*. Assim que saímos da luz, porém, os guinchos da passarinhada ficaram ainda mais altos que antes. Aquilo nos deixou apavorados. Mas corremos, e continuamos correndo o máximo que podíamos até que chegamos ao cruzamento onde estavam os carros. Foi a primeira vez que nos sentimos a salvo. Então, caminhamos pela estrada até que encontramos uma loja ainda aberta. Eu tinha uma nota de um dólar e a trocamos ali. Depois, fomos até o *campus* e encontramos um telefone. Os pés de Meg estavam cobertos de bolhas, por estar usando meus sapatos. Ela se sentou no vão de uma porta enquanto eu ligava para os nossos pais."

"Vocês tiveram algum problema para fazer a ligação?", interrompeu Lorraine.

"Não, senhora", respondeu Joel. "Consegui falar com eles e contei o que tinha acontecido, mas eles disseram que estávamos sonhando e que era melhor voltarmos para a cama", respondeu o garoto, um pouco irritado. "Eu disse a eles que não estávamos em casa — que estávamos no *campus* e que não voltaríamos para casa! Enquanto eu estava falando, vi um policial do *campus* encostar a viatura e começar a conversar com Meg. Mamãe me disse para pedir que ele nos levasse para casa, que eles nos encontrariam lá. Depois disso, não aconteceu mais nada — pelo menos não até agora."

O restante da família permanecia sentado, em silêncio, cada um absorvendo aquela história estranha e inacreditável que as crianças haviam relatado.

Ed, então, perguntou sobre as impressões de Lorraine. "No térreo", informou ela, "senti apenas uma camada de vibrações negativas. No entanto, parece realmente haver alguma coisa lá em cima, no quarto de uma das crianças. Não tenho certeza de qual. Quando estive no quarto de Joel, senti uma atmosfera de confusão intensa se abater sobre mim, como se eu estivesse bêbada."

"Sentimos isso também!", disse Meg, perplexa.

"Essa sensação me fez perder toda a noção de onde eu estava", continuou Lorraine. "Quando consegui sair daquele quarto, fui até a porta do que deduzi ser o quarto de Meg. Ao me colocar junto daquela porta, senti uma pressão na cabeça e nos ombros, uma pressão que começou a me forçar a recuar, a descer as escadas. Decidi não entrar ali. Era uma presença inumana e, ao que me consta, acredito estar instalada no quarto de Meg. Você por acaso tem velas pretas de conjuração no seu quarto?", perguntou Lorraine.

"Sim", tornou Meg, pasma com a pergunta.

Ed olhou para aqueles que estavam sentados à mesa. A família parecia assustada e impotente. O sr. Foster provavelmente sentia-se diminuído aos olhos da família por não conseguir lidar com um problema — ainda que invisível — que estava acontecendo na própria casa.

"Se as coisas não tiverem ido longe demais", disse-lhes Ed, "vou tentar resolver o problema. Por que vocês não saem e fazem um passeio de carro hoje? Fiquem fora por mais ou menos uma hora", recomendou ele. "E, enquanto estiverem fora, por favor, não discutam os acontecimentos dos últimos dias, nem sequer pensem neles. Quando voltarem, então poderemos conversar."

Eles ficaram contentes em saber que algo podia ser feito. O sr. Foster conduziu depressa a família pela porta da frente e, em menos de um minuto, todos já estavam dentro do carro, saindo dali.

Ed e Lorraine permaneceram dentro da casa. Eles sabiam que as crianças não poderiam ter inventado a história: ela continha muitos detalhes específicos, mais que suficientes, os quais apenas pela experiência era possível conhecer. Na realidade, nada do que as crianças disseram era novidade para Ed e Lorraine. Todos os detalhes que elas haviam relatado correspondiam a atividades demoníacas com que o casal havia se deparado no passado. No entanto, a tarefa deles agora era identificar a verdadeira natureza da presença espiritual — a fim de expulsá-la.

Não é sempre que os Warren conseguem determinar a natureza precisa de um espírito tão somente ao entrevistar as pessoas envolvidas. "O espírito demoníaco tenta permanecer anônimo", explica Ed, "mas, no fim das contas, ele não consegue. O espírito deixa sinais indicativos de poder preternatural. Por exemplo, tais espíritos costumam desconsiderar o ambiente físico. Há poucos anos, estivemos em uma casa onde um operador de câmera de televisão estava sendo atingido por bolinhas de gude que eram jogadas nele — saídas diretamente de uma parede! Outras vezes, o espírito demoníaco cria objetos a partir do nada. Se sólidas, tais materializações são mornas ao toque, o que indica algum processo de manipulação de energia. Às vezes, as materializações se desmaterializam com a mesma rapidez com que foram criadas; outras vezes, elas permanecem. Tenho uma coleção desses aportes, como são chamados."

Tais "aportes" ou substâncias teletransportadas já foram analisados pela ciência?

"Com certeza", responde Ed. "Essas provas físicas são necessárias para documentar a necessidade de um exorcismo. Sempre que essas substâncias se manifestam em um caso, recolho uma amostra e a envio a um laboratório para a identificação dos seus componentes. Os aportes produzidos com maior frequência são urina, bile, vômito, sangue ou excremento. Tais substâncias aparecem porque foram teletransportadas para a residência ou foram sinteticamente compostas pelos *espíritos* no comando da atividade. Em geral, esses aportes contêm todos os minerais, oligoelementos e aminoácidos encontrados na natureza. Não costuma haver nada de especialmente novo ou misterioso com relação a eles, exceto o modo *como* apareceram ali. Espíritos demoníacos podem ser capazes de fazer coisas estranhas, mas *estão* limitados à manipulação do ambiente físico. Ao contrário do que possam pensar nossos amigos satanistas, um diabo não é um deus", diz Ed, com ironia. "Ele não tem verdadeiros poderes de criação — consegue apenas rearranjar o que já existe."

Por que é necessário pedir que a família saia da casa?

"Se as informações que consigo durante a entrevista são ambíguas, ou se não existe nenhum fenômeno visível em curso", responde Ed, "então, para determinar se a presença espiritual é humana ou inumana, preciso recorrer à *provocação religiosa*: é uma tática perigosa, mas também reveladora. Praticamente qualquer coisa pode acontecer nesse tipo de situação; por isso, se tenho que provocar o espírito, peço para que todos saiam para almoçar e fico sozinho na casa. Em alguns casos, Lorraine fica comigo, mas o papel dela não vai além do discernimento da natureza do espírito. Não há nada que um clarividente possa *fazer* contra um espírito demoníaco perverso, embora existam inúmeras formas pelas quais uma entidade negativa pode ferir seriamente um indivíduo 'sensível'. Quando estou sozinho, uso a provocação porque não sou médium — preciso provocar atividade que eu possa perceber com meus cinco sentidos, como outra pessoa qualquer. Sempre levo comigo uma relíquia do padre Pio, para proteção: quanto mais poder religioso eu agrego, maior é a probabilidade de que *ele* seja provocado a responder. Sabendo o que serei obrigado a enfrentar, muitas vezes eu me sentiria mais confortável carregando uma chave de roda e um revólver. Porém, não se pode matar uma coisa que existe desde o início dos tempos.

"Entretanto, quando estou sozinho ali, tudo na casa fica imóvel e silencioso. Nada parece estar errado. Se a perturbação está localizada em um local, então, primeiro vou até essa área. Se a família me disse que não há um local específico, então apenas vou de cômodo em cômodo, até que alguma coisa aconteça. Caso o responsável pelo problema seja um fantasma, ele normalmente se mostrará a mim enquanto eu estiver percorrendo a residência. Ele sabe que a brincadeira acabou, e um fantasma definitivamente não quer se desentender com Deus. Mas, se for um espírito demoníaco, que jurou odiar a Deus e é repelido pelos objetos religiosos, então, mais cedo ou mais tarde, as coisas vão começar a acontecer. A temperatura dentro da casa cairá até que o lugar fique gelado, ou aumentará a níveis intoleráveis de calor. Vai surgir um fedor de carne apodrecida ou qualquer outro odor repugnante. Posso ouvir alguma coisa explodir. Uma voz ameaçadora, diferente de qualquer voz humana que você já ouviu, ordenará que eu saia. Pode ser que eu ouça passos — projetados telepaticamente — correndo escada acima. Isso é uma manobra para me fazer seguir o barulho, de modo a talvez ficar encurralado em algum cômodo. Mãos invisíveis podem rabiscar alguma obscenidade nas paredes, bem diante dos meus olhos. Outras vezes, *nada* disso vai acontecer. E, então, quando eu menos esperar, o espírito trairá a própria presença e começará a se manifestar às claras. E por que esse processo de provocação religiosa funciona? É por minha causa? Não. Funciona porque o espírito demoníaco odeia, estou dizendo, *odeia* qualquer menção ao nome de Deus ou o uso de objetos religiosos. Tal entidade está tão mergulhada em culpa, ódio e ciúme que a provocação religiosa chega a ser de fato dolorosa para ela."

Na residência dos Foster, os Warren trabalharam juntos. Para fins de provocação, Ed usou um crucifixo e água benta — dois itens que são anátemas à entidade demoníaca. Descendo ao porão, Ed espargiu água benta nos quatro cantos daquela área. Em seguida, ele disse, em voz alta: "Em nome de Jesus Cristo, ordeno que todos os espíritos — humanos ou diabólicos — saiam desta habitação e nunca retornem". Os Warren esperaram por alguma resposta, mas não houve nenhuma.

Por que Ed tem permissão de usar água benta se ele não é um sacerdote?

"Não é uma questão de ter *permissão*", diz Ed. "As pessoas têm permissão de usar água benta na própria casa. A diferença é que a água que uso no meu trabalho foi abençoada por certos padres específicos, que são exorcistas. Essa água é dotada de um poder positivo muito real. Não é a água em si que importa, mas a piedade que ela representa. Eu apenas *uso* a água, não a abençoo."

No piso térreo, Ed repetiu o mesmo procedimento em cada um dos cômodos. O processo, conhecido pelo exorcista como *esconjuro*, exige que o espírito infestador se manifeste (se estiver presente) ou vá embora. Tendo "esconjurado" o porão e todos os cômodos do piso térreo sem incidentes, os Warren estavam prontos para começar a trabalhar no andar de cima, onde sabiam que dificuldades estavam à espreita. Contudo, enquanto se preparavam para agir, um terror pavoroso tomou-os de assalto. Para eles, essa emoção telepaticamente projetada, experimentada de forma simultânea por ambos, era uma indicação clara de uma presença demoníaca inumana. "O espírito demoníaco", diz Ed, "projeta terror do mesmo modo que uma cascavel usa seu chocalho — como um alerta."

Um cheiro úmido de mofo ergueu-se na sala. De repente, eles perceberam um lampejo de movimento no alto das escadas. Em seguida, uma porta fechou-se com uma batida — o som praticamente os tirou do chão. Os Warren pensaram duas vezes antes de ir adiante. Eles sabiam que qualquer erro de avaliação da parte deles poderia resultar em um contragolpe de terror que talvez durasse anos.

Como costuma ocorrer, porém, os Warren decidiram continuar. Eles começaram a subir as escadas para o primeiro andar. No entanto, não importa o quanto tentassem, nem Ed, nem Lorraine conseguiam avançar para além da metade das escadas. Uma força impenetrável e obstinada fazia pressão para que voltassem. Segundo Lorraine, "parecia que estávamos andando mergulhados até os ombros em um rio de correnteza rápida e forte". Apesar de muito resistirem, a força exercida contra eles era impossível de vencer. Devagar, os Warren recuaram, descendo as escadas para não serem derrubados de costas.

No pé da escada, por um breve instante, soou uma risada diabólica. Irritado, Ed aspergiu mais água benta no local, o que fez com que a pressão diminuísse o suficiente para deixá-los chegar ao topo. O primeiro andar era todo dividido em quartos. Um longo corredor estendia-se ali, no sentido do comprimento da casa.

Ed aspergiu o quarto de Erin com água benta e, em seguida, recitou o comando de expulsão, sem incidentes. Esconjurado aquele quarto, o casal seguiu para o de Joel. A porta leve, que estivera aberta antes, agora estava fechada. Ed girou a maçaneta redonda e empurrou a porta com as pontas dos dedos, abrindo-a. Para alívio do casal, o quarto estava vazio. Mais uma vez, Ed realizou o procedimento de esconjuro sem problemas. O quarto de Meg foi a última parada.

A porta do quarto da filha mais velha também estava fechada. Os Warren não sabiam o que os aguardava do outro lado. Ed girou a maçaneta da porta, entreabriu-a e, depois, escancarou-a. Os dois recuaram de forma involuntária. Havia algo no quarto. Mesmo invisível, o espírito projetava uma horrível sensação de infelicidade; era uma emoção absolutamente comovente, projetada por uma entidade que está condenada à danação eterna. Não obstante, os Warren eram experientes demais para reagir a essa manobra emotiva. Não passava de um subterfúgio, um apelo por comiseração. Em vez disso, com serenidade férrea, Ed entrou no quarto, empunhando a cruz.

Embora não se pudesse ver nenhuma presença física, o quarto estava muito gelado. Uma última vez, Ed aspergiu água benta nos quatro cantos do cômodo. Então, em tom de comando, falou: "Em nome de Deus, mostre-se agora — ou vá embora". Fez-se um longo silêncio. "Dê-nos algum sinal da sua partida", disse ele, em voz alta, dentro do quarto vazio, "ou um exorcismo será realizado aqui *ainda hoje*." Quase que no mesmo instante, a mórbida sensação de infelicidade começou a abandoná-los. Então, a temperatura do cômodo voltou aos poucos ao normal. O feitiço fora quebrado.

Inspecionando o quarto, os Warren viram por que o espírito havia adotado aquele cômodo como morada. O quarto de Meg tinha velas pretas de conjuração, vestimentas para prática de ocultismo e livros que continham todo tipo de rituais profanos. Ed colocou os objetos no cesto de lixo da garota, levou tudo para o corredor e, então, "selou" o quarto com a leitura de uma oração de santificação recomendada para a situação.

Acabado o trabalho, os Warren desceram outra vez ao piso térreo. Para eles, aquela longa e tensa tarde de domingo não precisava ter sido tão desagradável. Olhando pela janela da sala de estar, Lorraine viu a família Foster sentada no carro, na entrada da garagem. Ela abriu a porta e acenou para que entrassem.

"Tudo depende das suas ações futuras", explicou Ed, depois que eles entraram. "Quaisquer melhorias que vocês possam ter pensado em fazer nas suas vidas devem ser feitas agora. Por certo", disse ele a Meg, "não deve haver mais nenhum ritual, de qualquer tipo! Todos os livros de ocultismo e a parafernália de conjuração que estavam lá em cima, no seu quarto, vão para o lixo.

"Além disso, recomendo veementemente que vocês peçam a um clérigo da região para abençoar a casa. Vejam, o que aconteceu é que, quando a sua filha se meteu com rituais sobrenaturais, ela de fato atraiu um espírito negativo para dentro da casa. A bênção precisa ser feita como precaução contra o retorno do espírito. No entanto, ela será eficaz apenas se vocês mantiverem uma atmosfera emocional que não atraia esse tipo de entidade para cá outra vez. Meu conselho é que vocês consigam que essa bênção seja feita hoje, não amanhã.

"E, acima de tudo", enfatizou Ed, "sua melhor proteção pelas próximas semanas e pelos próximos meses é cultivar interesses positivos como um escudo contra a negatividade. Se forem religiosos, considerem ir à igreja em família uma vez por semana, como mostra de sinceridade. Essa atitude seria um bom começo para neutralizar a força espiritual que foi atraída para este lugar. Em suma, sua filha fez algo negativo que agora precisa ser contrabalançado com algo positivo. Consequentemente, todos vocês estão susceptíveis a uma repetição desses eventos — a menos que cultivem o desejo de que isso não aconteça de novo. Lorraine e eu fizemos o que estava ao nosso alcance. O resto é com vocês."

Junto à porta da frente, Ed fez um último comentário: "A propósito, o espírito nessa casa está dormente", alertou ele, "mas não foi embora".

Nesse momento, os óculos de grau de Lorraine elevaram-se da sua mão à vista de todos, giraram uma vez no ar e, então, despencaram no chão, quebrando a lente esquerda. Os Foster observaram atônitos, embora mal compreendessem o que havia ocorrido naquela residência. Eles foram tão somente vítimas que haviam tratado o sobrenatural como um brinquedo quando, na realidade, eles que tinham servido de brinquedo ao sobrenatural.

6
DE ORIGEM SOBRENATURAL

De todos os objetos de conversação comuns e familiares que são abordados quando as pessoas estão reunidas, de todas as coisas remotas da natureza e apartadas dos sentidos, não há nada tão à mão, tão inusitado, quanto o tema dos espíritos e se o que dizem sobre eles é verdade. É o assunto que as pessoas discutem com maior facilidade e no qual mais se demoram por causa da abundância de exemplos, além de ser prazenteiro e agradável, e a discussão ser a menos tediosa que se pode encontrar.

— Pierre Le Loyer, 1586

Alguns dos primeiros livros já impressos em língua inglesa tratavam da temática dos espíritos e da demonologia. Os espíritos não eram um fato menos cotidiano no século XVI do que o são hoje: ocorriam a mesma ruína e o mesmo terror, e um cenário igualmente violento repetia-se.

Nos tempos bíblicos, Jesus falava sobre fantasmas, espíritos, demônios e possessão com conhecimento de causa. "Na realidade", observa Ed, "o próprio Cristo mostrou-se ao menos uma dúzia de vezes na forma de aparição aos seus seguidores, antes da Ressurreição."

Recuando ainda mais na história, parece que a questão dos espíritos tem preocupado a humanidade desde o início da civilização. Ainda nos tempos da Grécia Antiga, escritores viam toda essa atividade maligna como algo mais ominoso que a ocasional manifestação de um espectro escuro no meio da noite. Mesmo àquela época, os antigos consideravam-no um espírito, uma entidade com um propósito *negativo*, e atribuíram-lhe o nome "*daemon*", com o significado de espírito perverso ou impuro.

Hoje, documentos sobre a existência de fenômenos envolvendo espíritos presos à terra estão disponíveis na maioria dos grandes centros ou em bibliotecas universitárias, graças ao trabalho realizado por respeitáveis organizações de pesquisa psíquica ao longo do último século. Contudo, informações corretas sobre o espírito *demoníaco* ainda são difíceis de encontrar — como sempre foram. O assunto é envolto em sigilo. A maioria dos livros sobre ocultismo faz referências superficiais a "demônios", mas tais informações costumam estar entremeadas com ressalvas de que o fenômeno não passa de superstição medieval. Cientistas descartam completamente a hipótese da existência de "espíritos"; a classe médica tende a ver o tema como ilusão ou psicose; e os acadêmicos concebem demônios como uma fantasia. Apenas a classe religiosa dá crédito à noção do demoníaco na alta teologia e, então, o assunto de repente torna-se bastante real. Ele recebe um nome: o *Mysterium Iniquitatis* — ou o Mistério da Iniquidade. E ao diabo atribui-se um símbolo: XPISTOS — o *Anticristo*.

A melhor forma de alcançar alguma compreensão sobre o assunto seria consultar os especialistas, mas ninguém simplesmente entra em uma igreja ou sinagoga e pede para falar com um demonologista. Não há tantos deles assim, seus nomes são confidenciais e eles estão obrigados a relatar as suas experiências tão somente aos seus superiores. Nem mesmo Ed Warren dirá tudo a respeito desses horrendos espíritos das trevas que vêm no meio da noite trazendo mensagens e proclamações de blasfêmia. Na verdade, quando pressionado a falar sobre isso, a resposta de Ed é: "Existem coisas do conhecimento dos padres, e também do meu conhecimento, que é melhor *não revelar*".

Então, qual é a base para as opiniões de Ed Warren? Há evidências reais ou confirmações que provam as suas afirmações?

"Pessoas que não estão familiarizadas com o fenômeno às vezes perguntam se não estou envolvido em alguma espécie de alucinação ultrarrealista, como Dom Quixote duelando com moinhos de vento. Bem, alucinações são experiências visionárias. Por outro lado, este é um fenômeno que responde com retaliação. Meu conhecimento do assunto não difere daquele de clérigos versados, e eles vão dizer, com a mesma clareza com que digo, que não se trata de algo que possa ser facilmente classificado como um pesadelo.

"Posso sustentar tudo o que falo com provas autênticas", prossegue Ed, "e relatos de testemunhas confiáveis e profissionais gabaritados.

Não existem conjecturas envolvidas aqui. Minhas afirmações sobre a natureza do espírito demoníaco são baseadas nas minhas próprias experiências em primeira mão ao longo de mais de trinta anos neste trabalho, corroboradas pelas experiências de outros demonologistas reconhecidos, além das experiências do clero exorcista, o relato de centenas de testemunhas que foram vítimas de tais espíritos e evidências físicas de peso. O dogma religioso acerca do espírito demoníaco simplesmente se mostra de acordo com as minhas próprias descobertas sobre tais espíritos na vida real. Mas deixe-me ser mais específico.

"O espírito inumano costuma se identificar como o diabo e, então — por meios físicos e psicológicos — prova ser exatamente isso. Falando mais uma vez a partir das minhas experiências pessoais, já fui queimado por essas forças invisíveis. Já recebi talhos e cortes; esses espíritos entalharam marcas e símbolos no meu corpo. Fui arremessado de lá para cá pela sala como um brinquedo. Meus braços já foram torcidos para trás até ficarem doloridos por uma semana. Padeci de enfermidades súbitas para ficar fora de uma investigação. Monstruosidades se manifestaram diante de mim, em forma física, fazendo ameaças de morte, de ruína à minha família e de tormento no além. Porém, o que quer que eu tenha testemunhado, o clero que deve desafiar a força demoníaca já sofreu — e muito pior.

"Estou falando de atividade que está acontecendo *neste exato instante*. Amanhã, por exemplo, vou submeter provas documentais à Igreja Católica para justificar o exorcismo de uma jovem que está possuída agora, enquanto eu falo.

"No tocante a provas", continua Ed, "tenho muitos milhares de horas de gravações em fita cassete de entrevistas com pessoas e famílias de todo o território norte-americano e britânico, e tais gravações documentam plenamente a realidade dos fenômenos demoníacos. Eu poderia encher um auditório de bom tamanho com testemunhas que confirmam o que digo. Tenho uma coleção de objetos e substâncias — os aportes de que falei — que foram criados sinteticamente por ação demoníaca. Tenho fotografias verdadeiras de fenômenos demoníacos *em curso*. Elas mostram levitações, materializações e formas espirituais. Tenho provas, em fita cassete, desses espíritos falando. Muitas vezes, eles chegam até mesmo a se identificar pelos seus nomes diabólicos. Além disso", revela ele, "essas entidades me confrontaram pessoalmente, falando através dos possuídos e assumindo formas físicas manifestas, tão sólidas quanto você ou eu. E elas me dizem — com a mesma clareza com que estou falando agora — quem elas são, por que estão aqui e o que vão fazer!"

Diante da solicitação para apresentar um exemplo do último ponto, Ed vai até o seu escritório e retorna com uma fita magnética em rolo. "Isto foi gravado em uma sessão em 1972", diz ele, passando a fita pelo *tape deck* de rolo. "Na ocasião, estávamos tentando determinar quem ou o que vinha oprimindo e às vezes possuindo uma mulher chamada Mary desde que tinha 8 anos de idade. Quando a gravação foi feita, Mary tinha uns 55 anos. Naquele dia também estavam presentes Lorraine, eu, um padre católico e uma médium de transe profundo. Imediatamente antes deste segmento, o espírito vinha falando através da médium — mentindo, passando a línguas estrangeiras para nos impedir de compreendê-lo e falando com uma voz em falsete, alegando ser um 'anjo'. Para chegar à verdade, colocamos um crucifixo sobre uma mesa atrás da médium — que estava em transe, com os olhos bem fechados. Em seguida, ordenamos que o espírito falasse, e a partir daí, algo *muito* diferente foi comunicado." Ed ligou o gravador:

Voz: Eu não escolhi estar aqui!

Ed Warren: Então, por que veio?

V.: Estou submetido ao Poder!

E.W.: Poder de quem?

V.: Uma luz branca!

E.W.: Descreva-se para mim.

V.: Não. [*O crucifixo, então, é colocado de pé, ao que se seguem gritos agonizantes do espírito possessor.*]

E.W.: Descreva-se para mim!

V.: Em verdade, devo dizer qual é a minha aparência. Sou perverso — e feio de aparência. *Sou* inumano. Sou vingativo. Tenho um rosto horrendo, tenho muitos pelos ásperos pelo corpo. Meus olhos são muito fundos. Sou todo escuro. Carbonizado. Tenho cabelos. Minhas unhas são longas, meus dedos dos pés têm garras. Tenho uma cauda. Uso uma lança. O que mais você quer saber?

E.W.: Como você chama a si mesmo?

V.: [*Proclamando*] Eu sou Resisilobus! Eu sou Resisilobus!!

"Embora Ed e eu não tenhamos a pretensão de ser teólogos acadêmicos", diz Lorraine, "não encontramos nada no nosso trabalho que indique que o espírito demoníaco seja outra coisa que um anjo caído. O comportamento rotineiro do espírito, os seus poderes metafísicos e a sua violenta reação a objetos sagrados certamente corrobora tal conclusão. Na verdade, eu me atreveria a dizer que transcrições de exorcismos provariam que o espírito demoníaco é o proverbial anjo caído." Não se encontra qualquer outra justificativa para a existência desse espírito além do que é sugerido nas Escrituras. Em ambos os testamentos da Bíblia, anjos e demônios são mencionados cerca de 3 mil vezes.[1] Não existe nenhum outro precedente confiável sobre o espírito demoníaco, à exceção de alguns textos religiosos enigmáticos que oferecem o mesmo ponto de vista básico.

O motivo exato do desentendimento entre o espírito demoníaco e Deus é desconhecido ao homem. Como disse o papa Paulo VI em 1972: "Sabemos muito pouco acerca de todo esse drama infeliz anterior ao início do mundo". (Não obstante, o mesmo pronunciamento papal também deixou claro que o Diabo é uma entidade *real* — não um símbolo ou uma metáfora psicológica. Mesmo no seu curto pontificado de um mês, o papa João Paulo I reafirmou as convicções dos seus predecessores de que o Diabo existe como um ser real.) Algumas das melhores explicações sobre esse assunto verdadeiramente inolvidável estão contidas na obra de Nicolas Corte, *Who Is the Devil?* [Quem é o Diabo?], e na de Billy Graham, *Angels* [Anjos], mas a explicação definitiva continua a ser encontrada no livro de Santo Agostinho, *A Cidade de Deus*. A clássica história da Queda dos Anjos pode ser resumida da seguinte maneira:

Os primeiros seres que Deus criou eram anjos. Dentre todos os anjos criados, nenhum era superior a Lúcifer. Deus criou Lúcifer em tamanha perfeição que ele era tudo, *exceto* Deus. Insatisfeito com o próprio ser, porém, Lúcifer tentou alcançar, por inveja, o que não lhe cabia. De fato, Lúcifer tentou *ser* Deus, negar a existência Dele e governar ele mesmo os céus. Desse modo, o espírito demoníaco prova ser um espírito negativo de possessão.

Outros anjos aliados a Lúcifer tomaram parte no mesmo desejo ruinoso, a "cobiça": ou seja, estavam dispostos a renunciar aos dons da sua natureza a fim de tomar aquilo que não lhes pertencia. A suposta resposta de Deus diante dessa traição cósmica foi banir Lúcifer e sua legião do Céu, ao que esses anjos caídos juraram desobediência perpétua ao Senhor.

Lúcifer foi renomeado Satã — o caluniador, o acusador, o Pai da Mentira. Embora tenham caído do seu estado de graça, esses anjos não foram destituídos do seu poder; ao contrário, conservaram todos os poderes preternaturais — para além da terra — que lhes foram dados na criação. Tais poderes consistem basicamente em existência imortal,

1 Padre John Nicola, *Diabolical Possession and Exorcism* [Possessão Diabólica e Exorcismo]. Rockford, Ill.: TAN, 1974.

conhecimento místico do universo e o poder de ignorar as leis físicas da natureza, o que lhes dá a capacidade de produzir fenômenos psíquicos e promover criações sintéticas. Não obstante, apesar dos poderes impressionantes, o espírito demoníaco foi proibido de dominar o homem. Em vez disso, a aliança foi que Deus protegeria o homem se este, por sua vez, respeitasse os poderes de Deus.

Em última análise, é óbvio que ninguém conhece a história completa. A oposição do espírito demoníaco a Deus não representa, em si mesma, uma prova da existência de Deus. É apenas por inferência que consideramos que Deus existe, diante das palavras e ações de ódio desses seres sobrenaturais blasfemadores.

"No entanto", como observa Ed, "independentemente de qualquer interpretação das Escrituras, espíritos inumanos sórdidos de fato vagam pela Terra nos dias atuais. E quando se ordena que falem, a resposta desses espíritos é muito grave: 'Meu nome é Legião — somos um'. Também é certo que esses espíritos são dotados de poderes devastadores e agem contra a humanidade com malícia, desprezo e uma ira feroz. Curiosamente, a única proteção que o homem pode invocar contra essas forças negativas é a menção do nome de Deus — embora de forma mais especial o de Jesus — e a apresentação de objetos abençoados. Do contrário, nada conseguirá impedir essas entidades espirituais bizarras."

Ainda assim, se a atividade é tão ostensiva, por que os cientistas não chegaram a conclusões semelhantes com relação aos fenômenos espirituais inumanos?

"Cientistas são pessoas", responde Ed, "e alguns cientistas e investigadores de fenômenos psíquicos *já viram* o que está acontecendo e hoje o compreendem. Os céticos mais veementes, porém, nunca testemunharam os fenômenos por si mesmos. No entanto, as movimentações e a atividade provocadas por esses espíritos estão cientificamente documentadas em muitíssimos casos. Infelizmente, os parapsicólogos desconsideraram a atividade, julgando-a PK ou, no máximo, atribuem a perturbação a espíritos humanos presos à terra. No entanto, mesmo isso é incorreto: como ele mesmo admite, o espírito inumano nunca foi um escravo de Deus em forma humana. Ele se orgulha disso. Na realidade, relatos e evidências fornecidos pelos principais envolvidos e por testemunhas confiáveis, sessões gravadas com os possuídos, transcrições de exorcismos, 2 mil anos de registros da Igreja — tudo isso mostra que eles são nada além do que se conhece que eles sejam desde o início: espíritos diabólicos inumanos, tomados pelo ódio e dotados da sabedoria maléfica para usá-lo, espíritos cuja existência se estende por todas as eras, alimentando um ódio violento por Deus e prometendo a ruína do homem. No entanto, a maior parte do ódio deles é dirigida a Deus, e apenas raramente um homem testemunha toda a intensidade da sua fúria.

"Quanto ao fenômeno em si", prossegue ele, "uma dúzia de investigadores pode examinar uma residência infestada por forças demoníacas e não encontrar nada. E isso porque, em geral, o investigador científico está pescando sem anzol. O cientista, abordando o problema com o seu cronômetro e o seu papel tornassol, não representa nenhuma ameaça à entidade infestadora. Com certeza a entidade não revelará sua presença de forma voluntária. Mas, entre ali com um objeto religioso, e o espírito inumano responderá ao desafio.

"Devo me apressar a dizer, porém, que não recomendo, em absoluto, que nenhum investigador ou pesquisador de fenômenos psíquicos realize tal procedimento. A provocação é um procedimento distintamente religioso, não científico. Ela exige preparação especial antes de ser sequer tentada, ou os resultados podem ser desastrosos. Digo isso como um aviso antecipado àqueles que possam tentar. Por mais dedicado que seja um investigador, chega um ponto em que ele deve parar, aceitar o impasse e ir para casa. Não existe essa coisa de 'vitória' neste trabalho. O objetivo final é o exorcismo, o banimento da força negativa. Nenhuma outra atitude terá êxito. O demoníaco é um problema muito grave, muito sério, e nem boas intenções nem 'intolerância varonil' vão expulsá-lo. Ele recua apenas em nome de Deus. E só."

Provavelmente o aspecto mais perturbador dos fenômenos demoníacos seja que, por trás de todo o terror e caos, há uma inteligência ardilosa e calculista.

"Tenha em mente, ainda, que não se trata de uma coisa morta", ressalta Ed. "Trata-se de uma inteligência negativa e ativa que é anterior ao homem na evolução cósmica. Ela tem mais conhecimento que nós porque é mais antiga que nós. Veja-a como uma poderosa inteligência negativa completamente perdida no seu ódio por Deus. Ao fazer isso, você começará a compor o quadro do que é realmente o espírito demoníaco."

Talvez nenhum objeto ilustre de maneira mais vívida a "sabedoria maligna" do espírito demoníaco que o antiquíssimo espelho de conjuração de 1,5 metro que pende da parede próxima ao escritório de Ed. Não se pode deixar de notar os ornamentos da sua moldura insculpida, mas ele é qualquer coisa, menos um estimado objeto de arte. Em vez disso, o espelho está sob o olhar vigilante de Ed Warren porque é um objeto profano.

"Hoje em dia", explica Ed, "a única familiaridade real que as pessoas têm com a magia de espelhos deriva da rima de Branca de Neve: 'Espelho, espelho meu, existe alguém mais bela do que eu?'. Mas, no passado, bruxas e feiticeiros usavam espelhos para prever e manipular eventos futuros por meio de magia — não ilusão, mas magia genuína, a verdadeira manipulação da natureza e dos acontecimentos. Aquele espelho ornamentado ao lado da minha porta veio da residência de um vingativo homem de 55 anos, da Pensilvânia, chamado Steven Zellner, que o usava para praticar um ritual medieval pouco conhecido a que chamamos *speculum*, ou magia de espelho.

"Agora, a magia, como a bruxaria, pode ser usada para produzir tanto efeitos bons quanto ruins. Esse homem usava o espelho como instrumento de magia maléfica. Primeiro, ele realizou um longo ritual de encantamento ou recitou uma longa fórmula de conjuração, convidando o mundo espiritual para ajudá-lo a manipular o futuro. Feito o encantamento, ele então direcionava o olhar para o espelho, usando-o quase da mesma forma que se usa uma bola de cristal: como ponto de concentração.

"Quando o usou pela primeira vez, Steven viu muito pouco no espelho, nada além da movimentação de formas borradas, ou pequenos incidentes rápidos que não significavam nada para ele. Porém, dia a dia, semana a semana, quanto mais ele concentrava sua atenção no espelho — ou seja, quanto mais abria sua livre vontade à experiência —, mais controle Steven ganhava e, em consequência, mais ele conseguia ver. Por fim, após realizar esse ritual *speculum* obsessivamente por muitos meses, o sr. Zellner chegou ao ponto em que bastava declarar o que queria ver para que a imagem desejada aparecesse.

"Finalmente, depois de ter concluído o ritual, ele conseguia de fato sintonizar o futuro sempre que quisesse. O homem podia ver — e realmente predizer — eventos do seu interesse que ocorreriam um dia, um mês, até um ano mais tarde. Mas, como ensina o ditado, 'o poder nos escraviza a todos', e, em pouco tempo, ele decidiu *tirar proveito* desse poder oculto. Dando um passo adiante, ele passou a projetar pessoas no espelho. Invariavelmente eram pessoas de que o sr. Zellner não gostava — que ele selecionava para se vingar ou punir. Que Deus ajude o açougueiro que tenha passado a perna em Steven Zellner!", brinca Ed.

"A fim de aplicar a própria forma de justiça, Steven escolhia uma vítima, cuja imagem surgiria no espelho. O indivíduo, que não suspeitava de nada, era visto em alguma situação futura real. Então, tendo a vítima literalmente diante dos seus olhos, Steven *decretaria*, pela sua vontade, que um infortúnio recaísse sobre aquela pessoa. Por exemplo, ele via sua vítima de pé, no alto de um lance de escadas. Nessa situação, se ele quisesse fazê-la cair das escadas e quebrar um braço, bastava que ele desejasse ver tal acontecimento. Ao executar esse tipo de magia, o homem de fato enxergava a concretização da sua justiça rancorosa no espelho, exatamente como ele planejava — algo mais ou menos como assistir a uma reprise instantânea antes de a ação ocorrer.

"Um truque engenhoso, não é? Mas havia um porém. Esses atos maléficos não aconteciam pelo simples poder da vontade de Steven; eles seriam realizados por espíritos inumanos que ele comandava como parte do ritual. Para fazer a vítima cair das escadas, o espírito inumano iria momentaneamente desorientar a pessoa, aportar um pouco de graxa em um degrau ou chegaria mesmo a dar um empurrão psicocinético na vítima — e então, *ploft*!

"No entanto, em algum momento, Steven cometeu um erro, e a magia começou a dar errado. Não tenho dúvidas de que ele negligenciou a parte do ritual em que tinha de prestar honras a Satã. Em consequência, o mal que ele pretendia infligir aos outros começou a recair sobre ele. Contudo, isso foi apenas um agravo secundário, pois os espíritos que ele havia liberado para atormentar os seus inimigos tinham, em vez disso, infestado a casa dele e se ocupavam ativamente de oprimi-lo. Ouviam-se passos sem corpo e respirações pesadas na casa que, no mais, estava vazia. Portas se abriam sozinhas. Objetos levitavam ou eram arremessados pelo cômodo por mãos invisíveis. Barulhos sobrenaturais o acordavam no meio da noite. Em suma, uma presença invisível perambulava pelo local, e não havia nada que ele pudesse fazer a respeito.

"Depois de mais ou menos uma semana, esse homem estava tão aterrorizado que telefonou para um eminente oficial católico aqui no leste e implorou que ele enviasse um demonologista à casa dele. No entanto, em vez de enviar para lá um sacerdote ocupado, aquele oficial eclesiástico me contatou em Connecticut e perguntou se eu poderia investigar o caso e tentar acertar as coisas. Naquela ocasião, Lorraine e eu estávamos trabalhando com uma agenda apertada, mas, para nós, as pessoas vêm em primeiro lugar. Então, cancelei o restante dos nossos compromissos naquele dia, inclusive a participação em um importante programa de entrevistas, e parti com a minha esposa, de carro, para o norte de New Jersey.

"Quando chegamos ao endereço, encontramos um homem absolutamente em pânico. É claro, ele tinha todo o direito de estar. Portas abriam e fechavam sozinhas. Objetos voavam aqui e ali, pela casa inteira. A cada minuto, alguma coisa colidia e se espatifava, ou ricocheteava em uma parede, acertava o chão e se estraçalhava — uma verdadeira balbúrdia! A certa altura, durante a tarde, até o meu carro acabou envolvido. Mais ou menos uma hora depois de chegarmos lá, os carros na rua começaram a buzinar. Ao olhar pela janela, vi o nosso carro atravessado no meio da via, bloqueando ambas as faixas de tráfego. Quando chegamos, estacionei o carro na entrada da garagem do sr. Zellner, puxei o freio de mão e tranquei as portas. Mesmo assim, alguém na rua disse ter visto o carro descer de ré, sozinho. Quando saí para pegá-lo, é claro, as portas do carro ainda estavam trancadas e o freio de mão estava puxado.

"De qualquer forma", continua Ed, "era evidente que eu teria que fazer alguma coisa ainda naquela tarde para interromper a perturbação. Em uma situação como essa, a melhor solução é 'apunhalar o diabo com a própria força', por assim dizer — portanto, o que eu precisava fazer era *reverter* o ritual que Steven havia realizado. Eu o fiz, correndo considerável risco, mas isso colocou um fim imediato na atividade, e também anulou qualquer malefício futuro que o homem tivesse projetado — porque o ritual reverso obrigava o espírito demoníaco a realizar o malefício pela sua própria conta e responsabilidade, ou então fazer cessar totalmente a opressão.

"Naquela tarde, ao terminarmos o trabalho, o sr. Zellner quis saber se poderíamos levar o espelho de conjuração conosco quando fôssemos embora. Eu disse: "Claro". Assim, ao menos eu sabia que não precisaria voltar ao mesmo caso pela segunda vez. Então, coloquei o espelho no porta-malas do carro, e Lorraine e eu partimos de volta para casa, pouco antes de escurecer.

"Quando eu era jovem e inexperiente em relação aos perigos deste trabalho", diz Ed, "busquei a orientação de pessoas bastante versadas que, muito tempo atrás, já haviam aprendido os segredos mais profundos deste mundo. Àquela época, um homem extremamente sábio me disse: 'Ed, eu jamais entraria em casas para confrontar o tipo de entidades que você confronta, qualquer que fosse o motivo — e em especial quando se trata do demoníaco. Uma vez que você cruza o limiar e entra no mundo das trevas, você passa a viver para sempre em perigo, e também aqueles a quem você ama. Goste ou não, você será único — e solitário — entre os homens. Nunca se esqueça: as forças diabólicas que você desafia são astutas, pois, ao contrário de qualquer mortal, elas possuem a sabedoria e o conhecimento das eras'.

"Fazia um frio terrível naquela noite. As ruas tinham placas de gelo, então seguimos devagar. Eu também sabia que a remoção do espelho havia enfurecido certos espíritos perversos e que isso me tornava objeto da ira deles, então, fiz questão de ser *extra* cauteloso ao dirigir. Bem, com ou sem cautela, a uns oito quilômetros da casa do homem, passei por um buraco pequeno na estrada. Em circunstâncias normais, isso não teria tido nenhuma importância. Porém, naquela ocasião, estourou um pneu radial novo, de cem dólares — coisa quase impossível de acontecer em um incidente desse. Isso fez o carro dar uma guinada e invadir a faixa de tráfego contrária. Carros freavam e desviavam, deixando de nos acertar por um triz. Foi um milagre não termos morrido ali mesmo.

"Depois de trocar o pneu, voltei para a estrada. Uma enorme carreta apareceu atrás da gente, saiu para a esquerda e, então, entrou na faixa em que estávamos, bem na nossa frente. Logo notei que havia alguma coisa estranha com relação àquele caminhão: ele não tinha letreiros, placas ou qualquer tipo de marcação. De repente, apesar de estarmos em uma pista seca, o caminhão começou a espirrar em nosso para-brisa litros de uma gosma verde e gelatinosa, tornando impossível que eu enxergasse lá fora. Os limpadores de para-brisa mal conseguiam retirar aquela coisa. Quando consegui enxergar outra vez, o caminhão havia desaparecido. No entanto, assim que o para-brisa ficou limpo, esse *mesmo* caminhão nos ultrapassou pela esquerda, entrou na nossa faixa, *na* nossa frente, e provocou a mesma confusão outra vez.

"Quando isso aconteceu pela terceira vez, ficou óbvio que alguma coisa sinistra estava acontecendo, então, parei na beira da estrada e deixei o tráfego seguir enquanto eu limpava a sujeira do para-brisa. Cinco minutos mais tarde, depois de já termos voltado à estrada, exatamente o *mesmo* caminhão se aproximou, passou pela esquerda, entrou de forma brusca e descuidada na nossa faixa, bem na nossa frente e, no mesmo instante, começou a espirrar litros daquela gosma verde e espessa. A substância *atingiu apenas o nosso carro* e, quando consegui recuperar a visibilidade, o caminhão havia desaparecido, como antes. Coisas semelhantes já aconteceram conosco quando estávamos indo a outras investigações ou voltando delas. Nunca tinha sido aquela coisa verde antes, mas nosso carro já foi inundado com aguaceiros de urina e — em uma ocasião — cerveja. Como sempre, apenas o carro é atingido.

"De qualquer forma, esse negócio com o caminhão se repetiu pelo menos meia dúzia de vezes, e não havia modo de eu conseguir me livrar dele — ou *daquilo*. A situação era *tão* perigosa que tínhamos certeza de que morreríamos. Enfim consegui sair da estrada na primeira oportunidade, e peguei uma rodovia secundária que levava até Connecticut.

"Tudo correu bem por mais ou menos uma hora depois daquilo", prossegue Ed. "Quase não havia tráfego naquela estrada secundária, então nos sentimos bastante seguros. Mas, de repente, no meu espelho retrovisor interno, notei um carro atrás de nós que se aproximava a uma velocidade tremenda. Já estava escuro àquela altura, mas aquele veículo não tinha nenhum farol aceso! A única coisa que eu conseguia distinguir era um par de luzes de presença fracas. Em uma fração de segundo, o carro nos alcançou, jogou para a faixa de ultrapassagem e seguiu a toda velocidade pela estrada. Era um carro preto-azeviche, e juro que o motorista não nos atingiu por um triz. Lorraine, olhando para o carro que disparava adiante, disse que era como se o próprio diabo tivesse acabado de passar! 'Bem, pode ser', eu disse a ela, 'porque o maldito idiota quase nos matou.' O cara era maluco, dirigindo àquela velocidade, à noite, em uma estrada coberta de gelo e nenhum farol aceso.

"Continuei no meu curso enquanto esse cara seguia rasgando pela estrada à nossa frente. Ao longe, eu o vi passar sobre uma ponte suspensa de uma única faixa, e começar a subir uma colina. A única coisa que conseguia ver daquele carro preto eram as luzes de presença traseiras, e fiquei feliz por me livrar dele. Porém, quando ele chegou ao alto da colina, mais ou menos 1,5 quilômetro à frente, eu o vi frear, girar o carro na direção contrária e descer a colina em grande velocidade. Uma sensação horrorosa, de náusea, tomou conta de mim. Eu conseguia pensar apenas que sofreríamos um terrível acidente.

"Agora, eu já havia entrado naquela estreita ponte suspensa. Mas, no tempo em que eu havia percorrido não mais de um terço dela, aquele maluco já tinha descido a colina a toda velocidade e estava entrando na outra extremidade da ponte! 'O que é isso?', lembro que disse a mim mesmo. 'Esse cara está em algum tipo de viagem para a morte?'

"Com aquele carro avançando em alta velocidade na nossa direção, não havia possibilidade de dar marcha a ré e deixá-lo passar. Ao contrário — *se ele não parasse imediatamente, nós bateríamos de frente*! Mas ele continuava avançando! A ponte formava um arco, como um cavalete, sobre uma ravina. Se eu virasse para a esquerda ou para a direita, nós teríamos mergulhado no vale e morrido, com certeza. Quando meus faróis iluminaram a grade do radiador daquele carro, gritei para Lorraine se abaixar no assoalho. Porque, na certa, ali vinha aquele maníaco já no meio da ponte, correndo direto na nossa direção.

"Ele estava a 145 km/h. Eu estava a 65 km/h. Àquela altura, mesmo que nós dois tentássemos parar, a inércia ainda levaria os carros a uma colisão. Era uma situação sem saída. Mesmo assim, eu tinha que fazer *alguma coisa*. Restando cinco segundos para batermos, minha vida se reduziu a uma pergunta simples: Devo desviar ou seguir em frente? No último instante, algo me disse *continue em frente*!

"Já não havia tempo. Minhas últimas palavras para Lorraine foram: 'Invoque São Miguel!'. Faltando dois segundos — e, nessas situações, você pensa em termos de tempo, não de distância — meus braços estavam firmes no volante e eu estava pronto para a batida. Um segundo antes da colisão, inspirei uma última vez. Então, bem no instante do impacto... SSSHHHHH!!! Era um *carro-fantasma*! Lorraine tinha razão."

Autores religiosos sempre chamaram o espírito demoníaco de "gênio maléfico" — uma referência velada à estratégia premeditada que pode ser discernida quando o espírito demoníaco é responsável por perturbações em uma casa. Portanto, em uma investigação, é principalmente essa inteligência — uma força racional ativa por trás dos fenômenos — que o demonologista busca.

Em virtude da natureza extraordinária do trabalho de Ed e Lorraine Warren, a estratégia do espírito demoníaco costuma também envolver a ambos. Na verdade, ela chega a ter início antes que o casal receba uma solicitação para entrar em uma investigação ou se segue a um telefonema com um pedido de ajuda. Ed explica um recente ato de vandalismo que ocorreu no seu escritório:

"Isso acontece umas duas vezes por ano, em geral depois do pôr do sol. Da última vez, porém, aconteceu em plena luz do dia. Lorraine e eu estávamos na cozinha, depois do almoço. Primeiro, o telefone tocou. Lorraine atendeu, mas, como não havia ninguém na linha, ela desligou. Mais ou menos um minuto depois, o telefone tocou outra vez — no entanto, em vez dos toques intermitentes normais, o som era contínuo. Quando Lorraine atendeu, um rosnado gutural e animalesco se fez ouvir na linha.

"Ela ficou perturbada e me passou o telefone, e também ouvi o rosnado. Assim que desligamos, nosso pastor-alemão começou a latir ferozmente lá fora. Nesse momento, começou o que, pelo barulho, parecia ser uma briga violenta no meu escritório. Dava para ouvir móveis sendo arremessados, e o som de objetos colidindo e quebrando prosseguiu pelo menos por uns dez minutos. A tendência da maioria das pessoas teria sido correr até lá para descobrir o que estava acontecendo, é claro, mas você *não* gostaria de ter visto o que estava havendo lá embaixo!

"Uma hora mais tarde, entramos no escritório. Ele estava completamente devastado. Quadros haviam sido arrancados das paredes, arquivos estavam revirados e vazios. Livros, papéis, cadeiras, abajures, mesas — tudo havia sido jogado em uma pilha no centro da sala. Sabemos, por experiência, que aquilo não era obra de seres humanos. Aquilo era obra do demônio.

"Entenda, essas entidades são delinquentes espirituais. Eles estão sempre lá. Às vezes, você os vê pelo canto dos olhos, passando depressa de lá para cá. Outras vezes, eles ficam vagueando entre o estado físico e o não físico: semimaterializados, sem forma, como uma nuvem cinza-carvão. Temos um acordo", diz Ed com ironia, mas absolutamente sério. "Eles não me incomodam e eu não jogo água benta neles."

Então, por que o escritório foi vandalizado?

"Neste exato instante", responde Ed, "não sabemos por que está ocorrendo essa intensificação de atividade, mas é provável que aconteçam mais coisas estranhas — com sorte, nada sério. Esse tipo de coisa costuma ocorrer uma ou duas semanas antes de sermos chamados para investigar um caso sério em que a presença demoníaca está envolvida. Agora mesmo, a única coisa que sabemos é que, em algum lugar, alguém está sendo oprimido ou possuído pelo espírito demoníaco. A pessoa ou família que está sendo assediada provavelmente não faz a menor ideia de quem sejam Lorraine e eu, e menos ainda de como nos contatar. Porém, de um modo ou de outro, eles vão ligar pedindo ajuda. No entanto, os espíritos também sabem disso. Esse é, em parte, o motivo por que o escritório foi arrasado: para tentar nos intimidar desde já. Como eu digo, há um método e uma estratégia em *todos* esses fenômenos."

A comunidade religiosa há muito é alvo de ataques demoníacos, e as pessoas piedosas são o alvo preferido. Compare as declarações de Ed Warren com este trecho da biografia do padre Pio:

> Muitas vezes, ao entrar em sua cela pequena e modesta, Pio encontrava tudo revirado: o leito simples, as cobertas, os livros e a tinta do tinteiro respingada nas paredes. Esses estranhos espíritos apareciam-lhe sob as mais diversas formas, em geral usando hábitos de monge. Certa noite, ele viu que o seu leito estava rodeado de monstros pavorosos [...] eles o agarraram, sacudiram e lançaram ao chão e contra as paredes, como faziam com frequência a Cura d'Ars [...]. Afora o seu confessor, ele não falava a ninguém sobre tais visitações.
>
> Certa noite, ele viu entrar na sua cela um monge com a silhueta e o semblante do padre Agostino, seu antigo confessor.

> O falso monge aconselhou-o e exortou-o a desistir da vida de ascetismo e privações, afirmando que Deus não poderia aprovar o modo de vida dele. O padre Pio, estupefato com as palavras do padre Agostino, ordenou-lhe que proclamasse com ele: "*Viva Gesu*" [Vida Longa a Jesus].
>
> O estranho personagem desapareceu de imediato, deixando no aposento um estranho odor desagradável de enxofre [...].[2]

Obviamente, a demonologia surgiu na comunidade religiosa como uma proteção necessária contra essa incrível influência sobrenatural. E embora, normalmente, o assunto seja mantido em confidencialidade nos dias de hoje, todas as principais religiões dispõem de um clero especializado que se dedica à demonologia e ao exorcismo, não como um resquício do passado (o padre Pio faleceu em 1968), mas como uma necessidade contemporânea real. Para os católicos, a demonologia é um tema importante o suficiente para ser ensinado ao clero nas universidades pontificais de Roma. "A comunidade religiosa preferiria não ter que lidar com o problema dos fenômenos demoníacos", diz Ed. "Ela apenas o faz porque tem que fazer."

Enquanto disciplina, a demonologia abrange o estudo de filosofia, teologia, psicologia (tanto normal quanto anormal), antropologia, química, biologia, física e metafísica. Uma abordagem assim tão ampla permite que o clérigo-demonologista determine, quando outros pesquisadores não o conseguem, se fenômenos incomuns são, em última análise, de origem sobrenatural. Tais julgamentos são sérios: a vida de pessoas costuma estar em jogo.

Além de conhecimento, o demonologista ou exorcista precisa ser dotado de força interior inabalável e estar completamente no comando em situações de pandemônio irrestrito e violento. "Uma pessoa que entrasse em uma situação de plena atividade demoníaca sem autocontrole", observa Ed, "enlouqueceria em cinco minutos. Os fenômenos o atacam através de todos os seus cinco sentidos; ao mesmo tempo, eles se aproveitam da sua psicologia pessoal. Se você apenas vacilar, você fraqueja, e se fraqueja, cai nas garras de uma força especializada em atormentar os inocentes, os ignorantes e os caídos.

2 *Padre Pio: The Stigmatist* [Padre Pio: O Estigmatizado], pelo rev. Charles Carty, TAN Books, 1953.

"E o que é pior", acrescenta Ed, de forma espantosa, "esses espíritos conhecem a sua vida inteira: passado, presente e, em certa medida, futuro. Na verdade, quando estou trabalhando com pessoas possuídas, a primeira coisa que a entidade possessora normalmente me diz é: 'Ed Warren, EU SEI QUEM VOCÊ É!'."

Embora Ed não seja clérigo, ele realiza grande parte do trabalho do clero nessa área. "Viagens, investigações de longa duração, análise de dados, discernimento de forças espirituais, aconselhamento, acompanhamento posterior — as coisas que o clero não tem tempo de fazer —, esse é o meu trabalho, e mais", diz Ed. "Ser um demonologista é algo que não se alardeia, entende, porque a própria palavra tende logo a deixar as pessoas paralisadas. Também não há motivo para alarmar as pessoas, em especial se *estiverem* de fato envolvidas em uma situação de atividade demoníaca e não saibam."

Qualquer um que já tenha testemunhado os fenômenos ignóbeis e profanos provocados por espíritos inumanos malignos sabe que um demonologista arrisca a vida sempre que entra em uma casa para confrontar as forças da escuridão. Não obstante, esse trabalho precisa ser feito. Do contrário, indivíduos que inadvertidamente caiam na armadilha do demônio acabarão vendo-se vulneráveis e sozinhos na presença de poderes que são impiedosos causadores de terror e violência. E, com isso, a estratégia do espírito demoníaco terá apenas começado.

Como o sr. Zellner tão habilmente colocou ao descrever seu problema a Ed Warren: "Há um ser invisível e de mente perturbada na minha casa, causando devastação e tentando me subjugar". Embora ele não o soubesse na ocasião, o sr. Zellner não apenas identificou o problema como definiu a estratégia básica da força demoníaca em uma mesma afirmação.

7
INFESTAÇÃO: O INÍCIO DO PROCESSO

"Muito antes de nos envolvermos em um caso — aliás, muito antes de sequer sabermos que *há* um caso", diz Lorraine, "eventos estranhos começam a acontecer. Eu os chamo de 'coisinhas grandes'. O telefone tocará de maneira estranha e, quando eu o atender, ouvirei vozes sussurrando ao longe, ou rosnados animalescos, ou efeitos sonoros esquisitos. Mais tarde, quando o caso vem à tona, é provável que escutemos os mesmos sussurros ou efeitos sonoros no local mal-assombrado.

"Além disso, é provável que outros incidentes perturbadores nos aconteçam antes do encaminhamento de um caso de atividade demoníaca. Por volta de meia-noite, podemos ouvir alguém caminhando em círculos no alpendre da frente, ou andando de um lado para o outro no terraço dos fundos da casa. Então, vamos verificar, é claro, mas ninguém estará ali, embora os passos continuem audíveis. Outras vezes, ouvimos passos subindo às pressas um lance de escadas *dentro* de casa, tentando nos assustar. Podemos ver fortes faróis de carro se aproximando pela entrada da garagem, seguidos do som de passos e, então, três batidas na porta da frente. Contudo, novamente, ao verificarmos, não haverá ninguém à porta e, de repente, não haverá nenhum carro na entrada da garagem. Em geral, estamos sujeitos a ouvir um tumulto lá no escritório de Ed, embora a porta do escritório esteja trancada e os alarmes sonoros não tenham disparado. Podemos estar sentados tranquilamente em casa quando passa uma lufada enregelante de vento, ou ouvimos o farfalhar de roupas, como se alguém tivesse acabado de passar por ali. Um gato preto pode entrar caminhando na sala de estar, se sentar e desaparecer — simbolizando um envolvimento demoníaco.

"Duas noites atrás, Ed foi chamado para tratar de um assunto oficial fora da cidade. Ele teve que viajar para o Meio-Oeste, e fiquei terrivelmente apreensiva quanto à sua segurança. E *exatamente* às 3h da manhã, ouvi um estrondo tremendo, inacreditável, de alguma coisa arrebentando, inclusive janelas quebrando e o tinir de cacos de vidro. O barulho era de fato como se o telhado estivesse vindo abaixo! Eu me levantei e percorri a casa usando uma lanterna — porque a luz desorienta o espírito demoníaco —, mas não vi nada. Embora não tivesse acontecido nada físico, aquele estrondo ainda me fazia tremer de medo. Não dá para se acostumar com esse tipo de coisa! Em vez disso, Ed e eu viemos a compreender que essas 'manobras' negativas, como as chamamos, fazem parte de uma estratégia maior, mais abrangente, da entidade demoníaca — estratégia que já está em funcionamento antes mesmos de sermos chamados a intervir. É apenas em retrospectiva, depois de o caso ter sido solucionado, que a relação com esses incidentes perturbadores fica clara. No entanto, o que realmente sabemos de antemão é que alguma pessoa ou família está sendo assediada por um espírito que não quer interferências e fará praticamente qualquer coisa para não ser detectado."

À medida que se aproxima o momento em que os Warren se envolverão em um caso específico, as obstruções e interferências na sua vida tornam-se cada vez mais ostensivas. Se alguém está desesperado por ajuda e envia uma carta, é possível que ela seja entregue no endereço errado. Se alguém tenta telefonar, o aparelho não vai tocar, embora Ed e Lorraine estejam em casa e disponíveis. Mensagens de voz deixadas na secretária eletrônica do casal estranhamente *não* serão gravadas ou estarão distorcidas por intensa estática. Uma vez que a mensagem consiga chegar aos Warren e eles partam para o local, pode-se esperar que qualquer coisa lhes aconteça no caminho, inclusive colisões de frente com carros-fantasma. E, como observa Lorraine: "Quando vistas de forma isolada, nenhuma dessas obstruções faz qualquer sentido na ocasião; elas parecem não passar de curiosas coincidências. E, repito, apenas depois do fato, quando o quadro total é analisado, é que os atrasos e as obstruções se mostram parte de uma estratégia mais ampla".

Informa-nos o dicionário que *estratégia* é um meio de superar em astúcia — por truques e artifícios — a fim de obter uma vantagem. O espírito demoníaco provou ser classicamente um mestre estrategista contra o homem. Fazendo-se presentes em um instante e desaparecendo no seguinte, por muito tempo as complexas manipulações desses famigerados espíritos permaneceram um mistério. No passado, fatos acerca do *modus operandi* da entidade eram poucos e separados por grandes intervalos. Não dispondo de livros nem instrumentos de detecção, monges e clérigos podiam tão somente manter relatos manuscritos de perturbações diabólicas para o possível uso de futuros historiadores.

Agora, contudo, após séculos de pesquisa e investigação, enfim começou a transparecer um padrão para o comportamento demoníaco. Em consequência, o demonologista do século XX — com o auxílio de livros, tecnologia e comunicação de massa — tem a mais completa compreensão, até hoje, das estratégias e motivos ostensivos dessas entidades elusivas.

"Existem três estágios distintos da atividade demoníaca", revela Ed, "*infestação*, *opressão* e *possessão*. Em alguns casos raros, a morte pode ocorrer como um quarto estágio ou no lugar da possessão. Se ninguém é chamado a pôr um fim na atividade do espírito e a perturbação fica livre para seguir seu curso, então é possível prever que cada estágio ocorrerá na ordem 1-2-3.

"Durante o estágio de infestação, a estratégia é provocar medo — e desse modo gerar energia psíquica negativa —, o que começa a fragilizar a vontade humana. As crianças Foster vivenciaram o primeiro estágio do fenômeno, a infestação, assim como o sr. Zellner. O caso com a boneca de pano, Annabelle, também teria que ser classificado como infestação. Embora esses casos não precisassem ter acontecido, eles ilustram que os fenômenos demoníacos não tendem a ocorrer a menos que um indivíduo dê alguma espécie de 'permissão' para que um espírito entre na sua vida. *As portas têm que estar abertas para que o fenômeno aconteça*", afirma Ed com veemência.

Portanto, em termos leigos, o espírito demoníaco não tem livre domínio sobre o homem. Em vez disso, pelo exercício do seu livre-arbítrio, homens e mulheres *escolhem* abrir a porta para o desconhecido e, então, seguem o caminho sombrio. Como explica Ed: "O espírito demoníaco é um espírito que as pessoas *não* precisam conhecer. Especificamente, é uma questão de necessidade *versus* vontade. Um fantasma *precisa* comunicar o seu problema, ou faz uma visita, na forma de aparição, para dar informações que uma pessoa viva talvez tivesse que saber. O espírito demoníaco é diferente: ele se faz presente porque as pessoas, por meio do próprio livre-arbítrio, *querem* ou convidam um contato espiritual quando não há necessidade disso. Com relação a isso, aplicam-se duas leis: a Lei da Atração e a Lei do Convite.

"A premissa da Lei da Atração", explica Ed, "é *semelhante atrai semelhante*. Dar atenção ao positivo atrai o positivo; dar atenção ao negativo atrai o negativo. Portanto, pessoas que fazem coisas negativas ou claramente contrárias à natureza estão basicamente 'fazendo o trabalho do Diabo por ele' e, de fato, *atraem* espíritos negativos para junto de si. Eles estão na mesma frequência, por assim dizer. O caso Annabelle é um bom exemplo. Aquelas garotas tinham um vínculo inocente, mas não natural, com a boneca; essa falta de bom senso foi percebida pelo espírito demoníaco. Uma vez ali, ele passou a atuar e oprimiu as garotas para que consultassem uma médium e acreditassem na mensagem falsa. Em suma, as jovens deram *carta branca* para que 'Annabelle' entrasse na vida delas. Se o caso tivesse ido adiante, o rapaz, Cal, correria um risco real de se ferir de forma bem séria, isso se não fosse morto; e as garotas poderiam ter sido possuídas pela entidade."

"Como extensão da Lei da Atração", acrescenta Lorraine, "o espírito demoníaco também pode ser trazido como resultado das ações de uma pessoa. Tipicamente, transgressões numerosas e gratuitas do bem — maldades praticadas *de maneira voluntária* por um homem contra outro — *são* uma vitória do mal e atuam como um sinal a espíritos negativos. Quando um indivíduo sente satisfação ao cometer atos cruéis e perversos, a vibração do seu corpo se altera, o que resulta em uma aura de cor mais escura que o normal. Assim como um tubarão segue um rastro de sangue, a mudança na aura atrai um espírito negativo para junto da pessoa."

A atração também pode ocorrer quando um indivíduo demonstra um lapso ao permitir que o seu autocontrole vacile. Como coloca Ed: "Se você não consegue se controlar, então alguma coisa vai controlá-lo. Ódio, ira, desespero, tristeza profunda, embriaguez e uma sensação de inferioridade com tendências suicidas vão atrair o demoníaco em um estalar de dedos. O homem não recebe nenhum buquê do demônio: esses espírito está ali apenas para promover a destruição dele". Em suma, o espírito demoníaco costuma ser atraído por ações e tendências de pensamento incompatíveis com o bem-estar saudável e positivo.

"Pela Lei do Convite", prossegue Ed, "a coisa é 'peça e receberás'. Uma pessoa pode deliberadamente invocar o espírito demoníaco por meio de um ritual ou via um canal de comunicação sincero. Esse é um gesto ostensivo e voluntário, que envolve magia cerimonial, encantamentos, sessões espíritas, o uso do tabuleiro Ouija ou rituais profanos secretos em que o indivíduo *voluntariamente* convida uma presença demoníaca para junto de si. Realizar um dos rituais costuma ser o primeiro passo em um caminho sem volta. A conjuração pode ser um ato particular, feito na própria casa do conjurador, ou — como é a nova moda

— em público, com um dos crescentes cultos de satanismo ou conciliábulos de bruxas de magia malévola que defendem tal atividade."

Qual é a relação entre bruxaria, satanismo e o espírito demoníaco?

"Primeiro, vamos entender o que é a bruxaria", responde Lorraine. "A wicca — ou bruxaria — tem 4 mil anos e é normalmente chamada a 'religião antiga' porque antecede tanto o judaísmo quanto o cristianismo. As pessoas que praticam a wicca são conhecidas como bruxas de magia benévola e veneram a Mãe Terra. Elas manipulam forças naturais para resultados positivos — cura, boa sorte, amor duradouro e colheitas abundantes. Além disso, no entanto, você começa a desviar para a magia cinzenta, a magia malévola e o satanismo. É aí que os problemas surgem, porque a bruxaria é uma via de mão dupla e pode ser usada para alcançar fins positivos *ou* negativos.

"A magia *cinzenta* recebe esse nome por causa dos seus efeitos. A bruxa cinzenta lança feitiços e manipula o destino e a sorte das outras pessoas de uma forma que não é nem inteiramente boa, nem totalmente má. Em essência, a magia cinzenta é realizada com o intuito de proporcionar a uma pessoa uma vantagem injusta sobre outra. O verdadeiro problema, porém, está na magia malévola e no satanismo. A bruxa da magia voltada para o mal busca recompensas terrenas — dinheiro, sexo, poder, prestígio — ou a ruína de adversários por meio do auxílio expresso de forças diabólicas. Essas bruxas podem recorrer a demônios e diabos menores durante os seus rituais. Já os satanistas recorrem à hierarquia satânica — Astaroth, Belzebu e até Lúcifer — para interceder em seu benefício. Para garantir poder e efetividade, as bruxas de magia malévola trabalham associadas a espíritos demoníacos específicos, ao passo que o satanista vai até o fim e venera Satã como um deus.

"No passado, os rituais negativos envolviam tudo, desde o assassinato de bebês até pactos com o próprio Diabo. Nos rituais mais extremos, os celebrantes viravam a Bíblia de cabeça para baixo e urinavam nela, começando em seguida uma marcha em sentido anti-horário, formando um círculo mágico enquanto entoavam blasfêmias, renúncias a Deus e submissão ao outro senhor, Satã."

"Valendo-se de rituais profanos, os satanistas e as bruxas de magia malévola são capazes de invocar espíritos demoníacos específicos e ordenar que cometam atos que tragam benefícios tanto pessoais quanto para o grupo", observa Ed. "Dinheiro, prestígio, conquistas sexuais, riquezas materiais, enorme poder pessoal e a queda de adversários por meio de feitiços e maldições podem ser alcançados pela intervenção de forças espirituais inumanas. No entanto, o espírito demoníaco é um agiota, e ele não apenas cobra antes que você esteja preparado: ele quer o pagamento em dobro por aquilo que dá. Em última análise, ele quer a sua alma. É por isso que feiticeiros, bruxas de magia maléfica e satanistas acabam pagando um alto preço, talvez um preço eterno, por aquilo que fazem."

Hoje em dia, indivíduos solitários que realizam ritos extraídos de livretos comprados em bancas de jornal podem não estar preparados para a realidade aterradora em geral destinada a encontrá-los por meio daquilo a que Ed chama lei cósmica. "Foi isso o que aconteceu no caso Foster", diz Ed. "O verdadeiro início do caso teria que ser identificado como o dia de Natal de 1977, quando a mãe colocou um livro de conjurações debaixo de uma árvore de Natal, acredite se quiser! Há um grande simbolismo aí. Assim, ela fez o convite básico para que o espírito demoníaco entrasse na casa dela. Seja como for, foi Meg quem deu a permissão. Se ela tivesse devolvido o livro ou o jogado fora, nenhum dos incidentes insólitos teria acontecido. No entanto, pela própria livre vontade, Meg realizou os rituais formais de convite que colocaram o processo em movimento."

Quando nem a Lei da Atração e nem a Lei do Convite atuam, então a infestação espiritual de uma casa já deve ter ocorrido antes de os novos moradores se instalarem. Isso aconteceu no caso Amityville, por exemplo, no qual a família Lutz caiu em uma armadilha sobrenatural. Curiosamente, os Warren afirmam que essa é a forma pela qual a maioria das pessoas comuns entra em contato com fenômenos espirituais inumanos. Não obstante, mesmo em uma casa infestada, nem todas as pessoas estarão vulneráveis à interferência negativa. "Uma pessoa feliz e equilibrada", diz Lorraine, "teoricamente bloqueia a entrada de forças negativas com a sua disposição positiva. Por outro lado, assim como uma mosca é atraída para o papel pega-mosca, uma pessoa melancólica e deprimida em uma casa infestada é quase que uma garantia de problemas. Na maioria das vezes, porém, o fenômeno é convidado para a vida de alguém pela permissão dada para que os espíritos entrem."

De que maneiras essa permissão pode ser dada?

"Pela abertura de canais de comunicação que deveriam permanecer fechados", responde Ed. "Tabuleiros Ouija, sessões espíritas, cerimônias de conjuração, rituais com velas, instrumentos de escrita automática são portas que se abrem para o sobrenatural e, mais comumente do que se pensa, levam por um caminho de infortúnio, terror e ruína.

"O tabuleiro Ouija já provou ser uma famigerada chave mestra para o terror, mesmo quando a intenção da comunicação é de natureza absolutamente positiva", ressalta ele de forma enfática. "De todos os casos a que atendemos, quatro em cada dez envolvem indivíduos que contataram espíritos inumanos pelo uso de um tabuleiro Ouija. Fui uma das poucas pessoas que examinaram os registros oficiais do caso retratado no livro *O Exorcista*. Aquele caso, que, a propósito, aconteceu a um garoto, não a uma garota — ocorreu em 1949 e, sabe como ele começou? Com o uso de um tabuleiro Ouija!

"Em si mesmo, o Ouija não é nada", acrescenta Ed. "Não passa de um pedaço de papelão prensado com o alfabeto escrito nele. O mesmo efeito pode ser obtido com uma taça de vinho emborcada sobre uma mesa encerada, como se costumava fazer na década de 1930. Porém, em qualquer um dos casos, é um meio de comunicação. Em outras palavras, o problema é *para que* se usa o objeto. Quando você usa o tabuleiro Ouija, dá permissão para que qualquer espírito desconhecido se comunique. Você abriria a porta da frente da sua casa e deixaria entrar qualquer um que o quisesse? É claro que não. Porém, é exatamente isso o que está fazendo em nível sobrenatural. São raríssimas as ocasiões em que Lorraine e eu encontramos alguém que tenha tido uma experiência *verdadeiramente* positiva ao usar o tabuleiro Ouija. Para aqueles quase viciados no tabuleiro e que pensam estar em contato com o 'divino', nunca houve, até onde sei, uma única situação em que um espírito angelical positivo tenha vindo a um tabuleiro Ouija com uma genuína mensagem precognitiva. Como já dissemos muitas vezes, antes que a maioria dessas atividades ocorra, é preciso que se abram as portas. O tabuleiro Ouija é uma maneira de fazer isso."

"O mesmo problema acontece com sessões espíritas", observa Lorraine. "Quando pessoas comuns se envolvem em comunicações com entidades espirituais, simplesmente *não há qualquer garantia* quanto a quem ou o que está se comunicando do outro lado. A comunicação 'às cegas' é a oportunidade perfeita para um espírito enganador entrar na vida de indivíduos crédulos."

Mas é impossível fazer contato com amigos e parentes que já se foram?

"Se você tem seis, oito, dez pessoas concentrando a mente na comunicação com os espíritos", diz ela, "então há uma enorme probabilidade de que a comunicação aconteça. Mas, ainda assim, você *não sabe* com o que está se comunicando. Geralmente, as informações podem ser verificadas por uma única pessoa à mesa. Contudo, como saber que as informações não foram transmitidas ao indivíduo por um espírito negativo — através da telepatia — antes de a pergunta ser feita?

"Além disso, nem toda pessoa que falece fica necessariamente presa à terra e à disposição para se comunicar com você. A fim de se conduzir uma sessão espírita de forma adequada, você deve primeiro ter uma razão muito boa para isso. Deve ter consigo um médium profissional experiente que venha por recomendação de uma organização de pesquisa psíquica de boa reputação. Um clarividente local bem-intencionado mas ingênuo ou um médium amador podem fazer contato com espíritos, mas não conseguirá necessariamente *discernir* se o espírito em questão é bom, mau ou indiferente. Nesse caso, torno a dizer, você não sabe de fato com quem está falando.

"Outro ponto: uma sessão espírita deve ser realizada durante *o dia*. Em geral, espíritos humanos têm a mesma capacidade de se comunicar durante o dia", explica Lorraine. "Sessões espíritas realizadas à noite muito comumente trazem espíritos humanos negativos ou espíritos demoníacos — às vezes porque o indivíduo que está realizando a sessão já foi oprimido, de antemão, a fazê-la nas horas de escuridão. Quantas vezes você já ouviu falar de mesas de sessões espíritas se erguendo no ar e se movendo pela sala? Fantasmas não têm o poder de erguer mesas, ainda que o quisessem. Apenas duas coisas poderiam fazer isso: um espírito inumano ou, o que é mais provável, a energia psíquica gerada pelas pessoas sentadas ao redor da mesa.

"A questão é, se você tem uma necessidade real de se comunicar com o outro lado, isso deveria ser importante o suficiente para você buscar a ajuda de um especialista autorizado. Do contrário, terá problemas se não tomar cuidados que devem anteceder uma sessão espírita."

Uma vez dada a permissão, quer por meio da Lei do Convite ou da Lei da Atração, resta verificar se a infestação de fato ocorreu. Em caso afirmativo, os Warren dizem que isso será normalmente notado como um aumento gradual de pequenos incidentes ao longo de um período de semanas ou até meses.

"Durante a infestação, a estratégia do espírito demoníaco é causar medo por meio de incidentes com fenômenos inexplicáveis", conta Ed. "A atividade prevalecerá sobretudo durante as horas de maior abertura psíquica da noite, entre 21h e 6h, com o pico ocorrendo entre 1h e 5h. Os primeiros incidentes da atividade tenderão a acontecer exatamente às 3h da manhã. Esse horário simbólico, o 'meio-dia' do dia demoníaco, é escolhido como um gesto de zombaria, porque está em direta oposição ao horário tradicional da morte de Jesus. Ocorrida a infestação inicial, os fenômenos vão tender a irromper a qualquer horário após o pôr do sol. Se o espírito infestador puder absorver energia durante as horas claras do dia, a atividade também poderá ocorrer durante esse período, embora em menor grau.

"No entanto, ao longo dos estágios iniciais da infestação, o espírito em geral faz tremendos esforços para disfarçar a sua atuação", acrescenta ele. "Não é do interesse do espírito infestador ser descoberto prematuramente. Portanto, a atividade não chamará muita atenção enquanto o espírito se estabelece. Em geral, as pessoas ignoraram os fenômenos implausíveis, considerando-os acasos inesperados, coincidências ou ilusões naturais. No máximo, a atividade insólita será atribuída à psicocinese ou à atuação de espíritos humanos atormentados. Na maioria das vezes, esse julgamento está correto. Porém, naquelas raras situações em que *há* forças inumanas negativas por trás da atividade, a atuação de uma inteligência sinistra aos poucos ficará evidente."

Visto que o caso Foster ilustra o estágio de infestação na sua forma mais fácil de ser reconhecido, vale a pena dedicar algum tempo à análise mais detalhada do caso.

"Para começar", diz Ed, "não houve nenhuma materialização, antes, durante ou depois do caso, de um espírito humano preso à terra. Em vez disso, os fenômenos exteriores refletiam a intervenção de um espírito inumano, uma vez que um fantasma não teria sido capaz de provocar a maior parte das estranhas ocorrências. Além disso, não havia nada de aleatório com relação à atividade. Na realidade, em vez de ser uma manifestação-dissipação fortuita de um fantasma, aquela atividade era dinâmica e orientada a um objetivo, o que sugere uma estratégia negativa.

"Além disso, a atividade despertou muito medo. Esse é um sinal claro de uma presença demoníaca, porque espíritos inumanos *precisam* do medo para se manifestar, ao passo que os fantasmas não. Os fenômenos violentos e perniciosos no caso Foster *tinham o intuito de assustar*. Isso ficou evidente quando Meg me disse: 'Quanto mais medo eu sentia, mais alta ficava a barulheira aqui embaixo'. Percebe? Apenas quando o indivíduo nota que alguma coisa estranha está acontecendo é que os fenômenos começam a ficar assustadores. Neste caso, Meg sentiu um toque gelado, então, o cabelo foi puxado e, depois, ela toda foi puxada, tudo isso por um tipo de mão invisível. Passos também foram ouvidos, levando as crianças a presumir que havia uma presença física na casa. Elas também passaram por uma rodada apavorante de móveis se quebrando, sussurros mágicos e a manipulação do rádio, das luzes, dos relógios, das torneiras e da temperatura nos cômodos. Até mesmo o cão surdo reagiu à presença!"

Ademais, a adolescente mencionou ter visto uma forma escura pelo canto do olho. Isso estaria correto, de acordo com os Warren, porque o olho físico é feito para ver imagens naturais; imagens sobrenaturais costumam ser detectadas pela visão periférica. "A forma em si era provavelmente a dos primeiros estágios da materialização do espírito em uma massa escura", comenta Ed. "À medida que a garota liberava cada vez mais energia psíquica negativa, o espírito recebia os recursos de que precisava para se manifestar."

"Mesmo no estágio da infestação, há um método na loucura", observa Lorraine. "O pássaro-fantasma que cantava à noite na árvore que já não existia do lado de fora da janela dos pais era um prenúncio de que eventos calamitosos estavam por vir. Quando os fenômenos de fato ocorreram, a tendência era que se manifestassem em séries de três. As luzes foram apagadas *três* vezes antes que a garota sentisse o toque da mão gélida. O relógio no quarto da garota estava *três* horas adiantado; o relógio no quarto do menino estava *três* horas atrasado. O cabelo da garota foi puxado não uma, mas *três* vezes."

"Fenômenos que ocorrem em sequências de três constituem uma assinatura da atuação demoníaca", ressalta Ed. "Normalmente, a primeira coisa que acontece em um caso de infestação é o som de três batidas na porta. Não haverá ninguém ali, é claro, pelo menos ninguém visível."

No entanto, por que o uso do número três pelo espírito demoníaco?

"O três é usado como um sinal", responde ele. "O três é usado *propositadamente* como um insulto — para zombar da Trindade. No entanto, o seis é o número do diabo. Ações demoníacas em regra vão acontecer em grupos de seis, de modo que fique absolutamente claro que os fenômenos não foram aleatórios, mas *premeditados*."

Quando as crianças Foster correram para fora de casa, elas sentiram uma força maléfica que diminuiu quando estavam embaixo do poste de luz da rua. Esse é outro fato significativo para os Warren porque forças negativas mostram-se incapazes de agir em um ambiente iluminado. Não é por coincidência que esses espíritos são conhecidos como espíritos das trevas. Além disso, os pássaros que piavam selvagemente estavam em atividade apenas à esquerda. Em outros casos que Ed e Lorraine investigaram, pássaros que guincham à noite, à esquerda, costumam ser encontrados no chão, mortos, na manhã seguinte.

Como fica evidente no caso Foster, a atividade de infestação não ocorre como uma investida rápida e ostensiva. Em vez disso, os fenômenos começarão com três batidas agourentas à porta ou passos serão ouvidos pela casa. Pode haver um barulho de algo raspando ou arranhando dentro das paredes. Pontos estranhamente quentes ou frios serão detectados em certas áreas. Um cômodo ou local específico da casa causará repulsa ou parecerá "assustador". Sons de sussurros ou de uma respiração pesada poderão ser ouvidos por qualquer pessoa presente. E, acima de tudo, o indivíduo que está em um ambiente infestado sentirá constantemente que há outra presença ali. Essa sensação de uma presença no local aumentará a tal ponto que a família pode começar a acordar em horários específicos da noite ou precisamente às 3h da manhã.

Durante o estágio da infestação, com o passar do tempo, coisas começarão a acontecer. Guinchos de filhotes de animais talvez sejam ouvidos, vindos daquele cômodo "assustador". O barulho de algo raspando ou arranhando dentro das paredes mudará para batidas, pancadas leves e, mais tarde, em golpes pesados e surdos. "Peças" serão pregadas com o objetivo de despertar fúria. Eletrodomésticos vão começar a funcionar sozinhos. O telefone vai tocar, mas sem que haja ligação nenhuma. A campainha da porta da frente soará ao mesmo tempo em que se ouvirão batidas na porta dos fundos. Ninguém vai estar atrás de nenhuma das portas.

"Outra indicação de uma presença inumana é a movimentação *insólita* de objetos", diz Lorraine. "Um copo de cristal pode cair no chão sozinho, mas ele não vai quebrar — vai quicar! A comida no fogo não cozinha. A água em que é mergulhada a louça para lavar congela. Chaves não vão abrir fechaduras. Maçanetas não vão girar, prendendo a pessoa no porão ou no banheiro. Outras vezes, as coisas simplesmente não permanecem onde foram deixadas, não importa quantas vezes os objetos sejam recolocados no lugar.

"Tudo isso, é claro, exige demais não apenas da paciência, mas da sanidade do indivíduo. No entanto os efeitos psicológicos não são um elemento desse estágio. Embora a atividade estranha possa provocar certa ansiedade e muita preocupação, a mente do indivíduo ainda não foi invadida, como ocorre na opressão. Crianças, em especial as bem pequenas, são muitíssimo vulneráveis à atividade inumana, mesmo no estágio da infestação. É bastante comum que bebês de 1 ou 2 anos de idade em uma residência infestada acordem gritando, completamente aterrorizados. O espírito demoníaco não sente nenhum remorso em assediar um bebê. Uma pessoa que esteja alerta e que fique desconfiada e consiga identificar os primeiros mecanismos dos fenômenos demoníacos deve procurar ajuda na mesma hora, antes que os eventos avancem para um nível mais pessoal e, então, saiam completamente do controle.

"Uma pergunta que as pessoas costumam nos fazer", diz Lorraine, "é: 'Como vocês sabem que existe um espírito inumano em uma casa?' A resposta é que, quando um espírito demoníaco inumano está presente, você *sabe* que ele está ali. Mesmo antes dos seus cinco sentidos começarem a perceber o fato, o sexto sentido já está absolutamente ciente daquela presença. Quando entrevistamos pessoas com relação a esses espíritos, o mais comum é que digam: 'Tive uma horrível sensação de morte à minha volta'. Ou: 'Dava para *sentir* o mal naquele cômodo'.

"Quando você está em um ambiente espiritualmente infestado e os seus cinco sentidos *entram* em ação, você verá, sentirá e ouvirá coisas claramente horrendas ou anormais. Mas mesmo isso não é suficiente para o espírito", prossegue ela, "porque essa coisa *tem que* fazê-lo ter medo dela. Assim, o tumulto assustador que ela promove é parte da estratégia. É bem verdade que, nos primeiros estágios da infestação, os fenômenos serão ambíguos. O levitar de uma xícara de chá *pode* ser causado por PK ou por um fantasma — e o espírito demoníaco *sabe* que isso será chamado de poltergeist, em vez de ser referido como aquilo que é de fato. O espírito deliberadamente se esconde atrás da ambiguidade, a fim de se estabelecer. Portanto, não se olha apenas para os fenômenos observáveis. Você não pode apontar para qualquer xícara de chá que esteja levitando e dizer: 'Arrá! *É* um fenômeno demoníaco!'. É preciso ver também a complexidade proposital e dirigida que acompanha a perturbação. A atividade assume um padrão cheio de significado. O que, a princípio, parece ser uma sequência curiosa de acontecimentos acaba por se revelar, após o seu estudo, um conjunto de eventos integralmente vinculados um ao outro, algo diferente de coincidências e atividades arbitrárias e aleatórias."

Embora o horror vivenciado durante a infestação já seja terrível, ele é tão somente uma preparação para o pandemônio que tende a ocorrer no estágio seguinte. Ainda que as perturbações durante a infestação sejam inquietantes, irritantes ou assustadoras, durante a opressão, o espírito começa a assumir o controle e a usar todo o poder maligno que tem à sua disposição. Como coloca Ed: "Durante a infestação, você tem um problema. Com a opressão, você tem um verdadeiro transtorno".

8

OPRESSÃO: A ESTRATÉGIA REVELADA

A infestação significa basicamente que uma casa está mal-assombrada. A opressão significa que os espíritos que assombram a casa estão tentando subjugar as pessoas que vivem ali. Em nível prático, portanto, um assunto que os Warren enfatizam nas suas palestras é o dos fenômenos de opressão. E eles o fazem porque a infestação de uma casa por espíritos pode ter ocorrido sem que fosse percebida ou pode estar em curso sem que seja reconhecida — e a primeira vez que se nota algum problema é quando a opressão já teve início.

Durante a infestação, a estratégia demoníaca é causar medo a fim de destruir a força da vontade humana. Durante a opressão, o espírito já estabelecido ali tende a lançar um bombardeio de fenômenos inacreditáveis ou iniciar um ataque psicológico furtivo destinado a dominar completamente a vontade da vítima.

"O principal objetivo na opressão demoníaca", diz Ed, "é fazer com que o indivíduo perca o controle ou demonstre um lapso momentâneo na sua livre vontade, o que abre a porta para que ocorra a possessão. A estratégia do espírito infestador neste estágio é começar a provocar fenômenos tão terríveis e desnorteadores que praticamente destroem a vontade e a tolerância da pessoa. No entanto, essa atividade desenfreada e anormal é uma distração. A ocorrência de fenômenos em duas frentes — a física e a psicológica — enfraquece e desorienta a vítima ao mesmo tempo em que leva suas emoções ao limite. Além disso, para piorar as coisas, se uma ou mais entidades foram bem-sucedidas durante a infestação, então, outros espíritos ainda mais poderosos podem entrar em cena e, nesse ponto, os fenômenos que já eram ruins ficam piores, e daí passam a ser terríveis. O autocontrole é essencial neste estágio, pois uma vez iniciada a destruição sistemática da vontade, a atividade não vai cessar até que alguém a faça parar. A percepção do problema é crucial porque a atividade aos poucos crescerá até se transmutar gradualmente em um completo caos."

A estratégia de opressão pode ser resumida, de forma mais acertada, a isto: o espírito demoníaco procura *desumanizar* o indivíduo. Por todos os meios, ele tenta reduzir um ser humano — de modo ostensivo ou velado — ao seu estado mais degenerado. Escritores religiosos há muito reconheceram esse fato e, em consequência, dividem a estratégia da opressão em dois tipos: a interna (pela mente) e a externa (pelos sentidos). Uma constitui um fenômeno psicológico; a outra, físico.

A opressão *externa* é uma ocorrência passível de observação: um espírito negativo interage com o mundo físico para provocar fenômenos ilusórios ou assustadores. Neste estágio, afirmam os Warren, a pessoa pode ver e sentir a atividade. "Não há como confundi-la", ressalta Lorraine. "Força bruta é usada para aterrorizar uma pessoa ou família. Enlouquecido por natureza, o espírito demoníaco dirige a sua fúria à destruição material ou ao ataque a pessoas. Em alguns casos, haverá pistas sutis de uma presença espiritual; em outros, um completo rompante de ira. Porém, em praticamente todos os casos que examinamos, os espíritos que infestam a casa *de fato* manipulam o ambiente físico em alguma medida."

Que tipos de coisas acontecem com pessoas que deparam com fenômenos espirituais inumanos? A que intensidade a opressão pode chegar?

"Quando Lorraine e eu somos chamados a atuar em um caso em que esteja acontecendo opressão externa", diz Ed, "há invariavelmente um imenso terror envolvido. O ataque — e é isso que costuma ser — atinge a família em nível natural *e* sobrenatural. Quanto aos tipos de coisas que podem acontecer, em geral, os cinco sentidos da vítima serão saturados com a percepção de fenômenos assustadores ou repulsivos: odores nauseantes, gemidos macabros, gritos apavorantes, batidas, pancadas leves e fortes, respiração pesada e sussurros mágicos, passos sem corpo, rápidas alterações de temperatura em um cômodo, visões horripilantes e assim por diante. Quando uma perturbação realmente avança, digamos, para o que chamamos de *assédio* diabólico, então se observam fenômenos como materializações, desmaterializações, teletransportes, levitações — de pessoas e objetos, sensações de estrangulamento ao redor do pescoço, braços que são agarrados por trás, cortes, queimaduras, talhos, feridas, súbitas doenças críticas, dores de cabeça torturantes, vulgaridades e blasfêmias escritas nas paredes por mãos invisíveis, irrupções espontâneas de fogo, vozes inumanas falando ao telefone, faces demoníacas aparecendo na tela da televisão — tudo o que você puder imaginar, eu já vi. Às vezes, as vítimas são mantidas prisioneiras dentro da própria casa enquanto são sistematicamente subjugadas, e até mortas, por forças inumanas e maléficas. Em termos mentais, o cérebro ficará sobrecarregado; em termos físicos, o corpo ficará exaurido; e, em termos emocionais, a pessoa ou família ficará arrasada, prostrada. É nesse ponto, quando a atividade se torna *absolutamente* insuportável, que a vítima é acordada às 3h da madrugada por uma entidade vestida de preto, de pé, ao pé da cama, dizendo para a pessoa parar de resistir! Isso é terror, é opressão!

"Vejamos um bom exemplo", diz Ed. "Todo ano, milhões de norte-americanos mudam de residência, e um número significativo deles passa a morar em casas onde existe a possibilidade de um espírito dormente ser ativado. Foi isso o que aconteceu aos Carlson. Os Carlson, um casal feliz na casa dos 30 anos, comprou uma antiga hospedaria aqui na Nova Inglaterra. Era uma bela residência antiga, como que tirada de uma ilustração da Currier & Ives [empresa de impressões de litografias que funcionou entre 1834 e 1907], e para a qual se mudaram em uma Sexta-Feira Santa. Agora, Nathan Carlson viajava e ficava fora durante a semana, mas a esposa dele, Alexandra, ficava em casa o tempo todo para cuidar do bebê e da filha mais velha do casal. Pouco tempo depois da mudança, a sra. Carlson e a filha começaram a ouvir passos no primeiro andar, onde, no passado, os hóspedes costumavam ficar. Durante a tarde e já noite adentro, elas ouviam passos arrastados de botas se movendo pelo piso acima delas. O padrão do som era sempre o mesmo.

"A irmã mais velha da sra. Carlson, que morava ali perto, às vezes passava a noite na casa e ajudava a cuidar das crianças enquanto o sr. Carlson estava fora. A filha e a irmã da sra. Carlson dormiam no primeiro andar, e também ouviam aqueles passos. Os Carlson também tinham quartos localizados em outro ponto da casa para os funcionários rurais da propriedade que viviam ali, e esses homens ouviam passos fazendo círculos em volta de sua cama. Na verdade, enquanto a sra. Carlson dormia, à noite, ela era acordada pelos espíritos da casa, que chegavam a puxar os cobertores da cama *enquanto* ela estava deitada ali. Mais tarde, ela descobriu que a mesma coisa acontecia aos funcionários rurais da propriedade, o que explicava por que os homens em geral se demitiam pouco depois de serem contratados.

"Por fim, os fenômenos de infestação evoluíram para sussurros que podiam ser ouvidos atrás de portas fechadas. No entanto, quando a sra.

Carlson e sua irmã mais velha verificavam o cômodo de onde vinham os sussurros, nunca havia ninguém ali. Embora aqueles espíritos projetassem palavras em geral audíveis o suficiente para serem percebidas, as mulheres nunca conseguiam identificar a língua que estava sendo falada. Às vezes, essa língua misteriosa ouvida em casas infestadas acaba sendo tão somente o inglês dito de trás para frente.

"O tempo passava e o tormento prosseguia. Depois de arrumar a casa, enfeites e outros pequenos objetos nunca estavam exatamente onde a sra. Carlson os havia deixado. À noite, do lado de fora da casa, viam-se luzes acesas no sótão — embora não houvesse eletricidade lá em cima. Um dia, enquanto pintava um quarto, a temperatura caiu de repente, e ela sentiu dedos tocarem o seu ombro. A sra. Carlson disse ter ficado tão furiosa que atirou a brocha de pintura na direção em que ela acreditava estar a entidade, e gritou: 'Não sei quem você é ou o que quer, mas não vai me pegar'. A sra. Carlson, é claro, contava ao marido sobre tais perturbações. Entretanto, o sr. Carlson, nunca tendo vivenciado os sons ou os fenômenos, não dava importância, dizendo à esposa que eram rangidos de casa velha.

"Isso faz parte da estratégia do espírito demoníaco, é claro — direcionar os fenômenos a pessoas específicas, enquanto outras não vivenciam nada. Em geral, a opressão se concentrará em um ou talvez dois membros do grupo familiar. Realmente não importa se o espírito já estava nas dependências quando a casa foi comprada ou se as crianças o trouxeram ao usar um tabuleiro Ouija. Se há um espírito negativo lá, ele vai atormentar alguém. Normalmente, a entidade escolherá a pessoa mais vulnerável, em termos psicológicos, *ou* alguém que passe a maior parte do tempo sozinho na residência. Não é preciso dizer que, em geral, essa pessoa é a dona de casa. Quatro em cada cinco casos de opressão e possessão que investigamos envolvem mulheres. O espírito demoníaco acha mais fácil oprimir mulheres porque elas são geralmente mais abertas e sensíveis que os homens — além do fato de estarem fisicamente no cenário em que o espírito infestador está ativo enquanto o marido está fora, trabalhando.

"O motivo por que o espírito demoníaco escolhe uma pessoa é óbvio: duas pessoas poderiam comparar as experiências e reconhecer uma influência externa. Por outro lado, uma única pessoa não tem meios de provar o que está acontecendo. Sentir o tapa leve de algo invisível no ombro, ouvir bater a porta de um cômodo vazio, encontrar um anel de casamento no fundo do vaso sanitário podem ser experiências um tanto perturbadoras, mas não indicam nada sobrenatural. Assim, para evitar a ridicularização, a pessoa não fala sobre o problema. Em vez de criar dois problemas a partir de um, o indivíduo oprimido simplesmente internaliza a experiência.

"No entanto, mais cedo ou mais tarde, surge a dúvida com relação a si mesmo, e a pessoa começa a questionar a própria sanidade. Ela não consegue encontrar a origem das buzinas de automóveis que ecoam na sala de estar à noite. Ela não vê ninguém atrás de si depois de sentir um puxão nos cabelos. Não consegue encontrar nenhum animal morto que explique o odor repugnante que se faz sentir depois do pôr do sol. Estou de fato vivenciando isso? — a vítima pergunta a si mesma, com honestidade. Naturalmente, o espírito opressor tira proveito da dúvida que criou, passando a alimentá-la até que a pessoa já não saiba se está indo ou voltando. É por isso que os fenômenos são considerados uma distração. Eles são produzidos para desestabilizar a vítima. Portanto, na opressão, a individualidade é intencionalmente atacada por uma força externa e, se a vítima começa a perder o controle, então está a um passo da possessão — o objetivo, é claro, da entidade inumana possessora.

"No caso Carlson", continua Ed, "fenômenos de opressão externa ocorriam quase que todo dia, visto que a infestação já havia ocorrido na casa muito tempo atrás. As torneiras da cozinha e do banheiro se abriam de repente, com força máxima, e ao mesmo tempo. Ouviam-se batidas incessantes nas janelas, portas se entreabriam, e sempre havia os passos de botas e movimentação de pessoas andando no andar de cima. Uma *verdadeira* casa mal-assombrada! Em algumas ocasiões, a sra. Carlson ouvia três batidas na porta da frente — sinal convencional de uma presença inumana. Contudo, sempre que ia até a porta, não havia ninguém ali. No primeiro andar, um visitante relatou ter visto uma cobra no peitoril da janela depois de ouvir três batidas leves na janela. Porém, não existia nenhuma árvore próxima pela qual o réptil pudesse ter subido.

"Certa vez, ao ouvir o som de três batidas, a sra. Carlson também escutou a porta da frente abrir e fechar em seguida, ao que se seguiu um barulho de passos pesados de botas no andar de cima. 'Agora eu o peguei', pensou ela. Com toda a coragem que tinha, a sra. Carlson subiu as escadas, armada com a pistola do marido, e verificou cada cômodo sistematicamente, determinada a encontrar o odioso intruso. Mas, é claro, não havia ninguém *visível* ali. Como acontece com tanta frequência quando o demoníaco está envolvido, ela foi tapeada.

"Entretanto", prossegue Ed, "esses foram basicamente pequenos incidentes se comparados às ocorrências trágicas e sinistras que se seguiram depois. Enquanto viviam na casa, os Carlson tiveram outro filho. Uma noite, quando a sra. Carlson e uma empregada da fazenda assistiam à televisão na sala de estar, elas ouviram de repente uma explosão fortíssima, tremenda. Ao se levantarem de um salto para ver o que era, pensando que a caldeira tivesse explodido, encontraram a porta do quarto do bebê aberta, estourada com violência. Objetos ainda sacudiam e vibravam quando elas chegaram, e a temperatura dentro do cômodo 'era igual à de uma câmara frigorífica', disse a mãe. O bebê nasceu prematuro e, até poucas semanas antes, havia ficado em uma incubadora, no hospital. Embora os espíritos da casa tivessem evidentemente tentado matá-lo, o bebê conseguiu sobreviver à experiência. No entanto, quando o menininho tinha 3 anos, a sra. Carlson fez outra descoberta surpreendente. Um dia, ao passar pelo filho, ele de repente soltou um grito alto e estridente. 'Você pisou em Beatrice!', disse ele à mãe, com muita clareza. Sendo aquele um nome sofisticado demais para uma criança de 3 anos conhecer, e mais ainda pronunciar, a sra. Carlson colocou de lado as roupas para lavar que estava carregando e perguntou à criança quem era Beatrice. 'Ela é minha amiga', respondeu o menino. 'Ela me diz o que fazer.' A sra. Carlson então pediu ao filho que perguntasse a Beatrice quem ela era. O garotinho perguntou e, depois de aguardar poucos segundos pela resposta, ele disse à mãe: 'Beatrice me mandou dizer a você que ela é uma bruxa!'.

"Como a maioria das pessoas, os Carlson não acreditavam em fenômenos espirituais nem conheciam nada sobre eles, de modo que aquelas entidades invisíveis dentro da casa exerciam um domínio quase que irrestrito sobre a família. E continuou assim até que, por fim, certa noite, as coisas chegaram a um ponto crítico. A sra. Carlson estava sozinha na cama quando viu uma grande forma escura ali no quarto. Ela descreveu a entidade como sendo 'mais escura que a máxima escuridão da noite'. Ela disse isso porque as luzes do quarto estavam apagadas e, no lugar onde moravam, não havia iluminação pública para lançar sombras estranhas. A entidade se movimentou devagar pelo quarto, deixando-a paralisada de pavor. Tecnicamente, a sra. Carlson foi vítima de fantomania [ou paralisia psíquica]. Antes de a massa escura desaparecer, ela se transmutou em um globo de luz sintética mais ou menos do tamanho de uma bola de basquete, produzindo um rugido ensurdecedor, que ela comparou ao som de um alto-forno. O fenômeno aumentou em intensidade até que, de repente, desapareceu, deixando a sra. Carlson completamente exausta, ao que ela caiu de imediato em um sono pesado. Isso aconteceu mais duas vezes — três no total.

"Nas duas vezes seguintes, o sr. Carlson estava em casa, na cama, em companhia da esposa, mas ele não viu nada. Como me disse a sra.

Carlson — e, veja você, ela era uma mulher sensata e lúcida: 'No meu coração, eu sabia que aquele terror estava destinado exclusivamente a mim e a mais ninguém'. Quando o espírito veio pela segunda vez, ela acordou, de repente, com a presença da mesma entidade escura perto do seu lado da cama. A isso se seguiu a manifestação do grande globo de luz, mais uma vez acompanhado do rugido de um alto-forno. O fenômeno chegou ao ápice e, então, desapareceu, deixando-a completamente sem energia. Na terceira noite, o espírito se manifestou para ela, no quarto. Ela tentou acordar o marido, mas foi em vão: ela o sacudiu e bateu nas costas dele, mas o homem não acordava — ou, antes, não *conseguia* acordar. Nesse meio-tempo, o espírito permaneceu ameaçadoramente com ela ali, no quarto, deixando-a muito apavorada. Por fim, a mensagem que a entidade demoníaca projetou para ela foi: 'Saiam!'. E eles saíram. Hoje, os Carlson vivem na mesma cidadezinha, mas agora sabem tudo sobre a hospedaria e os espíritos funestos e opressores que ela abriga."

O espírito demoníaco manifesta-se sempre como uma massa escura, semelhante a uma nuvem?

"A 'massa escura' de que falo", diz Ed, "é a maneira mais comum pela qual o espírito demoníaco se apresenta no reino físico. Não sei se isso representa o mecanismo da sua manifestação, ou se é peculiar a determinados tipos de aparições demoníacas. Entretanto, um espírito demoníaco pode, em última análise, se manifestar como o próprio Jesus Cristo! Ele pode ser visto como um fantasma, pode vir como um espectro encapuzado ou até mesmo na forma de um animal. Alguns anos atrás, enquanto estava sentado no meu escritório, aqui em casa, por acaso vi, de relance, pelo canto do olho, alguma coisa se mover. Quando olhei diretamente, vi um animal preto que nunca tinha visto antes, com duas vezes o tamanho de uma marmota, andando pelo tapete. Era peludo, gordo e gingava ao caminhar — como se o corpo não fosse adequado às pernas. Eu não sabia o que era e supus que tivesse entrado por alguma porta, vindo da mata. Contudo, quando me levantei, vi que nenhuma porta estava aberta. Nesse momento, porém, o animal estava seguindo para o corredor. Ele parecia ter focinho — como um gambá. Segui a coisa enquanto ela bamboleava pelo corredor. Como a porta estava fechada, ele não poderia avançar, então, para não encurralar o bicho, parei — mas ele continuou andando e *atravessou* a porta fechada. Um segundo depois, quando abri depressa a porta, o animal havia desaparecido. Foi então que me dei conta de que era um espírito — ou, no mínimo, a monstruosa criação de um. A sala em que ele entrou — se é que de fato entrou na sala — era autônoma e não tinha outras portas de acesso. Seja lá o que fosse, a coisa desapareceu. Na realidade, o espírito demoníaco inumano pode assumir a forma que quiser."

Se é assim, então, por que ele vem como uma massa escura?

"Porque o lema do espírito demoníaco é *anonimato*", responde Ed. "O espírito se mostra como uma grande massa escura indiferenciada que é claramente visível nas raras ocasiões em que é visto durante o dia, embora seja maior a probabilidade de testemunhá-lo durante as horas psíquicas da noite. No entanto, apenas em raras ocasiões ele se mostrará em forma preternatural. Por que vir em forma inteligível, raciocina ele, quando a melhor proteção do espírito — na realidade, sua principal proteção — é o anonimato e a descrença na sua existência? Porém, enquanto fenômeno físico, a massa escura *é* o espírito e, como tal, é perigosíssima. Quando encurrala uma pessoa, como o fez, digamos, com as crianças Foster, o indivíduo relata uma tremenda falta de ar, um frio inacreditável no corpo e uma pressão como a do peso de um pedregulho sobre si. Se a pessoa não consegue fugir, então acabou. Em geral, acontecerá uma da duas coisas: ou uma combustão espontânea — a pessoa explodirá em chamas e será reduzida a cinzas —, ou a completa desmaterialização do indivíduo, às vezes para sempre. Incidentes de combustão humana são muito raros: existem apenas cerca de vinte casos registrados. No entanto, é mais provável que o indivíduo seja desmaterializado. Na casa dos Carlson, Lorraine conseguiu detectar que a massa escura havia engolido duas pessoas. O primeiro a literalmente desaparecer sem explicação foi o lacaio de um soldado. A massa escura se aproximou dele no estábulo, nos fundos da casa, no ano de 1776. Nunca mais foi visto. A segunda pessoa a desaparecer foi uma garotinha de uns 14 anos de idade, chamada Laura DuPre, que correu para dentro de um armário da casa para fugir da massa escura, mas em seguida foi engolida por ela. Isso ocorreu por volta da virada do século XX e a polícia estadual ainda mantém o seu nome na lista de pessoas desaparecidas. A terceira a desaparecer poderia ter sido a sra. Carlson, se não tivesse tido a prudência de entrar em contato conosco antes que os espíritos da velha hospedaria fizessem o mesmo a ela também."

Ed diz que o espírito demoníaco apenas raramente se mostra em forma preternatural. Qual *é* a aparência do espírito demoníaco? Ele se sente desconfortável ao responder à pergunta.

"Embora o espírito possa se projetar na forma que escolher", diz Ed, "sua aparência é uma abominação, uma monstruosidade. Ver o que está de fato por trás do fenômeno não é algo que se deve desejar. Realmente *ver* o demoníaco é sentir a ruína. O que fica visível é algo de aparência claramente preternatural: algo real o suficiente para ser visto, mas que, ainda assim, não é deste mundo."

Mas, qual é a aparência dele?

"Basicamente", responde Ed, com bastante relutância, "ele não é humano. É inumano. Tem escamas. Parece... um réptil. É isso", diz ele. "Não vou descrever o restante da imagem."

A opressão, todavia, nem sempre é externa e observável. Ela é, na mesma medida, subjetiva. A *opressão interna* é uma intrusão demoníaca de caráter emocional e psicológico que visa promover uma completa mudança na forma de pensar da pessoa. Aqui, a estratégia do espírito opressor é manipular a vontade do indivíduo de tal maneira que hábitos ruins piorem, e hábitos muito ruins se transformem em impulsos de "pecado" ou autodestruição. Como criatura de pecado que é, o espírito demoníaco busca tornar o ser humano repreensível, afundando-o até chegar a um nível que rejeita toda a vida. Escrevendo exatamente sobre esse ponto no século v, Santo Agostinho observou que um hábito incontrolado se transforma em uma necessidade. "Isso", diz Ed, "é precisamente o que acontece durante a opressão psicológica. O indivíduo corre o risco de se tornar um joguete, quando não um escravo, do espírito que o oprime. Em estágios avançados de opressão, a entidade pode exercer tamanho domínio sobre a vontade da pessoa que ela já não tem nenhuma autonomia. Nesse ponto, é claro, o ser humano está às portas da possessão."

"O objetivo do espírito opressor", acrescenta Lorraine, "é possuir o corpo da pessoa, ou, se isso não for possível, levá-la a cometer assassinatos e suicídio — ou ambas as coisas. Antes de chegar a esse ponto, porém, o indivíduo oprimido já terá sido vítima de uma estratégia *muito* complexa. Deixe-me dar um exemplo de como a estratégia de opressão interna pode ser abrangente.

"Em abril de 1978, recebemos um telefonema de uma mulher de uns 35 anos, articulada e instruída, que estava completamente apavorada. Essa mulher, Patricia Reeves, estava submetida a opressão, mas ela não sabia o que estava lhe acontecendo. Ela teve extrema dificuldade de entrar em contato conosco, ao passo que Ed e eu tivemos a mesma dificuldade de chegar até ela. Patricia e a amiga haviam comprado uma autêntica casa mal-assombrada na Nova Inglaterra. Embora os eventos do caso sejam interessantes, o que é importante aqui é a clareza com que a estratégia demoníaca atuou na compra.

"Patricia nasceu e cresceu em Ohio, descendente de uma longa linhagem de ministros batistas. Ela não era casada, então dividia o aluguel com outra mulher, chamada Melinda. Embora fosse uma adulta capacitada em todos os aspectos, dinheiro, felicidade e satisfação pareciam ser negados a ela, e Patricia chegou ao ponto de planejar o próprio suicídio. Completamente frustrada, ela comprou um livro de bruxaria. Dos rituais daquele livro, ela selecionou um, que visava a prosperidade. Poucos meses depois de realizar o ritual, Patricia conseguiu um emprego que pagava bem e era bastante prestigiado.

"Curiosamente, desde os 12 anos de idade, Patricia tinha um sonho vívido e recorrente, no qual morava em uma antiga casa de fazenda em estilo colonial. Comprar essa casa 'dos sonhos' era um objetivo de vida. Para Patricia, isso significava 'ir para o lar'. A morada ficava em um cenário rural, na região norte da Nova Inglaterra, e tinha que ter sido construída no máximo até o início do século XIX. Então, toda semana, sem falta, ela ia à biblioteca municipal no centro da cidade e consultava o jornal de Boston em busca dos classificados de imóveis. Como Patricia mesma disse, ela o fazia 'obsessivamente'. Na medida em que a opressão também é chamada obsessão, todo o processo estava acontecendo bem debaixo do seu nariz, embora ela não o soubesse.

"Um dia, mais ou menos dois anos depois de assumir o emprego, Patricia encontrou no jornal um anúncio de uma antiga casa de fazenda que parecia perfeita. Desejando vê-la, ela e a colega de quarto Melinda tiraram férias juntas e viajaram de carro para o leste. Elas viram a casa pela primeira vez em 1º de janeiro de 1977.

"O lugar era adorável e ficava ao final de uma longa estrada de terra cercada de árvores, recuada mais ou menos um quilômetro da estrada principal. Embora o lugar parecesse ideal", diz Lorraine, enfática, "*aquilo era uma armação.*" Descobriu-se mais tarde que a antiga proprietária da casa era uma bruxa satânica de magia malévola. Um tanto estranho, não acha, que elas tivessem sido atraídas do ensolarado sudoeste, a quase 5 mil quilômetros, para o meio das florestas da Nova Inglaterra, a fim de viver *naquela* casa em particular? Bem, pode parecer estranho mas, ao realizar o ritual de magia malévola, Patricia e, em menor grau, Melinda estavam em débito com as forças demoníacas. E que melhor maneira de atraí-las para a perdição que transformando um sonho em realidade?

"No decorrer do período de um ano, as duas mulheres viajaram para o leste um total de não uma nem duas, mas *três* vezes antes de ratificar o seu desejo de comprar a propriedade. Em dada ocasião, a irmã de Patricia, Susan, também foi até lá. Durante aquele período, nenhuma das mulheres suspeitou que houvesse alguma coisa errada.

"Quando o processo de opressão interna começa, é quase impossível reconhecer o problema, porque a mudança ocorre devagar, passo a passo. Basicamente, a pessoa está sendo treinada ou 'preparada' para o momento em que a possessão pode acontecer. No dia 31 de dezembro de 1977, Patricia tomou uma importante decisão: pedir demissão do emprego e comprar a casa. Ela e Melinda eram tipos independentes e disseram que queriam 'voltar para a natureza e criar animais'. Na realidade, é claro, isso era a Lei da Atração agindo.

"Quando se demitiu", continua Lorraine, "Patricia já havia providenciado toda a papelada necessária para a compra da casa de fazenda. No entanto, nenhum banco, nem na costa Oeste nem na costa Leste, estava disposto a conceder uma vultosa hipoteca para duas mulheres solteiras. Para comprar a casa seria necessário que elas pagassem uma entrada substancial, e elas não tinham aquele dinheiro. Mas sem problema! Enquanto visitava Los Angeles, Melinda se inscreveu em um jogo de um programa de televisão e, no dia do seu aniversário, ganhou *dez vezes* o valor necessário para o pagamento da entrada. Na realidade, o prêmio praticamente quitava a casa. Ainda assim, quando elas voltaram ao banco, os funcionários responsáveis por autorizar empréstimos quiseram, por alguma razão, *três* assinaturas na hipoteca. Por causa disso, a irmã de Patricia, Susan, foi incluída na transação e assinou a hipoteca com as outras duas mulheres. Tradicionalmente, quando um pacto é assinado, o espírito demoníaco costuma arranjar para que três pessoas — três vontades humanas — participem do compromisso, mais uma vez como insulto à Trindade. Para infelicidade de Susan, seu destino estava agora formalmente atrelado ao das outras duas mulheres.

"No dia em que a hipoteca foi assinada, passos pesados de botas entraram, à noite, no apartamento de Patricia e Melinda, no Novo México. O que parecia ser um intruso esmurrou a porta do quarto de cada uma das mulheres. Isoladas do telefone da sala de estar, ambas passaram uma noite de puro terror, cada uma sozinha, encolhida de medo. O que elas não sabiam à época é que aquela era a entrada clássica do espírito demoníaco. Era a hora de cobrar a conta pelo ritual de prosperidade.

"Com a hipoteca assegurada, Patricia e Melinda se mudaram para a fazenda no final de janeiro de 1978. Assim que começaram a residir na casa, elas tiveram uma horrível sensação de que eram observadas. A sensação era tão intolerável que as duas muitas vezes dormiam em um motel nas proximidades enquanto consertavam o interior da casa durante o dia. Elas também tinham dois cães da raça corgi, que sempre haviam se dado bem antes. Contudo, assim que os dois cães foram levados para a propriedade, eles começaram a atacar um ao outro. As mulheres tinham que mantê-los separados para que um não estraçalhasse o outro.

"Mais ou menos na mesma época, Patricia e Melinda também começaram a discutir e a brigar por coisas insignificantes, sem importância. Em vez de trabalhar, elas discutiam por dias a fio quem pintaria uma janela ou quem pintaria uma porta. Veja, essas mulheres não percebiam, mas estavam sendo forçadas a esse comportamento, assim como os cães. Na realidade, a opressão estava totalmente preparada, apenas esperando pela chegada do grupo.

"Por fim — sob o jugo da opressão — elas decidiram que aquela era a casa delas e que dormiriam ali em vez de bancarem o caro motel local. A essa altura, a sensação de que eram observadas ficou ainda pior, transformando-se em uma atmosfera de perversidade. Acreditando que aquelas sensações fossem de natureza apenas psicológica, as mulheres fizeram o possível para não dar importância às emoções, mas, então, começaram a acontecer coisas estranhas. À noite, elas ouviam, do lado de fora da casa, cânticos funestos que faziam o sangue gelar. Durante o dia, amônia e produtos de limpeza desapareciam; no lugar deles apareciam gotas de sangue. Dentro da casa, dinheiro e objetos pessoais também desapareciam e nunca mais eram encontrados. Uma tarde, ouviram-se batidas na porta dos fundos. Quando foram atender, não havia ninguém ali. Em vez disso, o que as mulheres encontraram foi um rastro de pegadas *esquerdas* — um sinal do espírito demoníaco — na neve, que chegava à altura dos quadris. A pegadas levavam ao celeiro e ocorriam a intervalos de três pés [91,5 centímetros], mas tinham apenas a profundidade de pouco mais de um centímetro na neve macia.

"Poucos meses depois da compra da casa, a irmã de Patricia, Susan, foi até lá para ajudar nos reparos. Susan era uma mulher sensível, na casa dos 20 anos. Dessa vez, quando chegou à casa da fazenda, o lugar a sufocou com um terror mórbido, e ela pegou imediatamente um voo de volta para casa. No entanto, ela ainda foi perturbada pelos espíritos opressores, pois, algumas semanas mais tarde, do nada, Susan se esfaqueou brutalmente com uma faca de açougueiro. O médico que socorreu a jovem disse que os ferimentos — havia três deles — deveriam ter sido fatais e que não conseguia entender como ela não havia morrido.

"Por abandonar a casa da fazenda, Melinda também recebeu uma punição semelhante. Não mais de um mês depois de se mudarem para lá, Melinda desenvolveu uma aversão tão grande pela malignidade presente no local que ela também voltou para Ohio. Mas havia apenas poucos dias que Melinda estava lá quando foi violentamente estuprada por um intruso desconhecido. Àquela altura, ela sucumbiu.

Acreditando que o terror mental era preferível à brutalidade da violência física, ela retornou à casa da fazenda na Nova Inglaterra.

"Na primavera de 1978, tendo vivenciado uma diversidade de horrores ao longo de meses, aquelas pobres mulheres estavam totalmente mergulhadas na opressão. Apareceram rugas no rosto de ambas, seus cabelos castanhos ficaram grisalhos e, fisicamente, suas feições envelheceram ao dobro da idade delas. 'Eu não conseguia me reconhecer no espelho', Patricia me contou. 'Nossos olhos tinham uma expressão de vazio e morte.'

"De vez em quando, Melinda era involuntariamente tomada por uma personalidade perversa, em especial quando Patricia queria fazer alguma mudança radical na moradia. O pior episódio foi quando Patricia alugou uma serra elétrica e estava prestes a cortar uns pinheiros na frente da casa, os quais escureciam o seu interior.

"'Melinda saiu correndo de dentro da casa como se estivesse pegando fogo', Patricia me disse. 'Ela possuía uma expressão incrivelmente maligna no rosto — era o rosto de *outra pessoa*! Ela ameaçou me matar se eu fizesse um único corte em algum pinheiro!' Patricia então compreendeu que havia alguma coisa errada — *metafisicamente* errada — e viu que precisava buscar ajuda. Depois de enfrentar tremendas dificuldades para que alguém acreditasse nela, uma pessoa acabou lhe dando o nosso nome e ela nos contatou.

"Eu não podia dizer isso a elas na época", prossegue Lorraine, "mas, para aquelas mulheres, a morte estava realmente muito próxima. Aquela casa de fazenda era um lugar mortal. Quando Ed e eu percorremos de carro a via de acesso à propriedade, vi — pela segunda visão — pessoas vestindo túnicas realizando algum tipo de ritual profano na campina ao lado da casa. Havia cânticos, e o show todo estava acontecendo à noite; as pessoas usavam um ser humano — ou vítima — como altar. Ao entrarmos na casa, ficou evidente para mim que quem quer que tivesse vivido ali antes havia praticado matança e mutilação de animais. Eu conseguia sentir a tristeza de muitas centenas de animais, pequenos e grandes, que haviam sido mortos no local. E, na casa, a atmosfera, o próprio ar que se respirava estava pesado de maldade e perversidade. O lugar também me causou repulsa e ficou claro que apenas por meio de opressão demoníaca alguém podia viver em um território tão infernal.

"Acredito que o que dissemos deixa bem claro que uma inteligência negativa invisível estava conduzindo os eventos ali. Porém, quero ressaltar que, neste caso, naquela casa, ela não era apenas invisível. Enquanto Ed entrevistava as mulheres, decidi caminhar pela residência.

Um dos cães corgi me acompanhou. O lugar era como a maioria dessas casas infestadas — desconfortável e ameaçador, com uma tristeza que recobria tudo. De repente, o cão disparou pelo corredor, derrapando ao parar diante da porta de um armário, onde começou a rosnar com agressividade. Abri a porta. O armário cheirava a uma fossa. O cão se virou para alguma coisa dentro do armário e, então, segundos depois, para minha perplexidade, uma figura totalmente preta — na forma geral de um homem, mas sem feições — saiu correndo do armário, passou por mim e subiu depressa as escadas, com o corgi nos seus calcanhares, a persegui-lo. Em toda a minha vida, nunca vi o demônio assumir uma forma tão abertamente humanoide.

"Neste caso", conclui Lorraine, "a investida da estratégia de opressão do espírito demoníaco foi sutil — mais psicológica que física. De qualquer forma, porém, a estratégia do demônio permanece a mesma: destruir a força de vontade do ser humano a fim de possuir o corpo, ou oprimir o indivíduo, levando-o a cometer algum ato negativo, de preferência que envolva derramamento de sangue e morte. E, neste caso, ele quase teve sucesso. As duas mulheres tiveram que passar por uma forma de exorcismo para serem libertadas da influência e das deformidades físicas provocadas pelas entidades inumanas que habitavam o lugar. No final, Patricia e Melinda venderam a fazenda pelo preço que pagaram por ela e voltaram para o Novo México, onde hoje levam uma vida mais triste, porém, mais sensata. Embora Ed e eu pudéssemos continuar desfiando todos os fatores fortemente entrelaçados que constituem este caso específico, acho que está bastante claro que um caso como este envolve muito mais que coincidência. Há uma inteligência negativa se esgueirando nos bastidores, *dirigindo* toda a atividade."

"Quando os fenômenos passam do estágio da infestação para o da opressão", concorda Ed, "o espírito demoníaco de fato já não consegue ocultar a própria presença. Em vez disso, por orgulho da sua eficiência, ele começa a deixar cartões de visita — alguns literais, outros simbólicos.

"Normalmente, o espírito demoníaco gosta de revelar a sua presença por escrito. Ele tem predileção por escrever em paredes e espelhos, chegando ao ponto de preferir batom ou giz de cera como implemento de escrita. O espírito demoníaco tende a escrever de trás para a frente, da direita para a esquerda, de modo que a mensagem tenha que ser lida em um espelho. Parece até que alguém escreveu as palavras e frases nas paredes com a mão 'errada'. Quanto ao que dizem, o que esses espíritos basicamente tendem a escrever são vulgaridades, indecências e blasfêmias, em geral na língua falada pela pessoa ou família oprimida. Pode haver mistura de outras línguas, embora isso ocorra com maior frequência quando o espírito fala durante a possessão. Em estágios mais avançados da opressão ou em situações em que diabos estão por perto, línguas mais sofisticadas podem ser usadas."

Ed e Lorraine falam quase que exclusivamente sobre demônios. Se existem diabos — uma hierarquia à parte de espíritos — por que não falar sobre eles também?

"Embora leigos tenham escrito muita coisa sobre diabos", afirma Ed, "meu conhecimento deriva da minha própria experiência ou do estudo de documentos religiosos autênticos. Com base no meu trabalho, o que se sabe *corretamente* sobre diabos é mínimo em comparação com o que se sabe sobre o espírito demoníaco. É o espírito demoníaco que vemos realizando todos esses fenômenos extraordinários. É verdade que, durante um exorcismo, um espírito demoníaco vai adiante e bravateia ser este ou aquele diabo, mas, em geral, ele está mentindo. No final das contas, a distinção entre demônios e diabos é como aquela entre trabalho e gerenciamento: uns trabalham, outros supervisionam. Espíritos demoníacos de uma ordem superior promovem a opressão interna, porque espíritos inferiores, bestiais, não têm o conhecimento e a habilidade de completar a atividade com a possessão. As entidades inferiores se contentam em provocar devastação externa a fim de enfraquecer a vontade pelo medo, ao passo que as entidades superiores enfraquecem a vontade diminuindo a resistência psicológica interna. Em termos teológicos, veja bem, os diabos eram uma ordem superior de anjos antes da Queda, e têm mais conhecimento e poder que os espíritos que estão abaixo deles. Os escritos de um diabo tendem a ser limpos e organizados, por exemplo, escritos de trás para frente, da direita para a esquerda, em uma caligrafia muito bonita. Além disso, essas entidades mais versadas em geral lançam mão de línguas clássicas — sobretudo o latim, embora, às vezes, também o grego ou o hebraico antigo. Ao contrário dos espíritos demoníacos, diabos parecem propensos a escrever apenas em papel ou pergaminho e tão somente quando um pacto com Satã está envolvido. Em geral, nos casos com que eu trabalho, os rabiscos, garranchos e blasfêmias são feitos por espíritos demoníacos."

Quando a entidade demoníaca não coloca literalmente o seu nome em sua obra abominável, os Warren precisam sair em busca de traços mais simbólicos e intelectuais da sua presença.

"Primeiro", diz Lorraine, "trata-se de um espírito negativo, portanto, é algo que 'segue em sentido contrário'. O demoníaco tende a atuar em oposição direta aos princípios do mundo positivo. Quando o espírito se move, ele costuma fazê-lo da direita para a esquerda, em sentido anti-horário ou em círculos. Ao se aproximar de você, ele geralmente vem da esquerda ou de trás. Ódio, obscenidade e morte fortalecem o espírito demoníaco; bondade, luz e oração o imobilizam. O espírito vem de preto, intensifica o mal e busca mais destruir que aprimorar. Os resíduos que deixa para trás são repugnantes e asquerosos. Derramamento de sangue e lesões físicas são elementos fundamentais do fenômeno. Ele ajuda o malvado e o ignorante; ele ataca o inocente, o incauto e o piedoso. Ele é traiçoeiro, dissimulado e vem como um ladrão na noite. Ele oculta a sua presença com mentiras e preserva o seu anonimato por meio de duplicidade e invisibilidade. Como já disseram escritores religiosos: 'Não há nada de positivo na natureza do espírito; seu ser baseia-se na *ausência* de algo que seja bom'.

Os mecanismos simbólicos de atuação desse espírito não são menos indicativos da sua presença. Normalmente, o espírito demoníaco escolherá um dia ou período significativo do ano para dar início ao seu assédio. Os Warren descobriram que ocasiões favoráveis a isso incluem o Natal, a Páscoa, a Sexta-Feira da Paixão, o início da Quaresma, a primeira noite da Páscoa judaica, o mês de novembro (o período astrológico do signo de Escorpião), domingos, sextas-feiras e o aniversário das pessoas.

"A fase da lua também pode integrar a fórmula", observa Ed. "A lua nova é a fase preferida, por causa da total ausência de luz natural — além disso, a lua nova há muito é vista como símbolo da morte. No entanto, é comum que os eventos venham a atingir seu pico ou a ter início na lua cheia. Isso acontece porque, pelo relógio da natureza, o que começa em uma lua nova chega ao ápice em uma lua cheia. Contudo, devo enfatizar que, quando se está lidando com fenômenos espirituais, esse simbolismo pode ser percebido muito mais tarde. Repito: apenas em retrospectiva, diante de uma análise, é que um número, data ou período específico do ano se revelará parte da estratégia geral de um espírito opressor.

"Quando todos os fatores são reunidos", prossegue Ed, "após entrevistarmos os principais envolvidos e testemunharmos a atividade por nós mesmos, então fica evidente que há uma ordem no pandemônio. Se você tivesse que reconstruir um típico caso de opressão demoníaca, disporia de algo como mil fatores separados. Desse modo, o caso precisa ser estudado na sua totalidade para que a interação de todos os fatores — a história, os fenômenos, os sinais, os símbolos, a estratégia e a sincronicidade — possa ser vista como uma atuação conjunta. Quando visto na totalidade, a progressão dos eventos ficará óbvia, com cada detalhezinho desempenhando o próprio papel. Você identificará a origem do problema, os arranjos preliminares, a estratégia de infestação, a estratégia de opressão, as ocorrências simbólicas e assim por diante. Haverá sinais de ação deliberada — eventos ocorrendo em horários precisos do dia ou apenas em certos dias da semana. Embora seja impossível repetirmos todos os detalhes do caso Amityville, por exemplo, vejamos algumas das semelhanças entre o que os Lutz relataram o que já vivenciamos nas nossas investigações.

"Primeiro", diz Ed, "consideremos os antecedentes do caso, antes de os Lutz se mudarem para a casa. Os DeFeo, uma família normal de sete membros, se mudou para a residência no início da década de 1960.

"Por volta das 3h do dia 13 de novembro de 1974 — o pior horário do dia, provavelmente no dia mais problemático do ano — o filho matou os outros seis membros da família, inclusive o próprio pai, com um rifle potente. Nenhum dos vizinhos ouviu os disparos. Treze meses após a ocorrência dos assassinatos, George e Kathleen Lutz se mudaram para a residência durante a temporada do Natal — em geral, um período de atividade demoníaca. Nosso conhecimento do que aconteceu em seguida é inevitavelmente indireto — não estávamos lá com os Lutz. Mas, de acordo com o que eles disseram a Jay Anson, George, que costumava ser asseado, se vestir bem e ser um pouco workaholic, ficou preguiçoso e desleixado. Ele permaneceu sentado junto à lareira durante praticamente o episódio inteiro. George estava sempre sentindo frio, embora o termostato da casa ficasse constantemente entre 26 e 27 graus. Nos casos que investigamos, quando o espírito absorve energia térmica, ele também retira todo o calor dos cômodos. O que ele sentiu é o que chamamos *frio psíquico*. Você pode se enrolar em uma dúzia de cobertores, mas não vai adiantar nada, porque o calor do seu corpo também está sendo roubado.

"É claro", continua ele, "um espírito absorve essa energia por uma razão: para usá-la *contra* as pessoas da casa. Uma vez que se trata de uma entidade negativa, que pensa de forma negativa, então, essa energia é usada para propósitos brutais e negativos.

"Ao mesmo tempo, Kathy nos contou que já 'não era mais ela mesma': havia se tornado irritadiça, briguenta e impaciente com as crianças. De acordo com o livro *Amityville*, ela teve vários sonhos que pareciam semelhantes a certos fatos do caso do assassinato dos DeFeo. As crianças também começaram a ficar briguentas, e o cão da família agia de forma peculiar desde a mudança de residência.

"O que aconteceu em seguida?", pergunta Ed, retoricamente. "Apenas aqueles que estiveram lá podem dizer ao certo. Entretanto, George e Kathy contaram que centenas de moscas apareciam no quarto do andar de cima. Os fluidos do vaso sanitário ficavam escuros. Um leão de cerâmica se teletransportava pela casa. Os móveis se moviam por vontade própria. A mão de uma das crianças foi esmagada, porém, o menino não sofreu nenhuma lesão física. E, é claro, no meio da noite, George ouvia o som de uma banda marcial.

"Ironicamente, enquanto os Lutz viviam na casa, fizemos duas palestras para públicos universitários e, nelas, detalhamos os tipos de fenômeno com que as vítimas se deparam em ambientes infestados por forças demoníacas — inclusive o som de bandas marciais tocando John Philip Sousa no meio da noite!

"A atividade que leva o selo dos poderes demoníacos tem o *intuito* de assustar. Além disso, a família Lutz afirma também ter experimentado frio psíquico, temperaturas de calor sufocante e o odor repulsivo de excremento — um sinal convencional da presença demoníaca. Os Lutz também tiveram problemas enquanto usavam o telefone, e o irmão de Kathy Lutz deu falta de 1.500 dólares no seu bolso — dinheiro que ele pretendia usar em despesas com seu casamento."

Esse dinheiro realmente *desapareceu*?

"Não sei dizer", responde Ed. "Mas é comum que dinheiro desapareça em casas infestadas por espíritos maléficos. A perda de um cheque de pagamento de salário ou de somas vultosas de dinheiro perturbará um indivíduo. É apenas uma das muitas maneiras pelas quais espíritos negativos tentam abalar uma pessoa ou família. Contudo, acho improvável que esse dinheiro 'perdido' simplesmente desapareça. Em vez disso, cá entre nós, eu diria que há mais ou menos 100% de chance de que o dinheiro seja teletransportado para um feiticeiro ou alguma pessoa envolvida com as artes malévolas. Digo isso porque conheço feiticeiros que nunca trabalharam um dia sequer na vida e, no entanto, suas condições financeiras são excelentes. Para eles, tudo dá certo. A vida deles é fácil, e coisas boas sempre lhes acontecem. Esses indivíduos não têm absolutamente nenhum problema. *O dinheiro os encontra*. Por quê? Porque eles fizeram um acordo metafísico com o espírito demoníaco e trabalham em conluio com ele.

"Embora isso possa *parecer* inofensivo, há um problema. Esses feiticeiros ou bruxos normalmente contraem uma dívida com o espírito demoníaco que chega a valer a sua própria alma; ou um débito que o diabo cobrará em uma dívida futura; ou talvez o sacrifício de alguém à sua escolha, como uma criança. Para essa gente, é a básica jornada de Fausto. A vida é curta, e eles não a respeitam. Eles vendem a alma por um centavo quando ela vale um milhão. Então, sim, quando dinheiro desaparece em uma casa infestada, estou disposto a apostar que ele reaparece na carteira de um feiticeiro!

"Todos esses fatores levaram as emoções dos Lutz ao limite e os deixaram em uma situação em que começaram a duvidar da própria sanidade", retoma Ed. "No entanto, essas perturbações, somadas a muitas outras que não mencionei, como um crucifixo que foi simbolicamente virado de cabeça para baixo, fazem lembrar o que temos visto em fenômenos de opressão *externa*. Indo mais longe, porém, os Lutz disseram que a forma de um demônio surgiu sozinha, marcada a fogo, na parte posterior interna da lareira. Esses espíritos tipicamente se manifestam nas chamas ou em lareiras. Houve também uma monstruosidade encapuzada que se mostrou nas escadas. Esses espíritos costumam ser vistos em hábitos de monge. E, é claro, a filha caçula, Missy, falava de um porco que chamava a si mesmo de Jodie e disse à criança que era um anjo!"

Parece haver certa controvérsia com relação a Jodie, o porco. Ele poderia ter sido uma entidade real, física?

"Eu mesmo nunca vi a entidade", responde Ed. "No entanto, não é necessário que um espírito se torne físico. Espíritos também podem se projetar por meio de um processo a que chamamos *hipnose telepática*. Esse monte de sílabas significa simplesmente que o espírito tem a capacidade de projetar a própria imagem em qualquer forma que escolher, por um processo que se poderia chamar percepção extrassensorial tridimensional. Basta que o espírito *pense* em como quer se apresentar, e essa será a sua aparência. Usando esse método — e tanto espíritos humanos como inumanos podem fazer isso —, a entidade se esquiva ao olho físico e projeta a imagem desejada diretamente no 'olho da mente', a imaginação, ou terceiro olho, como é chamado nas religiões orientais. O resultado dessa transferência telepática de vibrações de uma inteligência para outra pode ter toda a roupagem de um ser físico. Na realidade, porém, o espírito pode nunca ter se manifestado fisicamente. De uma forma ou de outra, no entanto, alguma coisa tem que estar *ali* para ser percebida."

O caso Amityville ocorreu durante a temporada de Natal. Um caso não menos horrendo de fenômenos demoníacos genuínos aconteceu durante a época da Páscoa de 1974 e durou oito semanas e meia até finalmente cessar graças a um exorcismo sancionado pela Igreja. À exceção dos Warren, do exorcista e dos principais envolvidos no caso, poucas pessoas até hoje sabem que houve uma batalha sobrenatural na residência dessa família norte-americana normal em tudo o mais.

Vejamos o caso dos Beckford.

9
FAMÍLIA SOB ATAQUE

No dia 3 de março de 1974, o sr. Peter Beckford, de 50 anos, fez uma anotação no calendário da cozinha: o pneu do carro da sua filha Vicky acabara de furar em uma corrida até a drogaria. Servindo-se de outra xícara de café naquela manhã de domingo, Pete Beckford nunca teria imaginado que aquele evento aparentemente comum era o início de um cerco completo lançado por violentos espíritos inumanos, o qual começaria com atos de vandalismo e terminaria com a quase total destruição da sua pequena casa.

O caos reinaria na residência dos Beckford porque, na noite anterior, Vicky Beckford, então com 19 anos de idade, havia saído da linha: ela convidou um espírito demoníaco a se manifestar. Embora a garota iludida tenha dado essa permissão sem querer, ela, não obstante, cometeu uma transgressão sobrenatural da maior gravidade. O resultado foi talvez o pior caso de ataque diabólico que os Warren já vivenciaram.

"No entanto, o verdadeiro início do caso teria que ser datado em um ano antes", afirma Ed. "Foi quando Vicky começou a usar o tabuleiro Ouija." Nos dias atuais, o motivo da garota para buscar comunicação espiritual era até compreensível. Entediada e solitária, ela estava em busca de aventuras. Sua família era severa e religiosa, e os pais mantinham a garota e o irmão dela, Eric, de 15 anos, na rédea curta. Vicky, que era uma adolescente melancólica, tinha poucos amigos e era bastante introvertida. Certa noite, quando não estava fazendo nada, ela decidiu tentar encontrar um amigo no tabuleiro Ouija. Após todos terem ido para a cama, ela colocou o "mágico tabuleiro falante" no chão, posicionou os dedos sobre a prancheta e começou a fazer perguntas.

"Tem alguém aí? Meu nome é Vicky Louise Beckford. Tem algum espírito que possa me ouvir?" De repente, a prancheta deslizou, subindo depressa para o SIM. Para infortúnio futuro de Vicky, ela agora tinha um colega desencarnado.

Dali em diante, ela passou a contatar o mesmo espírito todas as noites. A moça aguardava ansiosamente pela comunicação noturna com seu condescendente "amigo" etéreo e passava horas conversando com ele pelo tabuleiro. E, não é de se surpreender, o espírito tirou vantagem das vaidades da garota, sempre fazendo questão de elogiá-la: VOCÊ ESTAVA LINDA NO VESTIDO MARROM HOJE, VICKY. VOCÊ É TÃO BONITA EM COMPARAÇÃO COM AQUELAS GAROTAS. AMANHÃ, USE UM RABO DE CAVALO. FICA BONITO ASSIM. Noite após noite, o espírito do tabuleiro enfatizava questões melodramáticas que, mais tarde, levariam a excessos emocionais. VOCÊ ME FAZ TÃO FELIZ, QUERIDA, o tabuleiro dizia perversamente à adolescente solitária. EU ADORARIA ME CASAR COM VOCÊ, SE PUDESSE.

VOCÊ TEM TANTA SORTE DE ESTAR VIVA era outro subterfúgio. DIGA-ME COMO FOI ESTAR VIVA HOJE, implorava o espírito. Em resposta, Vicky narrava compadecidamente os acontecimentos do dia. Na sequência, ela fazia perguntas à coisa. O espírito respondia com histórias sobre a morte dele e sobre como se sentira solitário antes de "conhecê-la". Vicky acreditava em cada palavra. Ardilosamente, todas as noites, o espírito exacerbava as emoções da garota. Então, parava abruptamente de se comunicar e dizia, para provocá-la: VEJO VOCÊ AMANHÃ.

No decorrer de muitos meses, a entidade levou Vicky a acreditar que era o espírito de um adolescente, uma espécie de "anjo adolescente", que havia morrido quando a garota ainda era muito pequena. Ingênua e sem desconfiar de nada, Vicky respondia, dizendo ao "rapaz" tudo sobre si mesma e os seus sentimentos. Por sua vez, o espírito do tabuleiro comunicava "intimidades" semelhantes à garota. Não obstante, na única ocasião em que ela pediu que o espírito lhe revelasse seu nome, a entidade opressora recusou, dando a desculpa esfarrapada de que "nunca devia revelar o seu nome a uma pessoa viva, ou então seria forçado a retornar às brumas".

Com o passar do tempo, porém, Vicky apaixonou-se pelo espírito do tabuleiro Ouija, que ela passou a ver como namorado. Para retribuir sua afeição, o espírito dava à moça informações sobre eventos futuros insignificantes. Depois, ela testemunhava, pela cidade, incidentes que o espírito dissera que ocorreriam. No geral, o espírito do tabuleiro Ouija tornou-se extremamente confiável para Vicky Beckford.

Depois de um ano trocando intimidades pelo tabuleiro, Vicky ficou emocionalmente dependente do espírito. Durante a última semana de fevereiro de 1974, ela deu um passo adiante. "Você pode revelar o *meu* futuro?", perguntou.

O espírito mostrou-se mais do que feliz em atendê-la. Em uma sessão longa e carregada de envolvimento, ele apresentou um cenário da vida de Vicky pelos seis anos seguintes, fornecendo-lhe detalhes específicos, até mesmo a data de nascimento do seu primeiro filho, e o fato de que ela teria, ao todo, três filhos até 1978 (todas essas informações acabariam se provando corretas!).

O envolvimento arrebatador de Vicky com um espírito desconhecido logo a deixou ainda mais curiosa e impaciente. Ela queria *ver* o namorado invisível. Na madrugada de sábado, 2 de março, a garota implorou que ele se manifestasse. Apenas uma vez, disse ao espírito, ela queria ver como ele era.

Na manhã do dia seguinte, um domingo, Pete Beckford saiu e tentou dar partida no seu carro, mas o veículo não funcionou. Erguendo o capô, ele observou que os cabos da vela de ignição haviam sido removidos; as mangueiras de borracha, soltas; e a correia da ventoinha, cortada. Não muito tempo depois, Vicky tentou dar partida no próprio carro. Ele também não funcionou e, por fim, teve que ser rebocado para uma oficina mecânica local. No dia seguinte, os mecânicos deduziram que partes internas do motor haviam sido desmontadas.

Naquela semana, outros incidentes de vandalismo aparente ocorreram ao redor da casa dos Beckford. A campainha dos fundos foi arrancada da sua caixa. Os arbustos plantados junto ao alicerce da casa foram arrancados do chão — com raízes e tudo. No telhado, um cano de ferro fundido de 1,8 metro que acomodava cabos elétricos foi inexplicavelmente dobrado em um ângulo de noventa graus.

Na sexta-feira, 8 de março, Pete Beckford marcou "um pneu furado" no calendário da cozinha. Tão logo o carro de Vicky voltou da oficina mecânica, um dos outros pneus murchou. No dia seguinte, sábado, o pai dela fez a mesma anotação no calendário; embora, dessa vez, parecesse que o pneu havia sido cortado com uma faca.

Nesse ínterim, inexplicavelmente, Vicky já não conseguia contatar o namorado invisível pelo tabuleiro Ouija. Noite após noite, ela tentava se comunicar, mas a prancheta apenas deslizava para ADEUS. Ela não fazia ideia de que o seu bem-amado etéreo havia se manifestado de fato: na forma de um vândalo sobrenatural.

Na segunda semana de março, os danos materiais à casa e aos carros já eram tão preocupantes que Pete Beckford fez uma reclamação à polícia. Quando os policiais chegaram, Pete ressaltou a destruição causada às plantas e aos arbustos do jardim, ao exterior da casa, e a aparente invasão à garagem trancada para furar pneus e desmontar motores. Em certa ocasião, ele chegara mesmo a ouvir alguém dar fortes pancadas na casa pelo lado de fora! Antes de partirem, os policiais garantiram a Pete — um respeitável membro da comunidade — que ficariam de olho na propriedade durante as patrulhas noturnas.

Todavia, posteriormente, naquela segunda semana, veio o primeiro indício de que os danos não tinham nada a ver com garotos travessos da vizinhança. Depois do trabalho, Pete e a esposa, Sharon, estavam sentados na cozinha fazendo perguntas a Eric sobre os amigos dele. Esses incidentes de vandalismo seriam resultado de algum tipo de rixa colegial? De repente, os três ouviram algo ser atirado contra uma parede e se estilhaçar em algum lugar *dentro* da casa. Percorrendo-a com cautela para investigar, eles encontraram um buraco de quase cinquenta centímetros na placa de gesso da parede do quarto de Eric.

O fato de que as bordas irregulares do buraco no gesso apontavam *para dentro* da parede era igualmente inquietante. O golpe fora desferido a partir do interior da casa! Para os Beckford, o estranho vandalismo de repente assumiu uma nova e grave dimensão.

Naquela noite, quando se recolheram, os Beckford ouviram algo raspando e arranhando dentro das paredes. Era como se um esquilo tivesse entrado na casa. Atento aos sons, no escuro, Pete também ouviu o barulho de uma tábua sendo solta. Saindo da cama de um salto, ele acendeu as luzes e passou meia hora verificando a casa, do porão ao sótão. Não encontrou nenhuma tábua solta; na verdade, não encontrou nada fora do lugar. Não obstante, os mesmos barulhos esquisitos e perturbadores continuaram pelo restante da semana.

Enquanto isso, o carro de Vicky já havia tido três pneus furados, de modo que Pete comprou para a filha um novo jogo de pneus radiais. Na terça-feira, 19 de março, na garagem trancada, um dos novos pneus da garota foi furado. Ele parecia ter sido rasgado com uma faca.

Na terceira semana de março, os fenômenos começaram a se intensificar. Após o cair da noite, alguma coisa começou outra vez a golpear a casa dos Beckford pelo lado de fora. As fortes pancadas, que soavam como *cabum*, ocorriam em sequências de três, e golpeavam com tanta violência que faziam a casa vibrar. Naturalmente, Pete saiu para investigar, mas não havia nada que pudesse ver. Ao menos uma dúzia de vezes naquela semana, ele e Eric saíram da casa com lanternas, tentando em vão encontrar a origem das pancadas.

À medida que aquela terceira semana se arrastava, batidas abruptas e irritantes começaram a ser ouvidas também dentro da casa. Elas aumentaram depressa em intensidade, até que o som fosse como o de um adulto batendo nas paredes. Quando a família ia dormir, as pancadas e raspagens aleatórias continuavam. Por volta da meia-noite, o som de tábuas sendo arrancadas das paredes podia ser ouvido por toda a pequena casa.

No final de semana, dias 20 e 21 de março, as válvulas de pressão dos radiadores a vapor do sistema de calefação de algum modo se afrouxaram, espirrando água quente pelas paredes e pelos carpetes. O primeiro impulso de Pete foi responsabilizar Vicky ou Eric, mas eles não estavam em casa quando isso aconteceu. Intrigado, apesar de aborrecido, ele recolocou metodicamente os cilindros dos radiadores, mas, a intervalos de poucas horas, eles se soltavam outra vez, provocando mais danos por causa da água. Por fim, ele desligou a calefação no porão.

Nesse meio-tempo, as pancadas pela casa ficavam mais frequentes — e intensas. Em vez de descansar naquele fim de semana, Pete Beckford, um homem com 23 anos de experiência em design de máquinas, quase desmontou a casa em busca da origem dos barulhos. Após trabalhar o domingo inteiro em vão, ele desistiu. Na manhã seguinte, precisando desesperadamente de paz e silêncio, ele se rendeu e chamou um encanador e um profissional que consertasse calefações.

O profissional reparador de calefações chegou cedo na manhã de terça-feira da quarta semana de março e declarou que o sistema estava em perfeito estado de funcionamento. Contudo, ele também ouviu os sons de pancadas e acabou passando quase dezenove horas na casa dos Beckford tentando acabar com as batidas intermitentes. No final, a única coisa que ele pôde dizer a Pete e Sharon foi que "os barulhos *não estão* sendo causados pela calefação".

Na quarta-feira, o encanador foi examinar os radiadores. Pete estava trabalhando na sua fábrica, mas Sharon explicou que, todos os dias, uma ou duas válvulas de pressão afrouxavam, espirrando vapor e água quente. Ela também falou sobre as pancadas nas paredes e os sons de algo raspando e arranhando durante a noite.

O encanador fez testes para identificar vazamentos de pressão, mas os radiadores também estavam em perfeito estado de funcionamento. Por precaução, ele trocou as válvulas antigas por novas, apertando-as com toda a força. Ainda mais estranhamente, tão logo ele passava ao seguinte, o novo cilindro era encontrado no chão, ao lado do radiador. Após testar e consertar todos os radiadores duas vezes, ele, por fim, recolocou os antigos cilindros. Em seguida, recolheu suas ferramentas e disse a Sharon Beckford: "Dona, a senhora está com um problemão!".

Naquela mesma semana, outro dos pneus novos de Vicky foi rasgado com uma faca, mesmo que o carro estivesse estacionado dentro da garagem trancada como sempre. No entanto, pneus furados haviam se tornado problemas insignificantes em comparação ao caos que estava acontecendo dentro da casa. Dia a dia — em especial depois do pôr do sol —, as pancadas nas paredes da casa ficavam mais altas. Os golpes surdos costumavam perdurar horas a fio, noite adentro. Quadros e decorações caíam das paredes com a força do impacto.

Corajosamente, os Beckford tentaram lidar com aquele problema absurdo saindo para jantar, perambulando por shopping centers ou frequentando cinemas drive-in que pudessem mantê-los fora tanto quanto possível. Embora as primeiras tentativas da família de evitar o tumulto tivessem proporcionado certo alívio temporário, o que havia acontecido até então era apenas o prelúdio do pandemônio que estava por vir.

No domingo, 31 de março, mais um corte de faca apareceu em um dos pneus novos de Vicky. Aquela era a sexta vez que um pneu era cortado ou murchava. Também era a última vez em que ela teria problemas com eles. Isso porque, naquela noite, o vandalismo inexplicável do último mês transformou-se em atividade ostensivamente sobrenatural.

Por volta das 22h daquele domingo, enquanto ocorriam as incessantes pancadas, Pete e Sharon assistiam à televisão no seu quarto, o lugar mais silencioso da casa. Eric e Vicky, com medo de ficar sozinhos, estavam sentados no chão, perto dos pais. De repente, por três vezes em sequência, as luzes se apagaram e se acenderam sozinhas; em seguida, a televisão desligou. Nisso, os Beckford viram a pesada penteadeira de madeira do quarto começar a levitar misteriosamente, erguendo-se a alguns centímetros do chão.

Horrorizados, eles observaram enquanto, repleta de coisas, a penteadeira — de 1,8 metro de comprimento e pesando cerca de 110 quilos — começou a balançar com violência para a frente e para trás. Frascos de perfume e de cosméticos caíram no chão e quebraram. Em seguida, a penteadeira desceu e parou. Um instante depois, porém, uma das gavetas se abriu devagar, ficou suspensa por um segundo e, então, fechou-se de súbito e com força. Em pouco tempo, todas as gavetas estavam abrindo e fechando, sozinhas, de forma abrupta.

Enquanto os Beckford permaneciam sentados, paralisados de terror, as gavetas se aquietaram. Imediatamente, uma pesada cadeira, cheia de roupas dobradas, ergueu-se a uns noventa centímetros do chão, inclinou-se para o lado, derrubou as roupas e, depois, caiu sobre elas com um baque pesado. A seguir, um depois do outro, os quadros ergueram-se dos seus ganchos, afastaram-se da parede e flutuaram em círculo pelo quarto.

"Meu Deus", gritou Sharon, "o que fizemos para merecer isto?" Neste momento, o estrado da cama caiu no chão. A cama de casal cedeu, com Pete e Sharon sobre ela. Os quadros, então, caíram ao chão e toda a atividade cessou.

Mais tarde, naquela noite, depois de arrumarem a bagunça, os Beckford tentaram dormir. No entanto, quando as luzes foram apagadas, a família ouviu o som de um gatinho miando no quarto de hóspedes. Minutos depois, o som se transformou no choro de um bebê. Pete queria verificar o quarto, mas o bom senso dizia-lhe para ficar longe dali. Os incessantes barulhos de algo raspando e arranhando transformaram-se em sons de coisas rasgando e rebentando. Uma vez mais, ouviu-se o barulho de tábuas sendo arrancadas das paredes; na realidade, parecia que a casa inteira estava sendo desmantelada.

Pancadas recomeçaram no telhado e do lado de fora da casa, transferindo-se, em seguida, para o interior das paredes. Ao longo de uma hora, as pancadas se mexeram até chegar ao corredor e, então, pararam de maneira agourenta. De repente, batidas agudas e vibrantes soaram na cabeceira da cama de Pete e Sharon, como se a peça estivesse recebendo marteladas. O casal saltou da cama, mas o barulho continuou. A certa altura, Pete contou dezoito golpes contínuos na cabeceira de madeira.

À medida que o medo se espalhava pela casa, a atividade ficava ainda mais poderosa e intensa. Quando ouviu a mobília tombando na sala de estar, Pete estava prestes a sair para investigar, mas, então, um grito assombroso veio do quarto de Vicky.

"Alguma coisa estava aqui!", disse a garota, ofegante de pânico. "Alguma coisa estava *neste quarto*, comigo!"

No dia 1º de abril, choveram pedras! Elas caíam do céu aberto, atingiam o telhado dos Beckford e rolavam, caindo no gramado. Apavorada ao ver que uma das pedras estourou a janela dos fundos e entrou na casa, Sharon telefonou para o marido, no trabalho. Cansado por causa da noite anterior, Pete pediu à esposa que ligasse para a polícia e disse que iria para casa naquele instante.

Quando Pete Beckford chegou à residência, a polícia já estava no local, também assistindo ao inacreditável espetáculo de pedras caindo do céu sobre a despretensiosa casa. As pedras caíram por cerca de uma hora, ao todo, e depois pararam. Desesperado, Pete perguntou aos policiais o que fazer. "Chame um padre", sugeriram.

Como um padre poderia ajudar?, pensou Pete. Não havia nada "religioso" com relação às dificuldades da família.

Pete Beckford ficou em casa pelo restante do dia. Naquela noite, quando o sol se pôs, móveis e objetos começaram a levitar dentro da casa, à vista de todos. Alguns dos itens caíam, ao passo que outros eram arremessados contra as paredes. A terrível atividade insidiosa durou a noite inteira. O máximo que os Beckford podiam fazer era sair do caminho, pois alguns dos objetos pareciam ser atirados diretamente *neles*.

Na manhã seguinte, com a casa toda bagunçada, Pete estava irritado o suficiente para aceitar a sugestão do policial. Sendo católico romano, ele telefonou para o presbitério da igreja católica local e conversou com o padre que estava de serviço. Os móveis da casa estavam levitando, explicou Pete; objetos caros estavam sendo jogados no chão e quebrados; pancadas, coisas raspando e outros barulhos assustadores eram ouvidos a noite toda; havia chovido pedras sobre a casa! O padre anotou o endereço dos Beckford e prometeu que estaria lá em uma hora.

A perturbação parou abruptamente quando o padre chegou, mas, mesmo assim, Pete o conduziu pela casa. Pisando sobre escombros e móveis revirados, a única avaliação do padre foi que alguém na casa estava "perturbado" e era melhor que ele chamasse um psiquiatra. Então, o clérigo partiu, ao que as pancadas e levitações recomeçaram.

Atormentado e confuso, Pete chegou atrasado ao trabalho naquele dia. Absolutamente furioso, decidiu ir adiante e confidenciar o problema ao único homem que respeitava e no qual confiava: o seu supervisor. Em um cubículo com paredes de vidro, Pete explicou o porquê de tantas ausências no seu registro de frequência, que antes era excelente. Por quase uma hora, Pete revelou toda a história insólita ao homem. O supervisor acreditou em Pete e queria ajudá-lo, mas não sabia como poderia ser útil. No entanto, ele se lembrava do nome de algumas pessoas que ouvira falando no rádio. "O sobrenome deles é Warren, creio eu: lembro que eles diziam que, às vezes, apenas um objeto abençoado colocado na casa faria com que acontecimentos esquisitos parassem. Não sei como entrar em contato com essa gente, mas acho mesmo que eles são a sua melhor alternativa."

A conversa deixou Pete Beckford bastante animado. No final da tarde daquele dia, ele desceu até o porão e desembrulhou uma estátua de gesso de meio metro de Santa Ana, que ele esperava que pudesse resolver o problema. Contudo, assim que Pete a levou para cima, ele ouviu uma tremenda confusão lá embaixo. Ao correr de volta para investigar, ele encontrou a mobília da sala de recreação no porão *flutuando* em pleno ar. À esquerda, pedras de sabão e vidros de detergente também estavam levitando na lavanderia, espirrando o seu conteúdo no chão. A irracionalidade daquilo tudo foi demais para Pete. Ele se arrastou de volta lá para cima e deu falta da estátua. Mais tarde, ele a encontrou no banheiro, ao lado do vaso sanitário.

Naquela noite, além de todos os outros fenômenos intoleráveis, guinchos e barulhos infernais encheram a casa dos Beckford. Depois de uma busca, na manhã seguinte, a estátua de Santa Ana foi encontrada debaixo dos cobertores, na cama do quarto de hóspedes.

Antes de descobrir o paradeiro da estátua, porém, Pete encontrou obscenidades escritas a lápis na porta do quarto de Eric, o mesmo tipo de baixeza vulgar que se encontra em um banheiro público. Acreditando que Eric pudesse de algum modo estar por trás de tudo, Pete foi tomado de fúria e repreendeu duramente o filho. Eric, porém, simplesmente entrou em desespero e desatou a chorar do fundo do coração. O garoto não havia feito nada de errado. Pete pediu desculpas a ele. Embora perplexo, Pete Beckford aos poucos começou a se dar conta de que, por algum motivo misterioso, sua família caíra nas garras da mesma criatura — fosse o que fosse.

À medida que se arrastava a primeira semana de abril, dormir tornou-se impossível. Farto, Pete decidiu retirar a família da casa até que se pudesse encontrar uma solução. Talvez eles apenas estivessem imaginando aquilo tudo, pensou, ou talvez, se ficassem fora, o "feitiço" se quebrasse. Levando artigos de higiene pessoal e uma muda de roupas limpas, os Beckford foram para o motel mais próximo.

No motel, naquela noite, eles dormiram todos no mesmo quarto, por segurança. Todavia, logo descobriram que não havia como fugir das suas dificuldades. Luzes acendiam-se e apagavam-se sozinhas. Quadros abandonavam as paredes e as pancadas recomeçaram.

Na manhã seguinte, quando os Beckford voltaram ao seu quarto depois do café da manhã, tudo estava revirado. Os móveis estavam tombados, gavetas haviam sido arrancadas. Lençóis e roupas, colchões e molas estavam espalhados pelo cômodo. Ao começarem a arrumar tudo, o gerente apareceu para dizer que outros hóspedes haviam reclamado das "crianças" Beckford batendo nas paredes a noite inteira, e a faxineira havia comentado sobre o vandalismo ridículo no quarto.

Pete Beckford assumiu a responsabilidade por tudo, pediu desculpas e garantiu ao gerente que aquilo não aconteceria de novo. Porém, naquela noite, aconteceu. No dia seguinte, os Beckford não tiveram escolha senão voltar para casa.

No sábado, 6 de abril, quando Pete abriu a porta da frente de casa, a mistura de odores era inacreditável. Tapetes e camas estavam impregnados de respingos de comida, produtos de limpeza, bebidas alcoólicas, graxa de sapato, água de colônia e perfume. Toalhas estavam enfiadas *dentro* dos vasos sanitários. A mobília de todos os cômodos estava revirada, parte dela quebrada. Pelas paredes estavam rabiscadas blasfêmias verdadeiramente doentias *em* tinta vermelho-sangue, bem como acusações obscenas a Deus e a Cristo. Os Beckford levaram o restante do dia para limpar as paredes e recolocar a casa em ordem. Em casos particularmente violentos que os Warren investigaram, a característica mais impressionante da estratégia de opressão é esse tipo de destruição sistemática. O resultado do violento ataque desses vândalos invisíveis é suficiente para deixar um observador chocado e boquiaberto. Parece realmente que um batalhão de imbecis marchou pela casa. Há destruição por toda parte. Palavras indecentes estão rabiscadas nas paredes. Peças estimadas e objetos religiosos são escolhidos para serem conspurcados e arruinados. Em termos de dinheiro, pode ser muito caro bancar o anfitrião do demônio. Não obstante, por que a destruição? Por que essas entidades incorpóreas se dariam ao trabalho de destruir objetos materiais?

"Tais espíritos são a essência da crueldade", diz Ed. "Se você passou metade da vida tentando montar uma casa boa e confortável para sua família, é muito angustiante ficar parado e assistir a 5 mil dólares em móveis virar lixo em uma questão de minutos. Via de regra, muitos serão os espíritos responsáveis pela ação violenta — e eles vão arruinar tudo que tenha valor para você. E você não pode fazer nada sobre isso. Se tentar, será impedido, incapacitado por alguma força invisível, ou então estará sujeito a ser atingido na cabeça por um objeto. Muitas vezes, como no caso Beckford, as pessoas não estão sequer em casa quando a destruição acontece. Elas apenas chegam e encontram todos os seus pertences arrasados, destruídos ou quebrados. É tão inconcebível que um ser incorpóreo possa causar tamanho estrago que a primeira reação das pessoas é pegar o telefone e ligar para a polícia, acreditando que a casa foi saqueada por ladrões. No entanto, o efeito final da destruição é psicológico. O espírito está tentando quebrar a vontade do indivíduo.

"Não esqueça", continua ele, "que os fenômenos externos são usados como distração. Enquanto está quebrando a mobília, o espírito dedica a mesma quantidade de energia para desestabilizar a pessoa internamente. Para manter suas emoções sob controle durante a opressão, você teria que ter a paciência de um santo. Quer a perturbação o deixe assustado, deprimido, furioso ou qualquer outra coisa, é impossível não ficar emocionalmente abalado. Não há nada do que se envergonhar — isso é ser humano. Embora seja aceitável que se fique abalado como resultado da situação, outra coisa completamente diferente é perder o controle, porque, em última análise, é isso o que o espírito demoníaco está *tentando* fazer."

No dia 7 de abril, Domingo de Ramos, o irmão de Pete, Terry, levaria sua família à casa dos Beckford para jantar. Ao contrário de Pete, Terry era um profissional mais instruído, embora ambos os irmãos fossem trabalhadores dedicados que ajudaram um ao outro a vida inteira. Talvez agora, pensou Sharon, eles conseguissem resolver aquele problema juntos.

Ela e Pete explicaram a Terry o terrível suplício pelo qual estavam passando. Todavia, nenhuma atividade incomum aconteceu naquele domingo enquanto o clã dos Beckford permaneceu sentado para jantar. A única resposta de Terry Beckford foi dizer que precisava haver uma explicação racional para tudo aquilo.

Depois do jantar, as duas famílias seguiram para a sala de recreação no porão. Terry levara slides da sua recente viagem de férias com a família, inclusive fotografias da Terra Santa, uma atração turística na sua rota.

Quando apareceu um slide que mostrava cruzes, estátuas e templos, Vicky levantou-se de um salto e apontou. De alguma forma inacreditável, *da parede* do porão brotava água!

De repente, as luzes se apagaram e tornaram a se acender, sozinhas. Um instante depois, começaram as pancadas lá em cima. Juntos, Terry e Pete correram para o térreo a fim de descobrir de onde vinham as pancadas. No entanto, sempre que se aproximavam, o barulho simplesmente recomeçava em outra parte da casa. Então, do telhado vieram sons como se carpinteiros estivessem em cima da casa, batendo martelos com toda a força. A casa inteira vibrava e, uma vez mais, quadros caíam das paredes. Enquanto isso, a esposa e os filhos pequenos de Terry, tomados de pavor, haviam seguido os homens escada acima. Pete insistiu que Terry tirasse a família dele da casa. Terry detestou a ideia de deixar o irmão em uma situação tão estarrecedora, mas, naquela noite, não teve escolha.

"Não há nada natural nisso", admitiu, enfim, Terry, à porta da frente. "É melhor procurar outro padre que lhe dê ouvidos!"

Naquela noite de domingo, o reino de terror continuou. No entanto, além daquilo, parecia que todos na casa haviam enlouquecido.

"Vou matar você!", Vicky gritava para o irmão.

"É? Eu mato você primeiro!", Eric rosnava de volta.

"Eu vou matar os dois!", Sharon gritava para os filhos.

Em meio às brigas e às discussões, as pancadas surdas continuavam, e com a mesma intensidade. Nesse momento, a cabeça girando, vendo a casa destruída, Pete Beckford desmoronou. Com lágrimas reluzindo nos olhos, ele mandou que todos parassem! Quando olhou para o pai, Eric debulhou-se em lágrimas, e Sharon também desatou a chorar. Vicky, porém, parecia indiferente e insensível. Ela se trancou no quarto e ficou ali até o amanhecer.

No dia seguinte, 8 de abril, Pete Beckford estava exausto e pálido. Ele já havia usado todas as suas folgas por motivo de doença para cuidar da questão do pandemônio. Algo tinha que ser feito, mas, a quem ele poderia recorrer? Profissionais de conserto não conseguiram ajudar, nem a polícia, a igreja, tampouco o próprio irmão. Enquanto Pete permanecia de pé junto à janela da cozinha, ele se pegou fitando a grande cruz no alto da casa de retiro do monastério vizinho à sua propriedade. De repente, o coração de Pete inundou-se de esperança. Os monges saberiam!

Pete aguardou até depois da hora do café da manhã e, então, subiu a via até a casa de retiro, onde um bondoso monge de meia-idade o conduziu para o saguão de entrada. Pete começou logo a explicar o problema da melhor maneira que podia e pediu, em desespero: "O senhor viria, por favor, à minha casa para ver do que estou falando?". O monge concordou. Juntos, eles desceram a via de volta à casa térrea dos Beckford.

Dentro da residência, o monge examinou os danos causados à mobília e às paredes. Ele ouviu as pancadas aleatórias e leu as obscenidades rabiscadas pelo lugar. Não obstante, apesar daquilo tudo, era evidente que o monge não se perturbou com nada do que viu. Em vez disso, ele fez Pete se sentar.

"Deixe-me explicar o que acredito estar acontecendo aqui. Existem coisas que ocorrem neste mundo que são deliberadamente mantidas em segredo — coisas que alguém só descobre pela experiência. Na minha opinião — e tenho apenas um conhecimento limitado de tais coisas —, este problema terrível que vocês estão sofrendo está sendo causado por espíritos. Você acredita nessas coisas, Pete?"

"Ultimamente, padre, estou aberto a sugestões."

"Muito bem, então", recomeçou o monge. "Esse tipo de espírito, que sente prazer em atormentar as pessoas não é um fantasma, mas um espírito de uma ordem especial. Não sabemos quase nada sobre eles, exceto que são espíritos *realmente perversos*. A julgar pelo propósito das ações que realizam, pareceria que há alguma coisa errada com eles. Eu mesmo não posso desafiar o tipo de espírito que parece ter entrado na sua casa, embora existam outros que o possam. Mas, lembre-se", ressaltou o monge, "há outros mistérios no mundo. Os mistérios da ciência se revelam aos nossos olhos todos os dias. Nem toda pergunta estranha tem uma resposta estranha. A mente nos prega peças, a natureza também. Antes que a Igreja designe um clérigo para um caso como o seu, a questão deve primeiro ser provada como sendo *genuinamente* espiritual. O que você acha?"

"Acho que é possível que o senhor tenha desvendado a questão, padre. Eu gostaria de seguir nessa linha", concluiu Pete.

"Então, vou lhe dar o nome de alguém que talvez consiga ajudá-lo a solucionar este problema. O nome dele é Ed Warren."

Essa era a segunda vez que alguém aconselhava Pete Beckford a procurar os Warren. Quando os dois homens caminharam de volta à casa de retiro, o monge fez uma ligação e conseguiu o número do telefone de Ed e Lorraine. "É melhor você entrar em contato com essas pessoas o mais rápido possível."

"É exatamente o que vou fazer", assegurou-lhe Pete.

Mais tarde naquela manhã, no trabalho, Pete telefonou para os Warren e falou com Judy Penney, uma jovem que trabalha como intermediária quando Ed e Lorraine estão fora da cidade. Judy já ouviu algumas histórias arrepiantes pelo telefone, mas aquela em particular a deixou com medo. "Os Warren viajaram para o oeste", ela disse a Pete Beckford, "mas transmitirei o seu recado a eles. Sugiro que o senhor volte a ligar no sábado; até lá, eles já terão voltado."

Para sábado, porém, faltavam cinco longos dias: era Semana Santa, o período mais notório do ano para atividade demoníaca. Na manhã seguinte, ao nascer do sol, os Beckford acordaram ao som de objetos golpeando o telhado. Saindo para investigar, eles mais uma vez viram pedras caindo sobre a casa, vindas do nada. Durante a semana inteira, pedras começavam a cair sobre a casa dos Beckford ao alvorecer — e paravam ao entardecer. Sua quantidade e velocidade variavam. Algumas caíam devagar, como que afundando em água. Outras desciam em um zigue-zague irregular. Por diversas vezes ocorria um violento dilúvio de pedras e rochas, algumas caindo com força suficiente para ficarem alojadas no telhado. Quando atingiam o chão, cerca de metade das pedras desaparecia; as outras permaneciam ali, para que a família as limpasse mais tarde. Dentro da casa, a atividade antirreligiosa tornara-se tão violenta quanto a chuva de pedras lá fora. Crucifixos eram virados de cabeça para baixo. Quadros de santos eram estilhaçados — os pedacinhos deixados desafiadoramente em uma pilha. A estátua de

Santa Ana, que os Beckford agora mantinham na sala de estar, era escondida com frequência, como se algo não suportasse vê-la.

De fato, a atividade antirreligiosa chegou a um ridículo extremo. Certa noite, os Beckford ouviram um tremendo tumulto no quarto de Eric. Quando a barulheira cessou, eles foram até lá e encontraram uma das camas de solteiro destruída. O colchão estava debaixo da armação da cama; a cama box de molas, no entanto, estava escorada na parede, cobrindo uma imagem de Jesus.

Em outra ocasião, enquanto estavam sentados na sala de estar, os Beckford ouviram um gemido horrendo e pesaroso ressoar dentro da cozinha. Com muita cautela, Pete seguiu pelo corredor até o cômodo. No meio da cozinha estava o grande refrigerador de duas portas da família; ele havia sido afastado da parede até o exato comprimento do seu fio de eletricidade. Na noite seguinte, eles ouviram o mesmo gemido prolongado; mais uma vez, o refrigerador foi encontrado no centro do cômodo.

Talvez ainda mais intimidadora tenha sido a constatação de que nem sequer a matéria física representava obstáculo às entidades opressoras. Pete ficava com a única chave do freezer horizontal que se localizava no porão. De algum modo extraordinário, certa tarde, quando abriu o freezer para retirar provisões, ele encontrou ali dentro a grande bigorna de ferreiro, que ele mantinha na garagem. Mais tarde, Pete também descobriu que a sua enorme caixa de ferramentas, feita de aço, havia sido teletransportada para o sótão.

Pior de tudo, agora parecia haver uma presença física na residência. Quando sozinhos, membros da família tinham a nítida sensação de que alguém estava no cômodo, fitando-os pelas costas. O terror era reforçado pelo som de passos, pelo farfalhar de roupas e por uma respiração pesada. Certa vez, quando se virou depressa, Sharon Beckford viu uma forma escura de pé, às suas costas, no quarto.

Para os Beckford, a Sexta-Feira da Paixão — 12 de abril — daquele ano foi um dia de puro pavor. Uma atmosfera ameaçadora envolveu a casa. De fato, parecia que o lugar inteiro poderia explodir de repente enquanto o pandemônio enfurecido continuava sem perder intensidade. Pedras esmurravam misteriosamente o lado de fora do local ao mesmo tempo em que o caos desenfreado seguia dentro dela. Somando-se a tudo isso, agora havia aquela presença invisível que parecia cada vez mais real e física, a tal ponto que ninguém tinha coragem de ficar sozinho na casa nem por um instante. Os Beckford, amedrontados e atormentados, tinham uma única esperança — os Warren, quem quer que eles fossem.

O CASO BECKFORD

DOCUMENTAÇÃO FOTOGRÁFICA

Ataque Demoníaco 1974

No início, a família BECKFORD pensou que a destruição estivesse sendo causada por vândalos da vizinhança. Certa manhã, o antigo cano elétrico que ficava em cima da casa foi encontrado inexplicavelmente envergado em um ângulo de 90°. Como se pode ver aqui, algo está aos poucos entortando o cano que substituiu o anterior. Um técnico de uma concessionária de serviços públicos observou que seria necessário um jipe com uma corrente para conseguir entortar um cano de ferro dessa espessura.

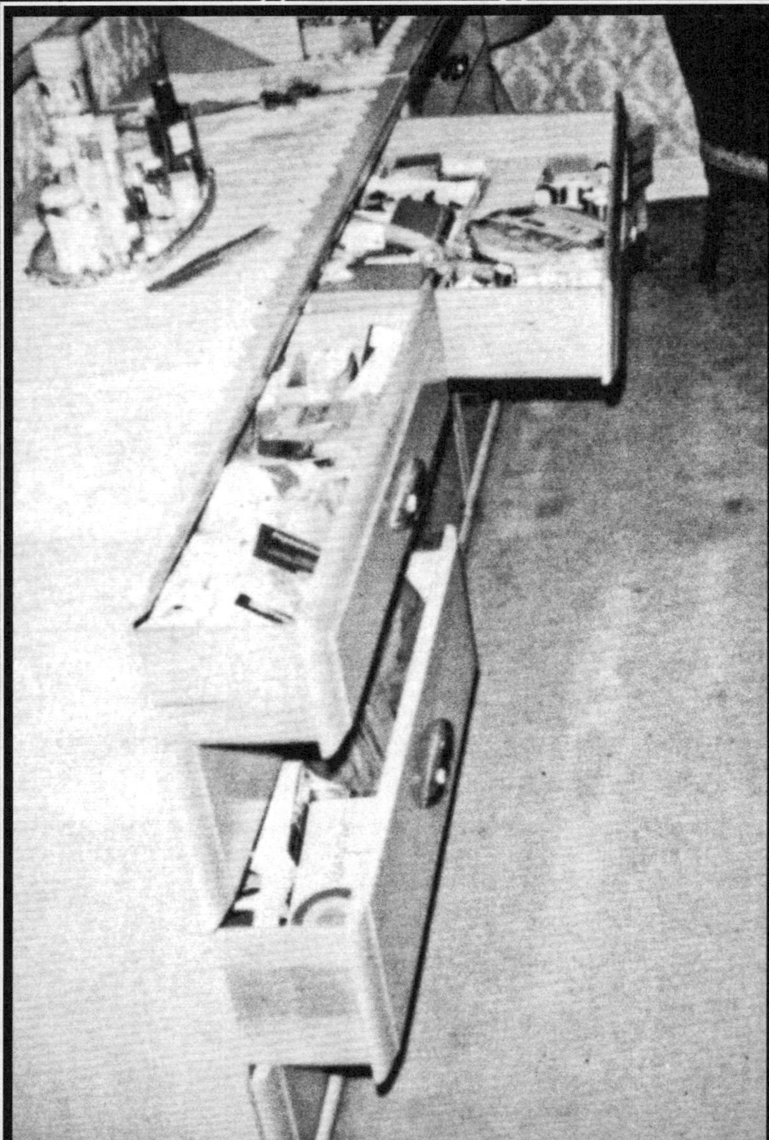

As gavetas da cômoda do quarto de PETE e SHARON BECKFORD abriam e fechavam por conta própria. Mais de uma vez, quando o filho do casal, ERIC, dormia no chão, em um saco de dormir (deixando que os Warren usassem o seu quarto), as gavetas ganharam vida e acertaram a cabeça do garoto.

FOTO 01. O dia começa: toda manhã, quando os BECKFORD acordavam, o banheiro estava revirado, e as toalhas normalmente encontravam-se enfiadas no vaso sanitário. **FOTO 02.** Parte da estratégia demoníaca é destruir objetos de valor especial para a vítima. Assim que ED WARREN cumprimentou os BECKFORD pela sua fruteira de vidro prensado colorido, ela levitou e, em seguida, estilhaçou-se no chão.

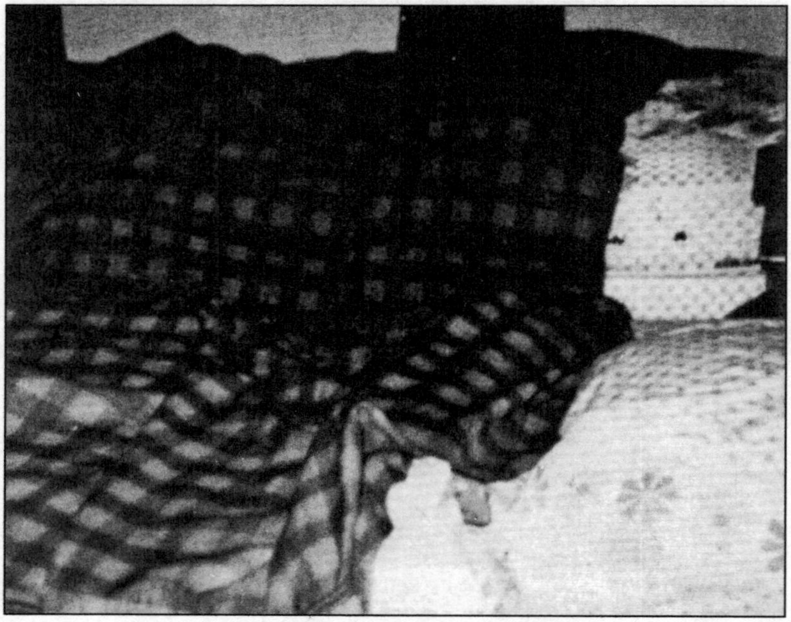

FOTO 01. Parte da desordem: camas que haviam acabado de ser arrumadas foram parcialmente desfeitas. Todos os dias, em um horário posterior, essas roupas de cama elevavam-se até o teto e, então, caíam, formando amontoados na cama. **FOTO 02.** O espírito que VICKY BECKFORD contatou pelo tabuleiro Ouija deixava lembranças sobre a cama da garota todos os dias. Aqui, ele teletransportou uma porta, retirou uma bolsa do lugar em que estava guardada, e despejou os lixos da cozinha, do banheiro e da lavanderia sobre a cama.

ED WARREN inspeciona o refrigerador, que levitou espontaneamente para longe da parede, em um ângulo de 90º. A cadeira da cozinha chegou ao topo do eletrodoméstico por cortesia da mesma força misteriosa. Esta era a segunda vez que o refrigerador saía do lugar. A cada vez que o fazia, ouvia-se um gemido profundo e pesaroso imediatamente antes de o movimento ocorrer.

Entidades preternaturais podem manipular o ambiente físico a fim de aterrorizar suas vítimas. Aqui, a mesa da cozinha tomba bem à vista dos WARREN.

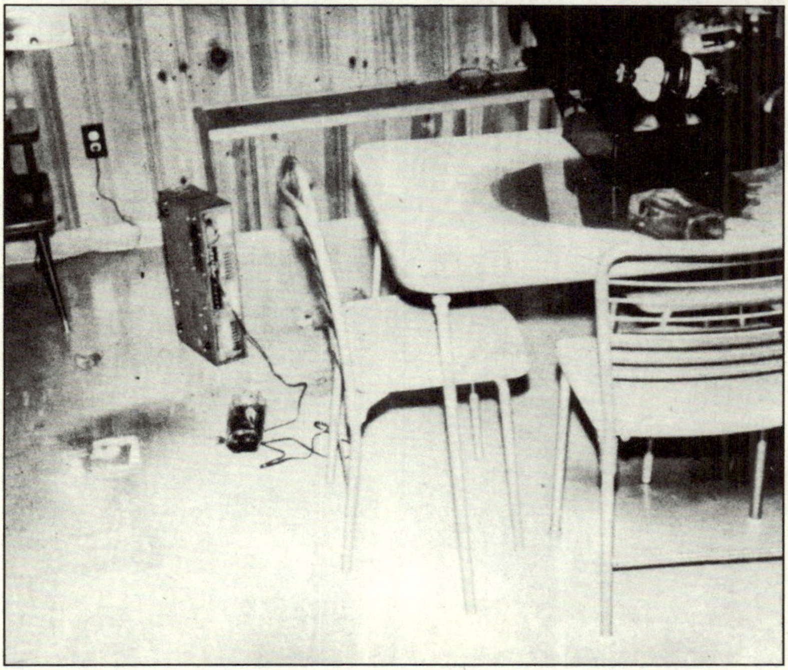

FOTO 01. No porão, uma garrafa de Coca-Cola levita, no alto, à esquerda. **FOTO 02.** Pela casa inteira, garrafas elevavam-se no ar, as tampas desenroscavam-se sozinhas e os conteúdos eram derramados. O amplificador de alta fidelidade da foto era parte do segundo aparelho de som destruído pelas entidades infestadoras.

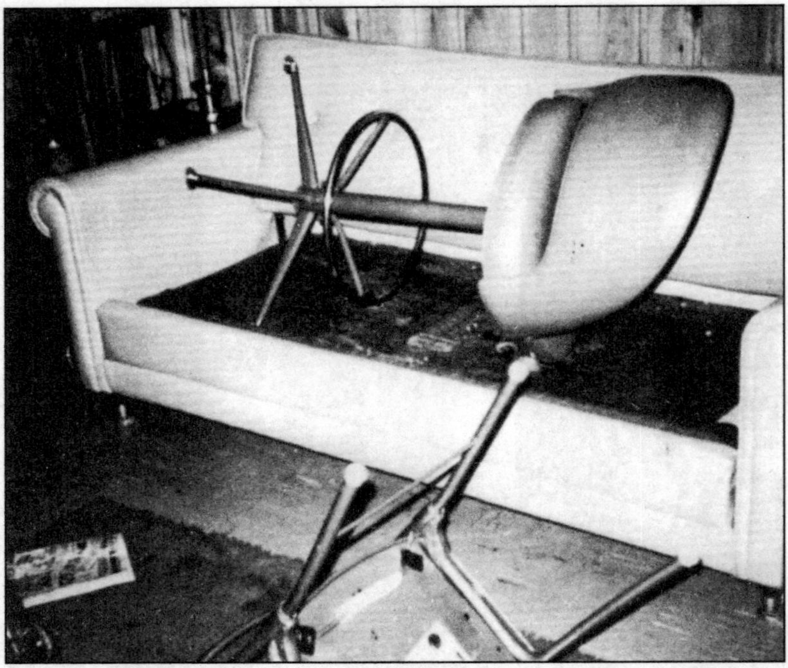

FOTO 01. Quando esta fotografia foi tirada, as almofadas do sofá da sala haviam acabado de se desmaterializar. Poucas horas depois, foram encontradas em um armário. **FOTO 02.** Mobília levitando durante uma irrupção demoníaca no porão.

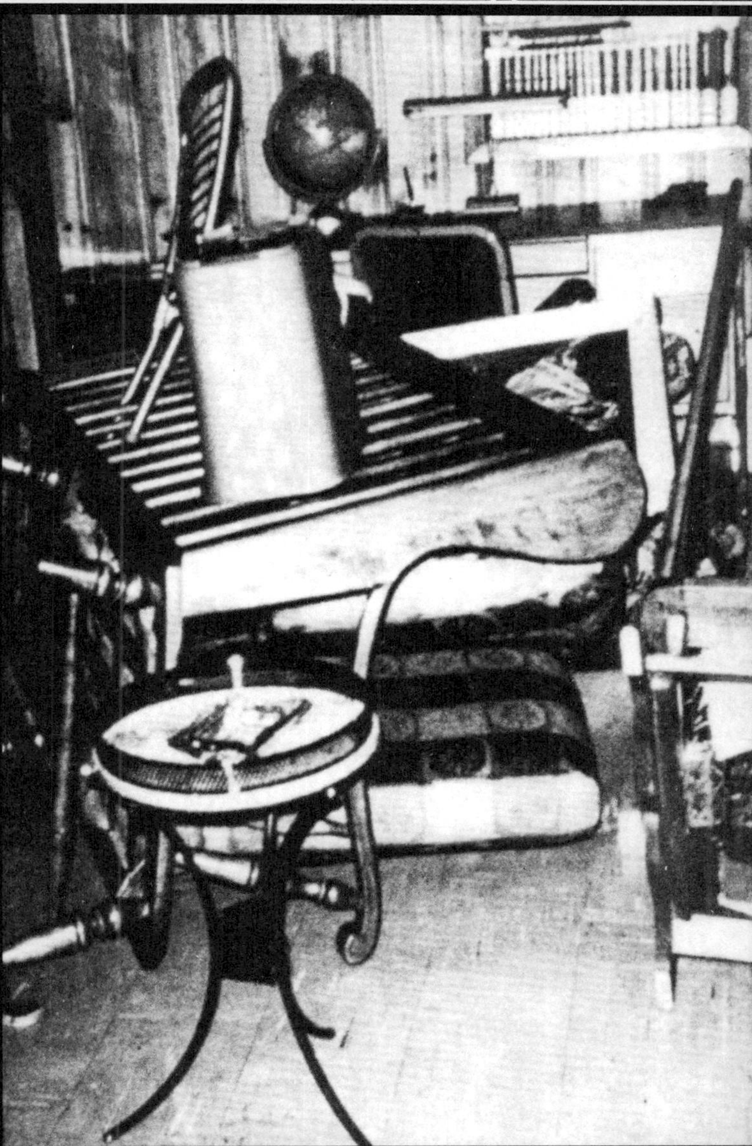

Dez minutos antes, a sala estava em perfeita ordem. Observe a lixeira de plástico levitando, de cabeça para baixo, sobre a pilha de móveis. Quando esta fotografia foi tirada, um verdadeiro pandemônio ocorria pela casa inteira.

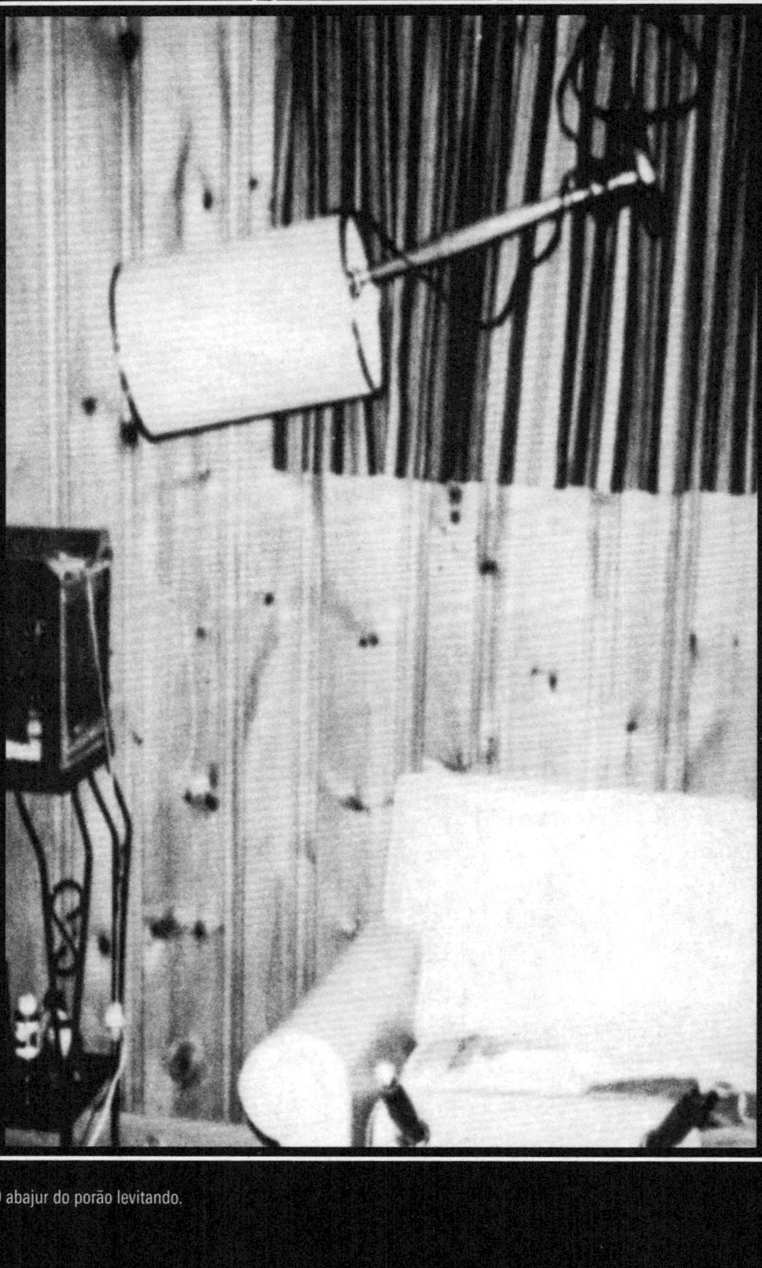

O abajur do porão levitando.

FOTO 01. Quando os WARREN visitaram a casa dos BECKFORD pela primeira vez, ED inspecionou os danos causados ao porão. Ao subir as escadas de volta para o piso térreo, estas garrafas de alvejante e detergente flutuaram no seu encalço. As tampas foram removidas por mãos invisíveis e o conteúdo, derramado nas escadas.
FOTO 02. Na presença de LORRAINE, as portas do quarto de ERIC desmaterializaram-se. Elas foram depois encontradas nas escadas do porão. Tais desmaterializações ocorriam em absoluto silêncio. Objetos físicos estavam ali em dado instante, e desapareciam no seguinte. Aqui, os sapatos no chão estavam guardados e, por algum estranho motivo, foram colocados nesta posição de passos.

10

LIBERTAÇÃO

O dia era 12 de abril.

Dentro do terminal do aeroporto LaGuardia, pessoas suficientes para encher uma pequena cidade iam e vinham em rebuliço, à espera de aviões. Do lado de fora, na plataforma de observação elevada, o ar estava impregnado de vapores de diesel e do gemido agudo de motores de turbo-hélice. Ao longe, do lado esquerdo, via-se a silhueta dos prédios de Manhattan contra o sol poente. Acima, no céu crepuscular, jatos chegavam vindos do oeste, faziam uma curva à direita acima da Whitestone Bridge e, então, um a um, desciam lentamente de volta ao solo.

A bordo do grande avião de três motores, que pousava logo após as 18h daquele fim de tarde, estavam Ed e Lorraine Warren, voltando para casa depois de dez dias fazendo palestras em diversos lugares. Eles haviam palestrado seis vezes em quatro estados, aparecido em duas oportunidades na televisão, respondido a três horas de perguntas em um programa de rádio com a participação de ouvintes, visitado uma casa não muito mal-assombrada e concedido quatro entrevistas separadas para repórteres de jornais estudantis. O casal ficou feliz ao retornar: os Warren estavam ansiosos para passar o Domingo de Páscoa com parentes. Na segunda-feira, eles viajariam outra vez, agora para o estado do Maine.

Por volta de meio-dia do dia seguinte, sábado, Lorraine recebeu um telefonema de um homem fora de si de tanto medo e angústia. Ao seu modo agradável, ela o acalmou. "O senhor poderia explicar o seu problema da maneira mais específica possível?"

Ao longo de quinze minutos, Pete Beckford desfiou uma história quase que incrível demais para acreditar. Ele contou sobre os pneus rasgados e os motores vandalizados, que lhe haviam custado mais de 500 dólares para consertar; contou sobre os frascos de catchup, óleos para salada, alvejantes e perfumes que flutuavam pelo corredor e derramavam o seu conteúdo sobre tapetes, móveis e eletrodomésticos caros; contou que uma estátua, uma bigorna e um refrigerador se moviam por conta própria; que móveis pesados levitavam; que pedras caíam sobre a sua casa e que brotava água das paredes. Ele já não podia suportar. Pete implorou por ajuda e disse que estava disposto a pagar o valor que fosse por ela.

A princípio, ocorreu a Lorraine que a imaginação de Pete Beckford tivesse saído do controle. Contudo, quando ele terminou o relato, ficou evidente para ela que a residência daquele homem estava sofrendo um assédio diabólico. "Ed está cuidando de outro caso neste sábado", disse-lhe Lorraine. "No entanto, podemos ir até a sua casa amanhã, no domingo."

Pete concordou na hora. Após a angústia das últimas seis semanas, esperar mais um dia com certeza não traria grandes consequências, pensou ele.

A demonologia não é tão somente uma questão de sair à caça de súbitas torrentes de atividade insólita. Para onde quer que vá, e apesar da sua agenda normalmente cheia, a prioridade do casal Warren é ajudar aqueles que estão sendo oprimidos, atacados ou até mesmo possuídos pelas forças das trevas. Naquela noite, Lorraine refez as malas de viagem e, no início da manhã do dia de Páscoa, já estavam a caminho de Vermont, com uma parada na casa de Pete Beckford. O casal chegou à residência dos Beckford na tarde do dia de Páscoa. "O lugar parecia bem calmo", diz Ed, "exceto pelas pedras espalhadas pelo gramado." Dentro da casa, porém, as coisas não estavam nada calmas. Móveis caros mostravam-se lascados e manchados. Marcas cobriam as paredes, e um odor repulsivo permeava o ar. Lorraine não disse nada, mas sentiu ali, na ocasião, a presença de entidades tão numerosas e ameaçadoras que precisou se esforçar para não sair da casa. Parecia-lhe que uma fúria desvairada estava a caminho, que o pior, de fato, ainda estava por vir.

Depois de apresentar a família a Ed e Lorraine, Pete lhes mostrou o restante da casa. Em cada cômodo, ele parava para contar pelo menos uma dúzia de incidentes, relatos que os Warren ouviam com atenção — tomando anotações mentais da atividade que ele descrevia enquanto se mantinham alertas a qualquer exagero ou lábia por parte do homem, ao narrar os eventos.

Tendo percorrido a casa toda, Ed e Lorraine conduziram uma entrevista investigativa com os quatro membros da família. Primeiro, pediram que Pete falasse por todos e fizesse uma cronologia dos eventos que já haviam acontecido na casa desde que o assédio começara. Por mais de uma hora, ele forneceu detalhes meticulosos dos eventos que eram — na avaliação dos Warren — potencialmente provocados por espíritos.

"Algum de vocês *sabe* o que pode ter desencadeado este problema na casa?", perguntou Ed.

"Não", responderam.

"Quando vocês notaram a primeira ocorrência de atividade incomum?"

"Nós achamos que foi no dia 3 de março, quando o pneu do carro de Vicky furou quando ela estava na drogaria. Embora possa ter sido uma coincidência, parece que foi o primeiro incidente", esclareceu Pete.

"Alguém na vizinhança, ou algum parente mais próximo, faleceu recentemente — alguém com quem talvez vocês não se entendessem muito bem?"

"Não."

"Alguém na família está fazendo tratamento com um psiquiatra?"

"Não."

"Vocês compraram algum móvel de antiquário ou de segunda mão — digamos, em um bazar de garagem — antes de o tumulto começar?"

"Não."

"Alguém da família comprou ou ganhou um presente ou uma estatueta estrangeira incomum? Estátuas de madeira? Um boneco de vodu haitiano? Um quadro de alguma deidade de outra religião?"

"Não."

Enquanto Ed e Lorraine faziam perguntas aos Beckford, começaram a ocorrer batidas intermitentes. Os sons foram ouvidos dentro das paredes por alguns minutos, depois pararam. Eles recomeçaram alguns minutos mais tarde, dessa vez emergindo de vários pontos do piso. Os barulhos eram audíveis o suficiente para serem registrados pelo gravador.

Os Warren continuaram com as perguntas, ignorando a atividade. Então, Ed deu início a uma série de questionamentos específicos que ele esperava que pudessem identificar a origem do problema.

"Vocês têm algum interesse no oculto como passatempo? Têm participado de sessões com grupos de expansão de consciência?"

"Não."

"Algum de vocês comprou ou tomou emprestados da biblioteca livros sobre satanismo ou rituais de bruxaria?"

"Não."

"Pelo que vocês sabem, foi realizada alguma sessão espírita nesta casa — mesmo anos atrás?"

"Nunca", foi a resposta firme.

"Eric, Vicky, algum dos seus amigos tem interesse no oculto, ou talvez faça rituais ou magia cerimonial?"

"Não."

"Algum de vocês usou um tabuleiro Ouija ou algum instrumento de escrita automática?"

"Ai", disse Vicky, em pouco mais que um sussurro.

"Você usou um tabuleiro Ouija, Vicky?", Lorraine perguntou especificamente para a garota.

"Sim", admitiu ela, para surpresa da família.

"Tudo bem, querida, então é melhor você nos contar tudo sobre isso", disse Lorraine. "Comece bem do início, por favor."

Com isso, Vicky Beckford contou como estivera usando o tabuleiro Ouija para se comunicar com o espírito de um "adolescente" que supostamente havia morrido nas redondezas uns dez anos atrás. Ela admitiu nunca ter de fato visto o espírito, embora, uma vez, tivesse pedido para que ele se manifestasse. A garota também defendeu a existência real do espírito, citando eventos futuros que ele previu com exatidão dias antes de acontecerem. Ela negou que o seu amigo espiritual pudesse ter provocado aquela atividade horrenda na casa. Ele era "gentil e compreensivo", *não* cruel e destrutivo.

"Esse espírito revelou o nome a você?", Lorraine perguntou à moça quando ela terminou de falar.

"Não, ele me disse que não *podia*", respondeu Vicky.

"Presumo que você ainda esteja se comunicando com esse espírito", disse Lorraine.

"Não", admitiu Vicky, com certa tristeza. "Devo ter feito alguma coisa errada. Nunca mais consegui me comunicar com ele depois que pedi para ele se mostrar para mim naquela noite."

"Quando foi *aquela noite*?", pressionou-a Lorraine.

"Só um minuto", disse Vicky, levantando-se e indo para o quarto. "Dia 2 de março", gritou ela, voltando para a mesa logo em seguida.

"E a atividade começou...?"

"No dia 3 de março!", concluiu Pete Beckford, olhando para Ed.

Pete, Sharon e Eric haviam ouvido, estupefatos, à história inusitada de Vicky. Como poderia algo tão bobo como um tabuleiro Ouija causar tamanha calamidade? Assim, em meio ao barulho das pancadas, Ed não teve escolha a não ser passar a meia hora seguinte explicando à família a realidade medonha dos fenômenos demoníacos.

Quando ele terminou sua explicação, os Beckford permaneceram sentados em silêncio, perplexos. "Sr. Warren", Pete por fim sentiu-se compelido a indagar, "como *sabe* disso tudo?"

"Sr. Beckford", respondeu Ed, "esse é o meu trabalho e eu o venho fazendo por toda a minha vida. Eu sou um demonologista."

"Meu Deus", foi tudo o que Pete conseguiu dizer.

Encerrando a entrevista com a família Beckford, Ed e Lorraine pediram licença para conversar a sós lá fora, no gramado da frente. O casal concordava que o caso era muito mais sério do que havia imaginado no início. Com certeza, o assédio nunca cessaria por si mesmo. Na realidade, a atividade estava chegando a um estágio perigoso. E, como a família já havia percebido, eles não evitariam o problema fugindo dele — o problema os seguiria para onde quer que fossem. Os Warren chegaram à conclusão de que a solução mais rápida seria envolver a Igreja imediatamente — para que o fenômeno pudesse ser verificado e, então, combatido.

Ed sabia que, em algum momento, um clérigo teria que testemunhar o que estava acontecendo, e ele queria que o padre Daniel especificamente fosse essa testemunha. Com a permissão dos Beckford, ele telefonou para o mesmo padre escolhido como inimigo pelo espírito vinculado à boneca de pano Annabelle. O padre Daniel, um jovem sacerdote versado de trinta e poucos anos, havia estudado demonologia recentemente e, ao longo do último ano, Ed vinha sendo o seu tutor nos aspectos práticos da disciplina.

Algumas horas mais tarde, logo depois do pôr do sol, o padre chegou à residência dos Beckford. Naquele momento, a atividade já havia recomeçado, com pancadas e sons de coisas raspando, bem como a levitação de pequenos objetos. Para testar se as pancadas estavam sendo provocadas de forma deliberada, Ed bateu duas vezes na parede. Ouviram-se duas pancadas em resposta! Em seguida, ele deu quatro batidas em uma sequência *rápida*. Quatro batidas rápidas soaram no piso, depois na mesa. Obviamente, havia uma inteligência por trás da atividade.

Ed pediu que o padre Daniel recitasse uma bênção em cada cômodo, o que, depois de feito, reduziu a força e a frequência das pancadas — o aspecto mais irritante da perturbação. Depois disso, Ed e Lorraine sentaram-se na sala de estar e deixaram o padre a par da situação. Os Warren tinham que partir para o Maine naquela noite, mas o padre Daniel ficaria com a família durante a ausência do casal.

"Agora você será alvo de ódio", Ed disse ao jovem padre, sem rodeios. "Em hipótese alguma você deve desafiar os espíritos ainda não identificados que estão aqui. Você corre perigo físico *e* mental nesta casa. Se não for cauteloso, pode se machucar seriamente. Por isso, não tente resolver os problemas sozinho. Apenas seja forte e não deixe que suas emoções o dominem. Use o rosário, não a raiva." Ed entregou-lhe um cartão. "Aqui está o número do telefone de onde estaremos. Não suponha nada. Se houver alguma coisa que você não saiba ou com a qual não possa lidar, ligue para nós, de dia ou de noite." Anotando outro número de telefone, Ed acrescentou: "O padre Shawn McKeegan será o seu superior imediato neste caso. Eu já entrei em contato com ele. Ligue para o padre McKeegan todos os dias e o mantenha informado da atividade que estiver ocorrendo aqui.

"Nesse meio-tempo", disse Ed a Sharon Beckford, "sabemos que vocês estão nas melhores mãos, e sempre existe a possibilidade de que a presença de um padre faça com que os fenômenos parem."

Depois de fazer tudo quanto podiam naquela noite, Ed e Lorraine partiram para o aeroporto. Eles se manteriam constantemente em contato via telefone e retornariam de Vermont de imediato caso o padre Daniel precisasse deles.

Com a partida dos Warren, a família ofereceu ao padre Daniel o quarto de hóspedes. Naquela noite, após apagar as luzes, o sacerdote deitou-se e ouviu todos os sons aterradores que os Beckford vinham ouvindo no último mês.

Nos poucos dias que se seguiram, a atividade prosseguiu inalterada. O padre Daniel continuou a testemunhar os barulhos e os estranhos movimentos de objetos. Ainda por volta da quarta-feira após a semana de Páscoa, ficou evidente que a atividade estava ocorrendo apesar da presença do padre — ou com o intuito de desprezá-lo. Sempre que o padre Daniel pedia um lápis, um copo de água ou um livro, o objeto se erguia e flutuava até ele ou, com maior frequência, simplesmente estaria ali na *próxima* vez em que ele o procurava. Em umas poucas ocasiões, o objeto já estava a caminho antes mesmo de o padre pedi-lo. Tais atos pareciam divertidos, mas Ed alertou que o padre Daniel não os levasse a mal. Tais desafios sarcásticos tinham por objetivo testar a paciência do clérigo, ou até provocá-lo a um envolvimento emocional que talvez não conseguisse controlar.

Quando todos se recolheram na noite daquela quarta-feira, a atmosfera na casa era qualquer coisa, menos divertida. A fúria da barulheira impediu que qualquer um dormisse. Porém, além do caos, uma presença maligna e assustadora fez-se bastante evidente na casa. Ao longo da noite toda, o padre Daniel sentiu a hostilidade violenta e colérica daquela entidade.

Na quinta-feira, 18 de abril, quando os Warren retornaram, o padre Daniel estava esgotado e muito pálido. Depois de quatro dias e quatro noites com os Beckford, ele precisava afastar-se da árdua tormenta demoníaca. Naquela tarde, ele voltou para o seu presbitério a fim de recuperar-se por alguns dias. Ele também informaria o padre McKeegan que talvez um exorcismo tivesse que ser realizado na casa.

Enquanto isso, Ed e Lorraine passaram a noite com os Beckford para verificar, por si mesmos, os fenômenos, bem como tentar discernir a natureza exata da presença espiritual. Com medo, Eric e Vicky instalaram-se no chão do quarto dos pais. Dormindo com as roupas que usavam durante o dia, como todos os demais, Ed e Lorraine descansariam nas camas de solteiro no quarto de Eric, do outro lado do corredor.

Quando as luzes dos Warren se apagaram naquela noite de quinta-feira, os fenômenos manifestaram-se com força total, começando com grunhidos e outros sons bestiais, seguidos por aquela espécie de gritos penetrantes e pavorosos associados a um filme de terror. Somado a isso, havia sons de coisas rasgando e arrebentando, os quais se transformaram no barulho de tábuas sendo arrancadas das paredes. Em pouco tempo, as pancadas usuais começaram. Elas se intensificaram, dando a impressão de que golpes de um punho gigantesco atingiam a casa. A força dos golpes fazia a construção inteira tremer. Ed pensou, preocupado, se a integridade estrutural da casa ainda poderia suportar tamanha violência.

Por praticamente uma hora, os fenômenos ganharam poder e intensidade, todos os sons enlouquecidos acontecendo ao mesmo tempo. De repente, gritos aterrorizados fizeram-se ouvir no quarto de Pete e Sharon. Quando Ed chegou lá, a família, histérica, afirmou que algum tipo de figura muitíssimo escura se manifestara e começara a circular pelo quarto.

Indignado com o abuso que estava sendo infligido à família, Ed decidiu ir adiante e desafiar o que quer que estivesse na residência a revelar a sua identidade. Ordenando que Eric fosse até o quarto para que ficasse com Lorraine, ele pediu que Vicky e os pais da garota se sentassem na cama.

Então, ele traçou uma grande cruz no ar com a mão direita. "Em nome do Pai, do Filho e do Espírito Santo, eu exijo que revele a sua identidade. Em nome de Jesus Cristo, você *é* um espírito demoníaco?"

Com isso, a cama de casal, com os três Beckford em cima, ergueu-se de maneira sobrenatural e permaneceu suspensa no ar, a uns sessenta centímetros do chão. De repente, a penteadeira avançou depressa pelo quarto, como se tivesse rodinhas. Ed conseguiu sair do caminho antes de o móvel colidir contra a parede, no mesmo instante em que a cama de casal despencou no chão.

Enquanto isso, Eric estava deitado, chorando em silêncio na outra cama de solteiro, no seu quarto. Quando Lorraine se voltou para confortar o adolescente, para o seu espanto, Eric estava *levitando* uns sessenta centímetros acima da cama! Um segundo depois, ela observou o adolescente ser atirado com tremenda força contra a parede do outro lado, a 1,5 metro de distância. O garoto, então, despencou, parecendo um amontoado no chão.

Lorraine saiu da cama de um salto e acendeu a luz, instante em que os demais entraram no quarto. Atordoado e trêmulo, Eric não tivera nenhum osso quebrado, mas o rosto e o peito estavam inchados e apresentavam hematomas.

O sinal pedido por Ed fora dado. O espírito demoníaco estava agindo! Isso ficou ainda mais evidente na manhã seguinte, depois do nascer do sol, quando Lorraine olhou pela janela do quarto. De cabeça para baixo, fincado em um monte de neve que ainda não havia derretido, estava o crucifixo de nogueira de trinta centímetros que estivera pregado no quarto de Pete e Sharon desde o dia em que se casaram.

Na sexta-feira, 19 de abril, enquanto Ed e Lorraine permaneciam na sua estadia com os Beckford, os fenômenos tornaram-se um espetáculo ainda maior de poder preternatural. Obscenidades e blasfêmias surgiam no teto do quarto dos pais, escritas em tinta vermelha indelével. De forma ainda mais surpreendente, enquanto todos observavam, o papel de parede começou a se soltar, uma folha por vez, revelando linguagem imoral e blasfêmias, novamente escritas em tinta vermelho-sangue na parede, sob o papel! Quadros agora não apenas se moviam por si mesmos: eles começavam a queimar e explodir em chamas. Trabalhos de crochê, toalhas de banho e cachecóis pegavam fogo de repente e, então, ardendo em chamas, atiravam-se em alguém no cômodo.

A atividade feroz continuou durante o fim de semana. Os Warren cancelaram todos os compromissos para poderem ficar com os Beckford até a volta do padre Daniel, no domingo. Enquanto isso, a violência prosseguia na mesma intensidade. Na sala de recreação no porão, pesadas poltronas reclináveis erguiam-se no ar, flutuavam até o meio do cômodo e, então, colocavam-se umas sobre as outras em posições ostensivamente sexuais. A certa altura, o restante da mobília flutuava para a mesma área e despencava a esmo no chão. Lá em cima, o papel de parede continuava a se desprender, expondo os odiosos sentimentos do demônio. E, no decorrer disso tudo, focos de incêndio começavam de forma espontânea, exigindo que todos ficassem atentos para impedir uma conflagração súbita.

No domingo, quando do regresso do padre Daniel, ficou evidente para Ed e Lorraine que apenas um exorcismo poderia colocar fim àquela fúria. Normalmente, um padre não precisa de permissão para exorcizar uma casa. No entanto, *O Exorcista* acabara de ser lançado como filme e a Igreja estava bastante sensível a críticas naquela época. Desse modo, as instruções que o padre havia recebido do padre McKeegan eram claras: consiga fundamentar a sua solicitação de exorcismo com provas documentais de atividade *sobrenatural*!

Os Warren haviam previsto essa complicação burocrática e já estavam coletando as provas necessárias quando o padre chegou. Contudo, a maior parte do trabalho ainda teria que ser feita pelo padre Daniel. Os Warren, impossibilitados de adiar outros compromissos importantes com pessoas envolvidas em outros casos, tiveram que partir naquela noite para o norte do estado de Nova York. Portanto, o padre precisaria permanecer de novo na casa — para entrevistar a família e relacionar todos os incidentes de fenômenos que haviam ocorrido, enquanto mantinha um registro da atividade incessante, que agora acontecia com ainda mais força e violência.

Na segunda e terça-feira, 22 e 23 de abril, o padre Daniel ocupou-se de documentar a atividade. Reunindo o perfil de personalidade de cada membro da família, ele acabou por ver o custo humano de um assédio diabólico. Talvez o mais afetado fosse Pete Beckford. Desde o início, cada som e cada movimento haviam enchido o homem de um medo que emergia da própria alma. Além disso, ele não conseguia suportar a ideia de que a casa dele parecia, agora, ser a moradia do diabo. Como aquilo tudo era inconcebível e indesejado! Cansado, humilhado e emocionalmente exaurido, Pete Beckford também estava doente, sofrendo de uma dolorosa úlcera para a qual tomava medicamentos caros. Embora mantivesse os comprimidos escondidos, toda manhã ele encontrava a medicação descartada dentro do vaso sanitário e já não podia pagar pelo luxo de renovar a receita médica. Pete não conseguia trabalhar já havia mais de um mês e as constantes despesas com danos e profissionais de conserto estavam devorando suas minguadas economias.

"A opressão interna pode ser vista como um processo paulatino", explica Ed. "Quando começa, trata-se basicamente de uma situação de resposta a estímulos. O espírito estimula determinada emoção — digamos, a depressão. Se a pessoa responde ao impulso, o espírito passa a repetir o estímulo. Se a pessoa continua respondendo, então aquela emoção será reforçada com tanta frequência e intensidade que, por fim, um belo dia, acaba acontecendo um colapso ou uma catástrofe. Muitas vezes, porém, o indivíduo sequer saberá que está sendo programado para destruir a si mesmo, porque a opressão também pode ser externa. Assim, enquanto o espírito está transformando a depressão interna em profundo desespero, ele distrai a atenção da pessoa para o seu aparelho de alta fidelidade que custou mil dólares e está levitando no meio da sala, prestes a se arrebentar no chão."

Sharon Beckford reagira em um nível mais pessoal. Por que aquela violência, destruição, vulgaridade e ódio estavam acontecendo? Eles haviam trabalhado a vida inteira para construir uma boa casa e uma família decente. Eles e os filhos iam à igreja todo domingo. Com lágrimas de raiva, Sharon fazia perguntas categóricas para as quais não havia respostas prontas: "Se isto é o diabo agindo, então, onde está Deus? É *justo* que nossa casa toda seja destruída porque nossa filha usou um tabuleiro Ouija?".

O padre Daniel compreendia o sofrimento de Sharon Beckford. No entanto, suas perguntas exigiam uma solução, e o padre foi forçado a respondê-las com as palavras apropriadas do Capítulo XVIII do Livro de Deuteronômio: "Entre ti não se achará quem faça passar pelo fogo ao seu filho ou à sua filha, nem adivinhador, nem prognosticador, nem agoureiro, nem feiticeiro, nem quem consulte a um espírito adivinhador, nem mágico, nem quem consulte os mortos, pois todo aquele que faz tal coisa é abominação ao Senhor".

"Pessoas em situações de opressão", comenta Ed, "costumam perguntar: 'Por que Deus permite que isso aconteça?'. Bem, Deus *não permite* que isso aconteça: as *pessoas* permitem que isso aconteça. O espírito demoníaco tem que atuar de acordo com as regras estabelecidas pelo Criador. É por isso que os atos e comportamentos deles são tão dissimulados: o espírito demoníaco não pode interferir diretamente em assuntos humanos. Porém, as pessoas também têm que obedecer às regras! Portanto, quando um indivíduo viola as regras por livre e espontânea vontade, ele está por conta própria. Ainda assim, os poderes demoníacos são, ao menos teologicamente, limitados à 'tentação'. Em outras palavras, o espírito demoníaco não pode *forçar* alguém a fazer algo contra a própria vontade — mas ele *pode* influenciar a pessoa a cometer atos que ela geralmente não cometeria. Tampouco pode oprimir um indivíduo para além da sua capacidade de resistir. Veja, em termos cósmicos, o espírito demoníaco pode se aproximar apenas até um ponto, não mais que isso. Mas, assim como as pessoas desrespeitam as regras, também o demoníaco as desrespeita. No caso dos Beckford, os espíritos infestadores foram longe demais. Eles infringiram a lei de Deus."

Os efeitos da horrenda perturbação sobre Eric eram difíceis de determinar. Tendo 15 anos, o garoto era sensível e impressionável. Antes do episódio, ele era extrovertido e sociável. Em meados de abril de 1974, estava traumatizado, quieto e recluso. Para o seu próprio bem, o garoto talvez tivesse que consultar um psicólogo.

Vicky demonstrava uma gama de emoções, desde culpa até indiferença. Normalmente, seu comportamento era defensivo; em dadas ocasiões, ela se mostrava hostil e esbravejava com qualquer um à sua volta. A garota era definitivamente uma candidata a possessão, e as circunstâncias eram favoráveis para que isso acontecesse.

Durante todo aquele período, os fenômenos continuaram sem nenhuma mudança. Antes de partir, os Warren haviam chamado o padre Daniel de lado. "Há muitas entidades na casa", disse-lhe Ed, "mas, a julgar pela intensidade e pela força dos fenômenos, suspeitamos que a perturbação esteja sendo causada por algo além de poderes demoníacos. Existe uma clara possibilidade de que uma entidade diabólica superior esteja envolvida, talvez atraída a partir da casa de retiro, onde poderia estar tentando atormentar os monges. Nesse caso, pode ser que você note algum sinal que o alerte de tal presença." Esse sinal se deu na noite de terça-feira, quando Ed e o padre Daniel conversavam ao telefone.

Um aspecto curioso em relação ao assédio diabólico é que o rosário é um tabu para o espírito demoníaco. Apenas as entidades mais ameaçadoras e blasfemadoras se atreveriam a movimentá-lo. Enquanto o padre Daniel falava ao telefone, o rosário saiu flutuando do quarto de hóspedes em que o sacerdote estava instalado. Ele observou o rosário virar à esquerda, flutuar pelo corredor, virar à esquerda outra vez, entrar na cozinha, e, por fim, enrolar-se em uma cadeira ali, em um gesto de estrangulamento.

Foi o suficiente! Ed pediu que o padre Daniel tirasse a família da casa e que todos permanecessem afastados dali até que ele e Lorraine voltassem de Nova York, na quinta-feira. Com isso, todos fizeram as malas e partiram imediatamente.

O padre Daniel voltou para o seu presbitério. Os Beckford foram hospedar-se na casa dos pais de Pete, ali na vizinhança. Uma vez mais, os fenômenos seguiram com eles. Pete Beckford nunca contou aos pais, de 75 anos, o que estava acontecendo à sua família, pois tinha certeza de que o fardo de tal conhecimento bastaria para deixá-los aterrorizados. Não obstante, naquela noite, quando todos se recolheram na casa de "vovó e vovô", a atividade irrompeu. Pequenos objetos levitaram, quadros caíram das paredes e batidas irromperam por toda a residência. O problema não chegou a causar incômodo na noite de terça-feira, mas, na noite de quarta-feira, a casa inteira ressoava com pancadas impiedosas. Na manhã seguinte, as torneiras dos banheiros e outras instalações hidráulicas foram violentamente retorcidas e arrancadas da parede por alguma força inimaginável. Sem tentar explicar a situação, Pete chamou um encanador para consertar o estrago, arrumou as coisas da família, e eles partiram.

Já o clérigo foi afetado de uma maneira muito mais sinistra e nefasta. Pelas duas semanas anteriores, ele havia testemunhado os mais incríveis fenômenos causados pela atividade demoníaca. Aquele diabo teológico assumira proporções reais, e o padre Daniel sentia-se em verdadeiro perigo. De fato, um espírito da casa dos Beckford também o havia seguido. Na primeira vez, ele viu uma forma cilíndrica escura, preta, bloqueando a passagem no estreito corredor que levava aos seus aposentos. Nas demais noites, a forma postou-se no corredor, mantendo o clérigo prisioneiro na sua modesta cela durante a noite inteira. Ao mesmo tempo em que a casa dos pais de Pete estava sofrendo danos, o padre Daniel estava fazendo a barba quando, diante dos seus olhos, a luminária pendente do banheiro apagou e soltou-se do teto, desmontando. Uma a uma, as partes desceram flutuando e pousaram na pia.

Na quinta-feira, 25 de abril, os Warren voltaram do norte do estado de Nova York, tendo cancelado outros compromissos e reorganizado a sua agenda para que pudessem concentrar-se inteiramente no caso Beckford. Eles encontraram o padre Daniel em um restaurante próximo para discutir os mais recentes desdobramentos da situação. Os Beckford não foram encontrados em lugar algum naquela manhã, mas Pete havia entregado ao padre uma cópia da chave da residência. Ed sugeriu que talvez fosse uma boa ideia entrar na casa sem a família por perto para influenciar as coisas de uma ou outra maneira.

Do restaurante, Ed, Lorraine e o padre Daniel seguiram de carro diretamente para a casa. Uma vez que ninguém sabia o que havia acontecido ali dentro enquanto a família ficou fora, Ed decidiu que seria melhor ele entrar sozinho na casa.

Ao destrancar a porta da frente, Ed viu que o lugar inteiro havia sido sistematicamente vandalizado. Abajures, mesas, cadeiras, livros, quadros, roupas e móveis estavam espalhados pela sala de estar. O cheiro também era absurdamente repulsivo. Diversos tipos de líquido foram derramados e deixados ali para apodrecer. Caminhando pela casa, Ed encontrou camas viradas de cabeça para baixo, gavetas largadas e roupas de cama espalhadas por todo lado. Na realidade, tudo quanto fosse passível de sair do lugar parecia ter sido rasgado, arrebentado e virado de cabeça para baixo. Na cozinha, tudo o que estava na despensa e no refrigerador fora amontoado no chão, com pratos e talheres empilhados sobre aquela insanidade absoluta.

Voltando pelo corredor, Ed de repente percebeu que algo estava errado. Um instante depois, a casa começou a tremer violentamente como se tivesse sido atingida por um terremoto, produzindo um barulho estrondoso. Temendo que a estrutura pudesse de fato desmoronar, Ed tentou chegar à porta da frente, mas ele não conseguia se mover!

Ao mesmo tempo, do lado de fora, Lorraine percebeu que Ed estava correndo perigo. Quando ela e o padre Daniel chegaram à porta da frente, viram Ed atordoado, andando pela sala de estar, a camisa coberta de sangue. Ao retirá-lo da casa, eles encontraram no seu braço esquerdo dois talhos longos e profundos, que formavam o sinal da cruz.

Recusando-se a procurar um médico, Ed pediu que eles lavassem o ferimento e, em seguida, fizessem ataduras firmes com gaze e esparadrapo do kit de primeiros socorros do carro. Ed explicou que "golpes psíquicos cortantes começaram a ser desferidos pela sala, abrindo talhos nas paredes e cortinas". Ele recebeu cortes no braço porque o ergueu para cobrir o rosto, sentindo que as forças presentes na casa pretendiam mutilá-lo. Ed acreditava que o ataque fora direcionado especificamente para *ele*, pois foi ele quem primeiro desafiou as forças na casa com provocação religiosa e ameaçou pôr fim à sua ação desenfreada, alertando as autoridades eclesiásticas sobre o caso. Contudo, a lógica de Ed também dizia que os Beckford, em última análise, é que estavam correndo perigo.

"Os espíritos tomaram a casa como primeiro passo para alcançar o seu objetivo: dominar a família inteira", diz Ed. "Em casos desse tipo, porém, Lorraine e eu descobrimos que, na maioria das vezes, as pessoas têm uma força de vontade muito resistente. Portanto, nenhum espírito de fora simplesmente chegará e dominará uma pessoa ou família com tanta facilidade. É por isso que fenômenos de opressão tendem a variar em intensidade, de um caso para o outro. O espírito, ou espíritos, atuará metodicamente sobre uma emoção, ou mesmo uma dúzia delas, até que você fique vulnerável e irracional devido ao tormento. Todo mundo tem um ponto de colapso, mas uma pessoa sem firmeza — digamos, alguém que está às raias do suicídio — pode ser dominada mais facilmente. O espírito não precisa detonar um desvario de atividade. Entretanto, com um indivíduo de vontade firme, o espírito partirá com tudo para cima dele, *inclusive* com a pia da cozinha. O oprimido pode acabar percebendo que não é capaz de *fazer* nada em relação à atividade, então, em vez de enfrentá-la, ele para de resistir e assume uma atitude passiva diante da força opressora. Quando a vontade da pessoa *fica* aberta à dominação, o próximo passo do espírito opressor é a possessão.

"Por outro lado, se a pessoa não desiste, os fenômenos vão continuar ou até aumentar em intensidade até que a pressão se torne insuportável. Um colapso mental seria a etapa lógica seguinte. Contudo, no momento em que deveria sobrevir um colapso, em geral ocorre a possessão ou outra catástrofe. Espíritos inumanos violentos capazes de provocar incêndios poderiam facilmente reduzir a casa a cinzas com todos lá dentro." Quanto piores ficavam os fenômenos, mais perto os Beckford estavam da possessão ou da morte.

Portanto, naquele momento, mais do que nunca, o caso transformava-se em uma confrontação, tornando os Beckford reféns de um jogo muito maior. Por questões de sobrevivência, Ed e o padre Daniel *tinham* que parar aquelas forças maníacas cheias de determinação. Recuar seria tão somente dar carta branca para que o espírito demoníaco matasse, possuísse ou atormentasse a família indefinidamente, e também atormentasse Ed e o padre Daniel pelo resto da vida deles. Portanto, eles não tinham alternativa senão perseverar — e vencer.

Por volta do meio-dia daquela quinta-feira, 25 de abril, os Beckford — pálidos, exauridos e andrajosos — estacionaram na entrada da sua garagem, em um sedã de quatro portas. Quando entraram e viram a casa destruída, a família mergulhou em desespero. No entanto, os Warren e o padre Daniel fizeram com que recobrassem a confiança e, trabalhando todos juntos, ao anoitecer, a casa havia sido colocada de volta a certa ordem.

Na sexta-feira, 26 de abril, após uma noite de caos, Ed e Lorraine ajudaram o padre Daniel com a papelada que ele precisava submeter ao padre McKeegan. Em circunstâncias normais, um padre poderia levar semanas para fazer a verificação, mas, com a ajuda dos Warren, o padre

Daniel partiu naquela mesma noite com toda a documentação necessária para solicitar um exorcismo pela família.

Nesse ínterim, Ed e Lorraine permaneceram com os Beckford. O assédio opressivo havia exaurido a família tanto física quanto mentalmente, e de tal modo que qualquer um deles podia agora ser submetido à possessão. Isso precisava ser evitado a todo custo, embora a força de todos tenha sido necessária para resistir ao bombardeio de atividade que ocorreu no final de semana dos dias 27 e 28 de abril.

Molduras de *metal* agora começavam a arder e pegavam fogo. Cachecóis, roupas de cama e mesa, roupas pessoais e toalhas explodiam em chamas e eram atiradas diretamente nas pessoas que estivessem no cômodo, em geral provocando dolorosas queimaduras. Os fenômenos continuaram noite e dia, sem trégua. Mobília da sala de estar era encontrada no quarto do casal, ao passo que os móveis do quarto surgiam na sala de estar. Cinco minutos depois, a mobília de ambos os cômodos voltava ao seu devido lugar enquanto os Warren e os Beckford observavam, estupefatos.

Na noite de sábado, 27 de abril, Ed comentou com os Beckford que gostava muito do seu carro e que o modelo era muito econômico. Na manhã seguinte, Ed destravou a porta do carro e viu que a alavanca de seta havia sido arrancada da coluna da direção e jogada no banco. Quando o veículo não deu partida, Ed soltou a trava do capô pelo lado de dentro e, então, foi verificar o motor. Sob o capô, os cabos da vela de ignição estavam atados em nós, e as mangueiras a vácuo do carburador haviam sido arrancadas e pendiam, soltas.

No domingo, o padre Daniel enfim telefonou para a casa assediada dos Beckford para dar boas notícias. O padre McKeegan, com quem o padre Daniel estivera em constante contato, havia aprovado a necessidade da realização de um exorcismo na propriedade. Ele designaria um exorcista, que precisaria fazer três dias inteiros de jejum e orações antes de poder realizar o ritual. O exorcista designado para o caso daria início ao seu Jejum Estrito na segunda-feira de manhã. A data do exorcismo, portanto, foi marcada para dali a três dias — quinta-feira, 2 de maio.

Com o confronto final agora iminente, a atividade negativa no interior da casa intensificou-se de uma nova e estranha forma. As movimentações agora pareciam acontecer mais depressa, como em um filme exibido com o dobro da velocidade normal. Naquele domingo à noite, como demonstração de força — ou para indicar a chegada de novas entidades — duas grandes coberturas de metal dos radiadores desapareceram de súbito. Alguns segundos depois, um alto baque metálico fez-se ouvir no porão. Correndo para a porta que dava para aquela parte da casa, Eric encontrou as coberturas dos radiadores na escada do porão.

Mais tarde, naquela noite, houve um extraordinário tumulto no quarto de Vicky, mas não se pôde ver nenhum indício de atividade. Contudo, quando Lorraine deu meia-volta para sair do quarto, ela tropeçou em uma escada extensível de alumínio de quase cinco metros, que estivera escorada do lado de fora da garagem apenas algumas horas antes.

Na segunda-feira, 29 de abril, enquanto estava no quarto de Eric, onde os Warren dormiam, Lorraine ouviu um objeto de metal cair no chão. Era um pino de dobradiça. Quando olhou para a porta, ela viu o outro pino de dobradiça deslizando para cima do seu encaixe. Este também caiu e, um segundo depois, a porta desapareceu! Em seguida, os pinos das dobradiças da porta do armário soltaram-se e aquela porta também desapareceu! Foi uma demonstração de poder que, contudo, não intimidou Lorraine.

Na terça e na quarta-feira, com a proximidade do exorcismo, foi impossível dormir à noite. A atividade incessante era perigosa demais para que qualquer um a negligenciasse. No dia 1º de maio, véspera do exorcismo, todos se limitaram a dormir em turnos, revezando-se na patrulha da casa a fim de evitar incêndios ou outros potenciais perigos.

Por volta das 22h30 da noite de quarta-feira, Lorraine estava no corredor quando o vão da porta que leva à sala de estar começou a brilhar. Alguns instantes depois, o vão inteiro estava mergulhado em uma luz resplandecente tão intensa que Lorraine não conseguia olhar diretamente para ela. *Seria um sinal positivo?*, perguntou-se ela. O espírito demoníaco não chega em raios resplendentes de glória.

Pete Beckford e Ed estavam na sala de estar nesse momento e também viram a luz. Todavia, no meio daquela luz, também viram uma silhueta começar a emergir lentamente.

Lorraine entrou na sala de estar por uma porta diferente e, com os homens, assistiu à materialização ficar cada vez mais nítida. Passado um minuto, a forma de uma senhora idosa fez-se visível, embora estivesse completa apenas da cintura para cima. O que significava aquilo? Estaria essa entidade afirmando ser a responsável por toda a calamidade que havia ocorrido?

"Fale conosco", disse Ed, em alto e bom som. Mas o misterioso espectro simplesmente olhou para cada um deles, sem responder. Parecia ser um fantasma, mas Lorraine, que se concentrava na figura semimaterializada no vão da porta, percebeu que a cena toda era um truque.

Fantasmas costumam ser chamados de "anjos do diabo" e, pelo menos metade das vezes, o que surge como um fantasma é, na verdade, um espírito inumano projetando-se em disfarce humano. "Ed", disse Lorraine, "afaste-se. *Isso não é humano!*"

Naquele instante, duas poltronas aveludadas ao lado da lareira tombaram de lado. Elas rolaram na direção de Ed, ergueram-se no ar, os pés voltados para ele, e conseguiram prendê-lo contra a parede. O busto no vão da porta observou tudo com um largo sorriso sarcástico, desaparecendo a seguir. Ed fez o sinal da cruz sobre as cadeiras, que caíram imediatamente no chão. Um instante depois, um vidro de esmalte levitou e disparou para o outro lado da sala, quase acertando a testa do demonologista.

Faltando apenas doze horas para o exorcismo, Ed, Lorraine e os Beckford estavam determinados a não fechar os olhos. Apesar de cansados à exaustão, eles se mantiveram em vigília a noite toda. As luzes permaneceram acesas e fazia-se garrafas e mais garrafas de café.

Deram 2h, 3h, 4h da manhã, e não houve incidentes dignos de nota. Às 5h, a noite enfim começou a ceder lugar ao dia. Lá fora, pássaros começaram a gorjear à medida que o sol se erguia devagar através das árvores que se enchiam de brotos.

A manhã de quinta-feira havia chegado. Em seu próprio gesto de preparação, a família Beckford e os Warren foram de carro a uma igreja nas redondezas para participar da missa das 8h. Então, voltaram para a casa às 9h e aguardaram a chegada do exorcista.

Às 9h30, ele chegou. Embora já estivesse na meia-idade e começasse a ficar calvo, o padre Roark era de compleição física forte e parecia mais um estivador que um homem da Igreja. A atitude daquele padre sisudo e grave, que vestia uma camisa preta de mangas curtas e colarinho clerical branco, era pura seriedade. Não obstante, junto de muitos outros padres, ele havia rezado longamente pelo sucesso do exorcismo que estava prestes a realizar.

O padre Roark e Ed Warren já haviam trabalhado juntos uma vez e confiavam um no outro. Naquele momento, eles se dirigiram à cozinha para conversar. Ed pensava que os espíritos envolvidos no caso eram mais que demoníacos?

Ele tinha plena certeza de que, acompanhando espíritos inumanos inferiores, estava presente uma entidade do tipo íncubo, que viera atraída pela garota. Porém, diante do poder incomum do ataque e da proximidade da casa de retiro na vizinhança, ele acreditava que uma inteligência diabólica superior — um diabo — estava de fato no comando do ataque.

Olhando para as ataduras no braço de Ed, o padre perguntou: "Isso aconteceu aqui?".

"Sim", Ed foi obrigado a dizer.

Ele e o padre Roark voltaram para a sala de estar, onde Lorraine e os Beckford aguardavam, sentados. Da mala preta, Roark retirou uma estola roxa, beijou-a e colocou-a sobre os ombros. Antes de dar início ao ritual, o exorcista abençoou, separadamente, todos os presentes na casa, de modo que nenhum mal lhes sobreviesse durante a leitura do exorcismo.

Desde a sua chegada, o padre havia falado muito pouco com qualquer pessoa, à exceção de Ed. Quando chegou a vez de abençoar a filha da família, no entanto, ele perguntou com severidade: "Você é Vicky?".

"Sim, padre", respondeu a garota.

"O padre Daniel Mills me contou o que você fez aqui", disse ele, categoricamente. De repente, amedrontada pelo tom intimidador do sacerdote, Vicky Beckford tentou conter lágrimas de culpa e vergonha.

Inflexível, o padre perguntou: "Vicky, você *desejou* que esta situação terrível acontecesse a sua família?".

"Não, é claro que não!", disparou ela, com raiva, em resposta. Mas, então, abaixou a voz. "Não, padre. Eu não desejei que isto acontecesse. Foi um acidente."

"A Igreja considera pecado o que você fez. Sabia disso? Já pediu perdão ao Senhor?"

"Sim, padre."

"Ótimo", disse ele, abençoando a garota. "É necessário compreendermos uns aos outros." Tendo abençoado todos aqueles que estavam ali presentes como testemunhas, o exorcista começou a ler o rito de exorcismo.

Recitado parte em inglês, parte em latim, o rito consiste em orações, salmos e pronunciamentos que comandam que os espíritos invasores deixem a propriedade. O exorcista levou mais de uma hora para ler o ritual inteiro. Durante a leitura, não se ouviu um único som na casa, salvo a voz do padre. Exceto pela óbvia destruição visível por toda parte, era como se nada jamais tivesse acontecido ali.

O ato que conclui o exorcismo é uma ordem direta e explícita para que o espírito revele a sua identidade. Estando todos de pé em um amplo círculo no meio da sala de estar, o padre Roark leu, com voz profunda e séria:

"Ordeno-te, espírito imundo, ó Antiga Serpente. Pelo Juiz dos vivos e dos mortos. Pelo Criador do Mundo, que tem o poder de lançar no Inferno, dize-me teu nome ou dá um sinal e sai imediatamente desta casa!"

O padre esperou por um minuto inteiro, mas nada aconteceu. Obviamente contrariado pelas suas palavras terem sido ignoradas, Roark repetiu a ordem em voz alta e trovejante, acrescentando frases ainda mais ameaçadoras.

"Eu ordeno, sob pena de castigo, a cada espírito imundo, a cada diabo, a cada parte de Satã: sai, pelo Nome de Deus.

"Submete-te a Deus!

"Não é aos homens que estás desobedecendo. Deus, o Pai, é que ordena! Deus, o Filho, é que ordena! Deus, o Espírito Santo, é que ordena!

"Ouve, portanto, e teme, Satã! Inimigo da raça humana! Origem da morte! Raiz do mal! Sedutor dos homens! Motivo de discórdia! Criador de agonia! Contempla a Cruz do Mais Excelso Deus! Ordeno-te: obedece e vai embora! Dize o teu nome ou dá um sinal e sai desta habitação!"

De repente, Sharon Beckford gritou: "Ali! Ao lado da lareira!".

À medida que o seu aspecto manifesto se tornava lentamente discernível, ficou evidente a todos que testemunhavam que a cabeça da coisa tinha chifres. Ela ficava de pé sobre cascos fendidos e tinha cauda! Ao mesmo tempo, a temperatura da sala despencou para um frio quase enregelante enquanto o cheiro nauseabundo de carne em decomposição encheu o ar.

Aspergindo água benta na imagem insolente de mais de dois metros, o padre Roark ordenou: "Vai embora, em Nome de Deus".

O espírito desapareceu no mesmo instante. Contudo, assim que a silhueta sumiu, o rosto vermelho-sangue de um diabo, a cabeça do tamanho de uma bola de basquete, surgiu no sujo carpete bege. A cabeça ameaçadora também tinha chifres, que se projetavam para os lados.

O exorcista agitou o aspersório cheio de água benta na figura bidimensional que olhava para cima a partir do chão, projetando um olhar de ódio irado. Então, pouco a pouco, ela desvaneceu. Um minuto depois, tudo o que havia restado era um contorno róseo no tapete.

O sinal havia sido dado. Assim, o exorcista leu a oração final de ação de graças, terminando enfim com a afirmação: "Dado a nós o sinal da partida, confio a segurança destas pessoas, os Beckford, e da casa deles em Vossas mãos, Senhor. Ouvi-nos, e ouvi suas orações; concedei que eles vivam em paz e contentamento deste dia em diante. Em nome do Pai, do Filho e do Espírito Santo. Amém".

O que ocorreu na residência de Pete e Sharon Beckford entre os dias 3 de março e 2 de maio de 1974 é classificado como um verdadeiro ataque diabólico. O terrível assédio que durou sessenta dias consecutivos cessou de forma abrupta com o exorcismo realizado na casa, em 2 de maio de 1974.

O caso, bem como todos os seus pormenores, é agora um fato registrado. Nos seus próprios arquivos, Ed Warren conserva uma declaração escrita pelo irmão de Pete Beckford, o qual foi testemunha involuntária dos fenômenos ocorridos na casa.

> Nem eu, nem ninguém da minha família jamais testemunhamos ou, de fato, vivenciamos algo tão esquisito e aterrorizante. Tenho certeza de que o impacto daquela experiência obscura permanecerá para sempre com os meus temerosos filhos e a minha esposa. A incompreensível adversidade que testemunhamos deixa o nosso assustado grupo familiar em completo aturdimento. Pelo menos neste momento, ela desafia todas as explicações racionais e lógicas. Todas as provas tangíveis e os fatos relacionados ao mistério preternatural dos eventos testemunhados pela nossa família devem ser desnudados e, então, racionalmente examinados por pessoas competentes que tenham experiência no trato dessas questões estranhas e desconcertantes. Quando, e se, tal estudo for levado a cabo, acredito firmemente que as suas conclusões finais acabarão por sugerir que poderes ou influências sobrenaturais estavam operando ali.
>
> — *Terence Beckford*

Após o exorcismo da sua casa, a vida dos Beckford voltou gradualmente ao normal. No entanto, o período prolongado de danos a móveis, paredes, tapetes, colchões, roupas de cama, instalações hidráulicas, telhado e carros teve um custo muito superior a 5 mil dólares. (Ironicamente, o seguro da família não cobria “atos de Deus”.) Hoje, os Beckford vivem satisfeitos na mesma pequena casa suburbana. Eric está em outra cidade, fazendo faculdade. E, é claro, Vicky, atualmente casada, está sempre ocupada — como se poderia esperar — com três filhos pequenos para criar.

11

UM SERVO DE LÚCIFER

O que aconteceu à família Beckford não é, em absoluto, um evento comum. Não obstante, atrair espíritos negativos para junto de si não é assim tão incomum. Todo ano, Ed e Lorraine Warren atuam em pelo menos uma dúzia de casos sérios de opressão e possessão demoníaca, e é impossível dizer quantos outros casos o clero especializado é chamado a resolver no mesmo período.

O que distingue o caso Beckford é que ele constituiu um ataque *diabólico*. "Fenômenos de infestação e opressão são uma coisa", diz Ed, "mas, quando se tem um ataque diabólico, você está lidando com algo muito mais poderoso que o espírito demoníaco. O espírito demoníaco tem apenas determinado grau de conhecimento e o seu intelecto pode ir apenas até certo ponto. Por outro lado, este caso saiu do controle devido à intervenção da hierarquia satânica. Para fazer uma analogia, uma coisa é pilotar um avião de bombardeio e lançar uma bomba atômica; outra coisa é *inventar* a arma. Essa é a mesma distinção entre diabos e demônios. Embora ambos pertençam ao assim chamado Reino, o espírito demoníaco é uma entidade vil e bestial quando comparado à inteligência mais profunda da hierarquia diabólica. No entanto, não tenha dúvidas de que ambos estão em busca da mesma coisa: o espírito demoníaco apenas faz o trabalho sujo. Ainda assim, quando se tem um caso envolvendo fogo; o teletransporte de bigornas, portas e coberturas de radiadores; a levitação de objetos extremamente pesados; a movimentação sacrílega de rosários e estátuas abençoadas; além de exemplos irracionais, quase insanos de blasfêmia — então, é certo que existe um verdadeiro maníaco por trás da situação, orquestrando o pandemônio."

Por que esse poder diabólico se mostrou como um diabo clássico durante o exorcismo, com chifres e cauda? Esse detalhe é difícil de acreditar.

"Bem, com certeza", responde Ed. "É exatamente por isso que ele se manifestou dessa maneira. Ele assumiu a forma de um diabo arquetípico para, primeiro, preservar o anonimato — sempre uma prioridade para o demônio. E, segundo, para fazer o exorcista parecer possivelmente um tolo. Quando tivesse que relatar a aparência que o espírito assumiu ao receber o comando para ir embora, isso levantaria dúvidas quanto à credibilidade do exorcista ou sobre o caso em geral. Esse tipo de comportamento é padrão no que diz respeito ao demoníaco. No entanto, independentemente da forma que tenha assumido, o importante para os Beckford é que as forças *foram* expulsas da casa."

E quanto às pessoas? Que efeitos sofrem os seres humanos que passaram por um episódio com o espírito demoníaco?

"Dada a natureza extremamente traumática da maioria dos casos envolvendo fenômenos demoníacos", explica Lorraine, "recomendamos que os principais envolvidos participem de um programa de acompanhamento de seis meses, para que consigam lidar com o que aconteceu na vida delas. Recobrar a estabilidade psicológica é algo muito particular e exige bastante autoanálise. Normalmente, o acompanhamento é feito por um clérigo da fé da família, às vezes até o próprio ministro. Quando isso não é possível, Ed e eu ajudamos tais pessoas ao longo dos meses difíceis. Às vezes, é claro, o choque é grande demais, e certos indivíduos vão precisar de psicoterapia. De qualquer forma, sempre se fica abalado após uma experiência com o fenômeno. Alguns escolhem vê-lo por aquilo que ele é; outros vão além e o consideram uma 'revelação'; há ainda aqueles que precisam de um prolongado processo de terapia, ou mesmo hospitalização por longos períodos. E outros, por razões psicológicas, simplesmente vão negar que os eventos diabólicos um dia aconteceram.

"Via de regra, aqueles que conseguem lidar com o problema vão tomar as precauções necessárias para que ele nunca volte a acontecer na sua vida; aqueles que não conseguem compreender, ou não querem, permanecem abertos à ocorrência de problemas ainda mais graves no futuro. A maioria, porém, leva a sério o que aconteceu e, assim, promove grandes mudanças, às vezes até mesmo radicais no seu estilo de vida.

"Essas pessoas começam se afastando fisicamente do cenário", prossegue Lorraine. "A pessoa ou família se muda de um lado do país para o outro, vai morar no exterior ou volta para o estado ou a cidade onde cresceu. Sua atitude costuma ser: 'Qualquer coisa para sair daqui!'. Embora as pessoas não possam se distanciar fisicamente dos espíritos, a *sinceridade* da ação delas é o que importa — e esse é o verdadeiro mecanismo de distanciamento. Além disso, uma dose assim tão pesada de realidade vai inspirar outros indivíduos a reavaliar o curso da própria vida. Muitas vezes, adultos deixarão um emprego que não seja gratificante e assumirão ocupações criativas ou de assistência social. Invariavelmente, se os principais envolvidos não eram religiosos antes do problema, eles logo passam a 'levar a religião a sério'. Sua ênfase geral é: segurança, redução do medo e prevenção de qualquer recorrência do episódio negativo.

"Tais são as mudanças exteriores", diz Lorraine. "Contudo, em nível emocional e psicológico, pessoas que foram alvo de um ataque espiritual negativo têm muito trabalho mental a fazer para recobrar o equilíbrio. Crianças, infelizmente, costumam ser as mais afetadas. O terror que testemunharam é permanente. Ser exposta a tamanha violência, vulgaridade, indecência e medo persistente deixa em uma criança uma percepção do mundo que poucos de nós conseguiríamos compreender.

"Para adultos, em geral é necessário algum aconselhamento. Embora a possessão ou o pandemônio tenha sido testemunhado em primeira mão, as pessoas geralmente não conseguem aceitar o fato de que forças invisíveis de natureza sobrenatural foram as reais causadoras do caos. A sociedade é, em parte, responsável pelo problema, é claro. As pessoas têm sido metodicamente ensinadas a *não* acreditar em fantasmas, espíritos e forças sobrenaturais porque se supõe que essas coisas sejam 'irracionais'. Na minha opinião, fechar a mente ao conhecimento é que é irracional. No aconselhamento, as pessoas precisam *desaprender* a percepção estreita da vida que lhes foi ensinada e, então, serem expostas ao fato de que o mundo é um lugar muito mais complexo e sério do que elas foram levadas a acreditar."

Por que, na opinião de Ed, algumas pessoas disseram que o caso Amityville foi uma "fraude"?

"Isso faz parte de um padrão de negação que anda de mãos dadas com a questão dos espíritos", esclarece Ed. "Quando alguma coisa é ameaçadora, a mente tenta negá-la. Em psicologia, isso é chamado repressão. Pessoalmente, não fico surpreso com esse clamor de fraude: é um aspecto previsível da reação geral diante de fenômenos demoníacos. Anos mais tarde, ao conversar com pessoas que foram possuídas ou sofreram um assédio diabólico, esses mesmos indivíduos costumam negar que o evento tenha ocorrido. Essas pessoas são mentirosas? Não, elas estão reagindo a um trauma. O que lhes aconteceu é tão incompatível com a sua racionalidade que, como mecanismo psicológico de defesa, elas negam que o evento tenha ocorrido. Em menor medida, a mesma coisa acontece quando surge um livro como *Amityville*. O tema é ameaçador, até mesmo traumático para alguns leitores. Além disso, a palavra 'fraude' é uma garantia de lucros quando usada em uma manchete de primeira página."

Raramente se lê sobre os dois primeiros estágios dos fenômenos demoníacos — a infestação e a opressão — em jornais, exceto em termos da assim chamada atividade "poltergeist". Não obstante, casos de possessão diabólica são publicados, mas a ninguém se conta *como* a possessão ocorreu. Ainda assim, se não se resiste à opressão física ou psicológica, ou se não se consegue obter a ajuda adequada, então, o espírito opressor é capaz de passar à possessão. E, quando isso acontece, as coisas tornam-se muito mais complicadas e sinistras. Afinal, toda a violência e o terror que podem ocorrer durante os estágios de infestação e opressão destinam-se nada menos que à possessão diabólica de um ser humano. Se a opressão for bem-sucedida, a porta de acesso à vontade fica simplesmente escancarada. Então, o indivíduo é invadido por uma, ou até uma multidão, de entidades possessoras.

"Você precisa traçar uma linha bem larga entre opressão e possessão", diz Ed, traçando com o dedo uma linha na mesa. "Durante a opressão, o espírito demoníaco tenta manipular a vontade humana por meio de tentação, intimidação e outras influências sórdidas que o indivíduo em geral pode afastar ou às quais pode resistir. Porém, quando ocorre a possessão, o espírito inumano já não o ataca: ele *se torna* você, por assim dizer. Apoderar-se do corpo da pessoa e impor sua vontade à do espírito humano é o objetivo final do espírito demoníaco. Por incrível que possa parecer, o corpo se torna hospedeiro de um ser completamente diferente. O que possui o corpo é um espírito exterior inumano de natureza claramente diabólica que não tem qualquer relação com o indivíduo possuído. Um espírito independente, com vontade e inteligência próprias, toma o corpo humano à força e, com a própria voz, *desafia* qualquer um a fazê-lo sair."

Expandindo a ideia, Lorraine diz: "Os teólogos costumam chamar o corpo humano de 'a mansão da alma'; a morada que o espírito habita. O espírito demoníaco chama grosseiramente o corpo de uma *casa* para habitar. Pessoas que deixam a 'porta da frente' destrancada, convidando ou atraindo forças espirituais, criam a real possibilidade da possessão. 'O lixo de um homem é o tesouro de outro.' Aqueles que não apreciam o dom da vida correm o risco de tê-la arrancada de uma forma bastante real e física".

Quando a possessão de fato ocorre, existe alguma coisa que fica evidente na aparência do indivíduo afligido?

"Muitas vezes, a pessoa possuída tem uma aparência comum, como você e eu", responde Ed. "Exceto por uma coisa: *os olhos*. Dizem que os olhos são as janelas da alma, e acredito que seja verdade, porque o que se vê nos olhos de uma pessoa severamente oprimida ou possuída é diferente de tudo o que você já viu. Os olhos não ficam caídos ou meio adormecidos; ficam arregalados e vigilantes. Além disso, o que se vê naqueles olhos não é humano: é selvagem, animalesco e cheio de ódio. Já vi esse olhar enlouquecido e sobrenatural muitas vezes na vida e, em cada ocasião, parece que perco uma pequena parte de mim no processo. Estou convencido de que esse é um olhar que as pessoas *não* devem ver, porque é verdadeiramente o espírito do mal vendo através das janelas de um ser humano.

"Há apenas alguns meses, Lorraine e eu tínhamos acabado de participar de um programa de televisão na região norte da cidade de Nova York. Ao sairmos, pegamos um táxi para Chinatown, onde íamos almoçar. Enquanto caminhávamos pela rua, vimos que havia um tumulto na esquina, com carros de polícia por todos os lados. Então, sugeri que cortássemos caminho por uma passagem ou travessa à nossa esquerda que daria na Mott Street.

"Bem, entramos na travessa, que estava lotada de latões de lixo amassados e completamente cheios. Havia moscas, vermes e animais como ratos e baratas por toda parte. A combinação do calor com o fedor do lixo em decomposição logo começou a revirar o nosso estômago. Apesar disso, continuamos seguindo por ali. Mais ao fundo, a travessa fazia uma levíssima curva, de modo que, ao passar da metade, já não se podia ver a rua.

"Estávamos caminhando depressa mas, ao chegarmos à metade da travessa, no final da longa fila de latões de lixo, vimos dois pés estendidos para fora. Pedi que Lorraine ficasse parada enquanto eu seguia em frente. Quando me aproximei, vi que era um homem, um morador de rua. Ele era caucasiano e tinha entre 35 e 65 anos — era impossível dizer. O homem estava semimorto, sentado no chão com as pernas esticadas no caminho, as costas apoiadas na parede. Ele estava mais imundo do que qualquer pessoa que eu já tenha visto: coberto de feridas, abertas e com cascas de cicatrização, e obviamente muito doente.

"Mas isso é apenas o início da história porque, amontoadas sobre o corpo dele — como se o sujeito estivesse sentado na cama, coberto com uma colcha — havia pilhas de lixo em putrefação, das quais escorria chorume. Esse amontoado nojento cobria o homem desde o peito até os joelhos. Os braços estavam caídos no meio do líquido de podridão, e moscas pousavam por todo o rosto e o corpo do homem. Ratos tinham aparentemente mordiscado os seus pés e dedos. Era evidente que o homem não se movimentava havia dias.

"Ironicamente, os sapatos dele estavam dispostos com todo o cuidado ao seu lado, engraxados e prontos para serem usados. Agora, eu já estive na guerra e já vi abominações espirituais em casas mal-assombradas, mas duvido que jamais tenha visto algo mais repulsivo e asqueroso na vida. Como aquilo podia acontecer? *Como* um ser humano poderia ser reduzido a um estado como aquele?

"Olhei para aquela pobre alma deplorável dos pés à cabeça e fui tomado de compaixão e pesar. Quando enfim olhei para o rosto do homem, fiquei chocado e instintivamente dei um passo para trás. O rosto dele estava contorcido em um perverso sorriso de escárnio — e havia aquele brilho horrendo e inumano de delírio nos olhos. Então, eu soube o que havia acontecido a ele. E aquilo que estava possuindo o homem, por sua vez, também me reconheceu.

"'Seu filho da mãe!', falei, tamanha era a minha repulsa diante da cena.

"A coisa riu, debochadamente. 'Eu o estou matando!', ele me disse. 'Em poucos dias, ele vai estar morto. E, sabe de uma coisa, você não pode fazer nada para ajudar. *Porque já está feito!*'"

"A influência demoníaca pode ser de uma feiura repugnante", enfatiza Lorraine. "Quando uma pessoa sucumbe aos impulsos sugeridos pelo demônio — e tais impulsos costumam ser os mais negativos e bestiais — o espírito pode fazer com que a pessoa role no chão como um animal. Por quê? Porque o espírito demoníaco é inumano. Quando oprime as pessoas, ele as desumaniza, exatamente como fez àquele possuído na travessa. Antes de ser possuído, ele deve ter sido duramente oprimido. Quando as suas emoções se igualaram ao temperamento destrutivo do espírito opressor, ocorreu a possessão. É por isso que a opressão demoníaca 'bem-sucedida' pode transformar um ser humano em algo inferior a uma fera."

Qual é a resposta de Ed às críticas ou alegações de que o espírito demoníaco não passa de uma fantasia extremamente vívida da imaginação ou uma mera questão psicológica de dupla personalidade?

"O fenômeno é fruto da imaginação apenas para aqueles que nunca o testemunharam", rebate Ed. "Então, a resposta que dou a isso é: não, esses não são demônios psicológicos. São *entidades*."

Porém, como se pode ter certeza? Quando ocorre a possessão, acontece alguma coisa especificamente física que distingue o fenômeno de uma mudança puramente mental?

"Meu Deus, sim", responde Ed. "Especificamente, quando ocorre a possessão, uma entidade inumana possessora *entra* no corpo da pessoa, às vezes pelo plexo solar, mas em geral pelo lado esquerdo do indivíduo, entrando pela base do pescoço, onde o cérebro e a coluna se conectam.[1] Ao mesmo tempo, o corpo astral — o espírito da pessoa — normalmente é deslocado e sai do corpo físico pelo lado direito. O espírito humano parece uma névoa pálida; o espírito inumano parece uma névoa obscura. Além disso, na minha experiência, em nove de cada dez casos de possessão, os traços faciais da pessoa assumem uma aparência ossuda e distorcida, completamente diferente da aparência normal da pessoa possuída. A voz produzida costuma ser desagradável e masculina, embora não se possa generalizar: geralmente, muitos espíritos participam da possessão de um corpo, cada um com a própria maneira bizarra de vocalizar. Quanto a mudanças no corpo, a força de um possuído é simplesmente absurda. Já vi uma criança possuída arremessar adultos pelo cômodo como um lutador de sumô. E um adulto possuído é totalmente impossível de conter. Eu sei — já fui atacado por pessoas possuídas em mais de uma ocasião e, mesmo sendo grande, pesando cem quilos, posso atestar que nenhum ser humano jamais conseguiria, sozinho, repelir o ataque de um indivíduo possuído. Você está lidando com uma coisa que tem a força de seis homens.

"Esse é o aspecto físico", diz Ed. "Uma vez que aconteça a possessão, o espírito tentará mutilar o corpo que habita — como foi retratado em *O Exorcista* — ou dará início a um rompante de violência física desenfreada. O espírito demoníaco não se contenta em apenas possuir o corpo: sua mente tem fixação pela morte. O motivo básico por trás da possessão é que 'um pode matar muitos'. Não importa se o indivíduo diabolicamente possuído é um líder mundial tirânico ou um matador de rua — o objetivo é o mesmo: um pode matar muitos. Quando você compreende isso, então a estratégia do espírito demoníaco começa a fazer sentido. Até que se realize um exorcismo, o corpo será uma 'casa' para uma ou mais entidades. O ponto principal é que não há nada psicológico com relação a verdadeiros casos de possessão. Em um caso muito sério de possessão, o exorcista chegou a expulsar 98 entidades diferentes do corpo da pessoa possuída — e cada uma delas respondia à menção de um nome diferente! Embora os psicólogos normalmente confundam o fenômeno

1 Na medula oblonga. Para uma explicação mais detalhada, veja *Autobiografia de um Iogue*, de Paramahansa Yogananda. Los Angeles: Self-Realization Fellowship, 1946.

com casos de personalidades múltiplas, a única multiplicidade envolvida é a multidão de espíritos possessores no corpo da vítima."

A qualquer um que solicite provas de "verdadeiros casos de possessão" a Ed e Lorraine Warren é melhor munir-se de coragem suficiente para permanecer sentado durante a resposta. Após uma vida inteira dedicada ao estudo do sobrenatural, os Warren reuniram um tesouro único de dados que cobrem todos os aspectos dos fenômenos espirituais — provas que servem para confirmar tudo o que eles dizem mais de uma dúzia de vezes. Muitas dessas provas estão localizadas no que os Warren denominam o Occult Museum [Museu do Oculto].

O museu — cujo acervo será legado a uma universidade britânica — é contíguo ao escritório de Ed Warren. Ele contém uma extraordinária coleção de fitas cassete com gravações de entrevistas com muitos milhares de pessoas que contataram os Warren ao longo dos anos porque elas — ou a família delas — estavam vivenciando problemas relacionados a espíritos. As detalhadas entrevistas factuais constituem verdadeiras histórias de horror, tragédia e morte infligidas a indivíduos comuns por forças espirituais hostis. Também há um número menor de fitas em que foram gravadas as vozes de espíritos que falaram abertamente em um cômodo, através do corpo de pessoas possuídas, ou por meio de um médium de transe — material que realmente nos leva a refletir. As provas reunidas pelos Warren incluem ainda cerca de mil slides e fotografias que mostram toda uma gama de atividades espirituais que eles testemunharam no seu trabalho, inclusive imagens impressionantes de espíritos em diversos estágios de manifestação. O museu contém ainda arquivos de declarações juramentadas, testemunhos, provas que os corroboram e matérias jornalísticas sobre o trabalho do casal ao longo dos anos. Não obstante, o que mais impressiona o visitante são os estranhos objetos de aparência sinistra que ele vê à sua volta no Occult Museum.

Cada objeto do museu foi retirado de uma casa ou situação em que ocorreram fenômenos demoníacos. Alguns dos objetos e amuletos guardados ali são tão negativamente "carregados" que o simples ato de segurar um deles pode desencadear a manifestação do espírito original ou permitir que uma possessão ocorra de imediato. Os Warren não guardam esses objetos perigosos como recordações de antigas explorações — eles o fazem porque *precisam* fazê-lo. E isso porque, se um objeto diabolicamente carregado for destruído um malefício recíproco poderia ser infligido à pessoa ou família que o possuiu no passado. "É a versão demoníaca do bíblico 'olho por olho, dente por dente'", explica Lorraine. Se a destruição de um objeto negativo não resultar em dano físico, pode acontecer de o espírito retornar ao local de onde foi exorcizado. Em vez de colocar alguém em perigo físico, os Warren respeitam o poder desses objetos negativos e permitem que permaneçam como evidências materiais de que o mal existe no mundo como uma força real, capaz de movimentar-se.

Existem cerca de cem itens na coleção até agora, e alguma história está associada a quase todos eles. Há um colar de pérolas que, quando colocado em volta do pescoço, estrangula a pessoa que o usa. Está ali o longo espeto que uma bruxa satânica usou, muito tempo atrás, para matar o filho recém-nascido em um sacrifício para o diabo. Também ali se encontra a grande boneca de gesso vestida à moda vitoriana que não só assumiu as feições da sua antiga dona como ganhou vida e comportou-se como um ser humano por mais de vinte anos. Há caixas cranianas de seres humanos que foram usadas como "cálices de êxtase" para beber sangue durante rituais de bruxaria. Ali se encontra o caixão em que um homem possuído dormiu todas as noites ao longo da sua vida adulta. Há pedras — algumas bastante grandes — que caíram do céu sobre casas submetidas a assédios diabólicos. Existem crucifixos que foram literalmente *explodidos* por espíritos demoníacos e ainda outros, que satanistas desonraram com urina e excremento. Há pactos escritos com o diabo, bolas de cristal, espadas cerimoniais e adagas sacrificiais. Estão ali as velas pretas e o livro de conjurações do caso Foster e, ao lado da porta que dá para o escritório de Ed, está pendurado o espelho de conjuração removido da casa de Steven Zellner, em New Jersey. A prancheta e algumas molduras queimadas do caso Beckford estão expostas sobre uma mesa não muito distante de um armário de madeira em que Annabelle, a boneca de pano, agora permanece sentada, segurando um crucifixo simples de madeira nas suas mãozinhas de tecido.

E, por fim, há o escuro véu de renda.

O véu fez parte de um caso de possessão em que um espírito inumano deixou uma mensagem direta e explícita para Ed Warren. A voz da entidade possessora foi claramente gravada em fita cassete. Os Warren, sentados juntos em um sofá no Occult Museum, agora explicam o estranho caso da jovem — bizarra por si só — que, certo dia, foi levada ao escritório de Ed Warren por causa de outros problemas de ordem espiritual.

"Ed e eu tínhamos feito uma palestra para uma plateia de universitários", começa Lorraine. "Foi uma palestra normal, exceto pelo fato de que eu sentia, no auditório, uma presença negativa que, por mais que eu tentasse, não conseguia localizar. Quando falamos para um grupo de pessoas, normalmente consigo distinguir quem está ali. Clérigos, por exemplo, costumam comparecer vestindo golas rolê ou camisas informais, mas consigo ver que são do clero pela aura bege-claro que envolve aqueles que foram ordenados. Satanistas e grupos de magia malévola em geral aparecem na nossas palestras vestidos como qualquer outra pessoa, mas a aura deles também se destaca. Naquela ocasião, porém, eu simplesmente não conseguia localizar a origem das vibrações negativas.

"Quando a sessão para perguntas terminou, as pessoas do auditório vieram para a parte da frente do recinto, como sempre; uma dúzia delas cercou Ed, e mais uma dúzia me cercou. Depois de uns quinze minutos, olhei em volta e vi que Ed estava conversando com um rapaz, um estudante. Ao lado do jovem estava uma garota que, por algum motivo, fervilhava de fúria. No mesmo segundo pedi licença ao grupo que estava à minha volta e fui para junto de Ed."

"Jimmy, o rapaz que estava falando comigo", conta Ed, "havia levado a namorada, Kendra, para a nossa palestra porque suspeitava que ela havia sido tomada por alguma influência oculta. Ele me contou que, quando a namorada ficava irritada, ela se enchia de intenso ódio e fúria; suas feições mudavam para algo que lembrava um 'lobo' e, então, a voz de uma 'pessoa' diferente falava de dentro dela.

"Quando Lorraine veio até mim, a garota experimentou um episódio de possessão instantânea bem ali, no palco. Ela investiu contra Lorraine e efetivamente tentou *matá-la*. O incidente não só assustou a minha esposa como deixou apavoradas todas as demais pessoas à nossa volta, que rapidamente saíram dali. Encerramos a sessão de bate-papo com o público na mesma hora. Levei Kendra e o namorado para uma sala atrás do palco. Lorraine ficou esperando no saguão enquanto eu conversava com aqueles dois.

"Na sala atrás do palco, a garota sofreu uma possessão completa. Sua respiração era pesada, e a entidade que a possuía estava totalmente tomada de um ódio intenso e violento. De alguma forma, suas feições também assumiram a aparência lupina de que o rapaz havia falado. A voz destoante projetada pela entidade mais tarde provou ser diferente da voz da jovem. Eu não tinha um gravador comigo na ocasião, mas isso não teve a menor importância, porque a coisa que possuía a garota apenas desatou a bradar em uma incompreensível fúria acusatória.

"Depois de uns dez minutos, a possessão passou. Então, a garota parecia estar bem — pelo menos quando eu não me aproximava, o que aparentemente tornava a instigá-la de novo. Assim, para evitar problemas, sentei do outro lado da sala. Quando senti que podia conversar com ela, contei-lhe sobre o incidente que eu havia acabado de testemunhar. Ela me disse que tinha apenas alguma consciência da sua condição, embora de fato reclamasse de perdas de memória que a faziam pensar que estivesse enlouquecendo. A garota não conseguia se lembrar de horas e até dias inteiros da sua vida. No decorrer dos três meses anteriores, explicou ela, aquilo havia piorado. Eu lhe falei que perda de memória sempre acompanhava casos de possessão, porque não havia nada para *ela* lembrar. Os lapsos de memória representavam episódios de possessão — em que a vida era levada não por ela, mas pela entidade possessora. No entanto, antes que qualquer coisa pudesse ser feita pela garota, o que realmente se precisava saber era *por que* ela vinha sendo possuída?

"Descobri que Kendra era uma jovem grã-fina — talvez até mimada — que tinha dinheiro suficiente para comprar qualquer coisa que quisesse. Mais ou menos um ano antes, porém, chegou um momento na sua vida em que ela encontrou algo que o dinheiro não podia comprar. Esse 'algo' era o rapaz sentado ao seu lado. Jimmy era um tipo nórdico, matriculado em uma faculdade que fazia parte da Ivy League [grupo de oito universidades da Nova Inglaterra, que têm em comum a excelência acadêmica e o elitismo], em um estado próximo. Kendra havia conhecido o rapaz na sua cidade natal, no verão anterior, e parece que eles se encontraram algumas vezes. No entanto, ao final do verão, como se não nutrisse sentimentos por Kendra, o rapaz ignorou as abordagens subsequentes da jovem.

"Ela, por outro lado, havia se apegado apaixonadamente ao garoto e não sossegou até conquistá-lo. Basicamente, ela via Jimmy como uma commodity desejável, não como um ser humano. Essa desumanização de uma pessoa não passou despercebida. Digo isso porque a garota lançou mão de todos os métodos possíveis para ganhar a afeição do rapaz — desde escrever cartas sedutoras até enviar dinheiro para que ele comprasse passagens para poder visitá-la na escola. Porém, nenhuma das táticas funcionou. Pelo menos, não até ela se deparar com a bruxaria ritualística, que é onde entra o escuro véu de renda. Para agarrar Jimmy, ela recorreu ao oculto. Kendra foi a uma loja e encontrou um livro sobre as artes malévolas, cujo título não vou mencionar. Ela levou a obra para casa e, mais tarde, naquela semana, realizou em segredo um ritual para conquistar amantes — um antigo ritual que há séculos vem colocando pessoas em problemas."

Os Warren costumam ser relutantes quando se trata de dar detalhes precisos, tais como nomes de livros de conjuração, o ritual específico de magia que determinado indivíduo usou ou o nome dos espíritos responsáveis por ataques demoníacos específicos. Por quê?

"Não menciono nomes de espíritos", diz Ed, "porque saber um nome demoníaco em particular equivale a dar atenção àquela entidade e, se você faz isso, por mais breve que seja, estará cedendo combustível para que ela se manifeste. Quanto a detalhes específicos, deixe-me colocar desta forma. Se você entrega uma arma carregada a alguém, pode acontecer de essa pessoa dispará-la. Se você lhe der uma arma carregada mas sem o percussor, então não há perigo de ela disparar. É isso o que eu faço: retiro o percussor das minhas declarações. Isso é o que precisa ser feito com este material. Pessoas que realmente queiram saber como realizar rituais satânicos podem se dirigir à biblioteca local e descobrir. Mas não serei *eu* a dizer a elas como descer pela estrada sem volta. Meu trabalho é justamente o oposto: ajudar pessoas que já foram longe demais e dizer àquelas que talvez queiram se envolver com o oculto para que *não* o façam!"

Ed retoma o assunto: "A essência da magia malévola é um pacto com o diabo, e mulheres que fazem tal pacto se tornam, de fato, noivas do diabo na terra. Agora, uma vez que o diabo é chamado de Príncipe da Terra, basta que a noiva do diabo peça prazeres mundanos ao seu 'marido' para que ela supostamente os consiga. O único porém é que, antes de quaisquer desses benefícios serem concedidos à bruxa, ela tem que voluntariamente dar a alma ao diabo. Kendra era mercenária o suficiente para celebrar um pacto desses. Parte da parafernália era a mantilha preta de renda, que ela usou como 'véu de casamento' deturpado, e sobre o qual colocou uma coroa de chifres de bode. Em seguida, ela se casou com o mal ao renunciar a Deus e ao seu batismo, e jurando fidelidade a Satã. Ela terminou o ritual tomando sangue animal em uma taça, para selar o voto. A taça", diz Ed, apontando para a mesa de carvalho no meio do Occult Museum, "está ali, ao lado do véu e dos chifres de bode.

"Kendra explicou que, mais ou menos um mês depois de ter realizado o ritual, Jimmy começou a demonstrar interesse por ela. Ele, no início, dava alguns telefonemas e, por fim, passou a visitá-la aos fins de semana. Para Kendra, tudo estava perfeito. No entanto, o que ela não levou em conta é que havia ficado em débito com o espírito demoníaco. Ao fazer o ritual de magia, Kendra deu permissão para que o demônio entrasse na sua vida. Normalmente, a fórmula mágica que ela usou teria atraído um íncubo, o opressor sexual de mulheres, ou um súcubo, o opressor sexual de homens; mas, naquele caso, ela atraiu um espírito demoníaco inferior. No entanto, essa entidade foi adiante e a oprimiu sexualmente do mesmo jeito, ao que parece, porque esse era o seu ponto de maior vulnerabilidade. O espírito inflamava continuamente as paixões da jovem, até que ela foi reduzida a uma escrava do impulso. Nessa conjuntura, o espírito opressor conseguiu possuir Kendra ao seu bel-prazer, e foi a partir daí que ela começou a sofrer os lapsos de memória.

"Tendo passado bem mais de uma hora entrevistando o casal — e devo dizer que o namorado não ficou muito feliz com o que ouviu — soube que, para a segurança da própria garota, eu precisava providenciar um exorcismo imediatamente. Do contrário, a entidade, sabendo que *eu* sabia que ela estava possuindo a garota, poderia possuí-la uma última vez e provocar uma situação de suicídio.

"Com isso em mente, fui ao saguão, expliquei o problema a Lorraine e pedi que ela levasse o carro alugado de volta ao hotel por aquela noite. Então, o casal e eu fomos, no carro de Jimmy, para o apartamento de Kendra. Passei a noite assistindo a filmes antigos na televisão, em companhia de Jimmy, enquanto a garota dormia no quarto, com a porta aberta e uma luz acesa.

"Na manhã seguinte, telefonei para um exorcista protestante local em quem tenho grande fé e confiança. Não pude chamar um exorcista católico na ocasião porque o clero católico tem que seguir a política do Vaticano e passar por um período de três dias de orações e jejum antes de conduzir *qualquer* exorcismo de uma pessoa possuída.

"O exorcista e o seu assistente, ambos clérigos protestantes, chegaram em mais ou menos uma hora. Os dois eram homens capacitados, de modo que lhes expliquei o histórico do caso. É claro, eles já haviam ouvido aquela história antes. Em seguida, Kendra foi trazida para a sala. Até aquele momento, os clérigos ainda não haviam testemunhado a possessão e nem a garota tinha sido possuída desde a noite anterior. Portanto, o que precisava fazer, em primeiro lugar, era provar aos sacerdotes que a possessão estava de fato ocorrendo.

"Um dos muitos testes para verificar a possessão é colocar um crucifixo diretamente atrás da cabeça da pessoa possuída. Então, neste caso, o exorcista orientou a garota a fechar os olhos e contar devagar até vinte. O assistente, que já estava às costas de Kendra, posicionou a cruz quinze centímetros atrás da cabeça da garota. A entidade que a estava possuindo de repente soltou um grito selvagem e violento: 'Tire isso daí! Está queimando! Tire!'.

“O uso da cruz fez com que a entidade se revelasse, momento em que pudemos confrontar intelectualmente o espírito que estava dominando a garota. O espírito, o mesmo que havia possuído Kendra na noite anterior, admitiu que estava sozinho na posse do corpo da moça. Quando o exorcista comandou que se identificasse, ele respondeu com a seguinte declaração: ‘Sou um servo de Diana’. A propósito, Diana é um espírito de opressão sexual, conhecido como ‘a deusa da caça’ na mitologia. Não conseguimos arrancar muito mais do espírito. Na maior parte do tempo, ele explodia em rompantes de gritos, maldições e uivos.

“Normalmente, antes que se permita a realização de um exorcismo, uma investigação formal é conduzida a fim de provar que um indivíduo foi de fato possuído. Naquela ocasião, porém, era inquestionável que a garota estava possuída. Por isso, o exorcista decidiu que seria melhor realizar o ritual de libertação ali mesmo, naquele momento.

“Neste caso, ele ficou no controle da situação desde o início, tamanho era o medo que a coisa demonstrava à menção do nome de Deus ou diante da presença da cruz ou da água benta. Ainda assim, a entidade possessora se mostrou bastante resistente durante a leitura do ritual, que levou por volta de uma hora. Durante o rito, o espírito ficava gritando: ‘Ela é minha, ela é minha. A alma dela é minha’, em referência a Kendra. Por fim, o espírito foi exorcizado da garota naquele dia, mas, antes de partir, a coisa jurou que ‘retornaria para outra pessoa’.

“Nenhum de nós ali presentes sabia o que o espírito tinha em mente. Mais tarde, eu iria descobrir.”

12
O RETORNO DA ENTIDADE

"Depois que o exorcismo terminou, libertando Kendra do jugo daquele espírito", prossegue Ed, "a garota me entregou o escuro véu de renda, os chifres de bode, a taça e o livro de conjurações, temendo que pudesse ser tentada ou oprimida a usá-los outra vez. Lorraine, então, foi me buscar no apartamento dela e, mais tarde, naquele dia, como é o meu costume, trouxe aqueles objetos para casa, para guardá-los em segurança.

"Desde o início, a parafernália de magia me causou problemas", recorda-se Ed. "Uma presença me seguia a toda parte. Então, na noite seguinte, depois do pôr do sol, um frio psíquico encheu o meu escritório e o Occult Museum, onde eu havia colocado os objetos. Sentindo a mudança na temperatura enquanto estava sentado junto à minha escrivaninha, me levantei e dei uma olhada no museu. Ali, ao lado do véu e dos chifres, vi uma massa nevoenta de um cinza-escuro, mais ou menos do tamanho de um homem, se acumulando em uma densa forma preta. Para impedir que a coisa se manifestasse, usei água benta para torná-la invisível outra vez. No entanto, ficou evidente que a entidade que possuiu Kendra tinha viajado junto dos objetos profanos.

"Por obra do destino, no dia seguinte, recebi um telefonema de um colega chamado Robert Goldstrom. Ele queria marcar um horário para vir ao meu escritório com a filha Denise. 'Por que você precisa me ver?', perguntei a ele.

"Frustrado e preocupado, ele explicou que a filha era dotada de um conhecimento natural do que ele considerava ser bruxaria. Fazendo um rápido apanhado da vida da garota, o pai disse que, em vez de brincar como uma criança comum, Denise era constantemente encontrada sozinha, realizando rituais complicados que envolviam pentagramas, sangue de animais e tudo o mais — coisas com que uma menina de 6 anos não estaria familiarizada. Já mais velha, Denise demonstrava aversão pela igreja e se retirava da presença de clérigos. Ao mesmo tempo, as crianças da vizinhança tinham um medo instintivo dela; mesmo a própria mãe da garota não gostava de ficar sozinha no mesmo cômodo que a filha.

"Na adolescência, Denise ficou ainda pior. Quando fixava os olhos nas pessoas, mesmo quando estas não o percebiam, a garota enchia a mente delas com um terror inumano. O olhar dela era tão intenso que chegava até a parar máquinas! Sei que isso é verdade porque, posteriormente, eu a vi fazer isso. Ela fez um carro que estava passando pela rua parar de repente. No entanto, essa atividade não era o motivo pelo qual Goldstrom havia me ligado. Em vez disso, Denise havia começado a manifestar diferentes personalidades: algumas masculinas, outras femininas, e algumas que nem sequer poderiam ser consideradas humanas. Além disso, as declarações dessas 'personalidades' continham terríveis ameaças a Robert Goldstrom e à sua esposa.

"Diante disso, ele levou a garota a psiquiatras, que reconheceram que o problema era algo mais que psicológico. Os médicos o orientaram a levar a filha a um clérigo, mas o ministro que Goldstrom consultou não queria ver a garota a menos que ela fosse trazida a mim antes. Depois de ouvir o problema do homem, marquei um horário para vê-los no sábado seguinte, às 11h.

"Naquela noite, o espírito tentou se manifestar mais uma vez no Occult Museum; e outra vez usei a água benta. No dia seguinte, segunda-feira, Lorraine e eu viajamos por causa de compromissos de palestras e entrevistas na Pensilvânia e em Ohio. Retornamos apenas já no fim da sexta-feira. No outro dia, sábado, às 11h, Robert Goldstrom chegou com a filha, como havíamos marcado. Denise tinha por volta de 19 anos. Ela era alta, magra, cabelos escuros e olhos azuis que lançavam um olhar feroz e penetrante. Quando tentei lhe dar um aperto de mão, ela recuou e me encarou com desconfiança, observando cada movimento que eu fazia.

"Conduzindo aqueles dois ao meu escritório, pedi que Denise se sentasse na cadeira ao lado da minha escrivaninha e o pai se acomodasse em uma poltrona próxima. Então, liguei o gravador e pedi que o sr. Goldstrom descrevesse o problema de novo. O homem repetiu que, sempre que ele ou a esposa falava com a filha, nenhum deles sabia ao certo se estava falando com Denise — ou com alguma personalidade estranha. Durante todo o relato, a garota não tirou os olhos de mim nem um instante sequer.

"Quando o pai terminou, tentei fazer perguntas à garota. 'Quem é você?', perguntei.

"'Denise Goldstrom', respondeu ela, com desdém.

"'Quantos anos você tem?'

"'Mais do que você imagina', disse ela.

"'E quanto ao que o seu pai me contou? É verdade que você vem manifestando personalidades diferentes?'

"'Ele é paranoico', respondeu ela. 'Eu sou eu mesma. Sou quem eu quiser ser.'

"'Alguma das suas personalidades é inumana?', perguntei, pressionando a garota.

"'Eu não tenho que responder a nenhuma das suas malditas perguntas', disparou ela.

"Quando ergui os olhos para fazer outra pergunta a Denise, ela estava me encarando com um dos seus olhares penetrantes. 'Você escolheu o cara errado em quem usar isso', eu falei à garota. 'Nunca, *nunca* tente isso outra vez comigo!'

"Pela primeira vez desde que entrou na nossa casa, a garota desviou os olhos de mim. Ela parecia atordoada e desorientada, como se tivesse acabado de ser atingida na cabeça com um taco de beisebol. Seus olhos correram pelos objetos que estavam na minha escrivaninha e, então, pararam sobre o escuro véu de renda, que eu havia colocado ali, em um canto afastado, para impedir que o espírito se manifestasse. De repente, antes que eu conseguisse impedi-la, a moça pulou da cadeira, agarrou o véu e o segurou junto ao peito. Suas feições logo começaram a se transformar nas de uma criatura desvairada, com um sorriso zombeteiro, muito diferente daquela garota bonita. Logo peguei dois frascos de água, um não abençoado, o outro abençoado por um exorcista muito piedoso, e me afastei daquilo que já não era Denise, mas um espírito inumano: um diabo inferior do inferno. Isto", diz Ed, apertando o botão de PLAY do gravador, "foi o que ouvi."

Uma gargalhada diabólica, rouca, de repente irrompe do par de caixas de som.

"Você está rindo de mim", escuta-se a voz de Ed falando, "mas, com quem estou falando?"

E o espírito que possuía Denise começa a tagarelar.

Voz: Sei quem você é! Rá, rá, rá, rá, riii... [*risos*].

Ed Warren: Quem é você?

V.: Ro, rooo...

E.W.: Quem é você?

V.: Você não *me* conhece? Rá! Você não me conhece? Ora, vamos, você sabe quem eu sou. Você não sabe quem eu *sou*? Estou sofrendo. Estou sofrendo [*porque o espírito havia sido exorcizado recentemente*].

E.W.: Por que está sofrendo?

V.: Ro, ro, riii... Preto é a minha cor. É a cor da morte, a cor da *morte*! *A cor da MORTE!!*

E.W.: Quem o mandou para cá?

V.: Eu cultuo Diana, *e Lúcifer!*... E luz, luz, luz: tudo o que é sagrado é maldito!

E.W.: Tenho uma coisa para você.

V.: [*Em tom de desafio.*] O que você tem para *mim* que eu já não possua? Posso possuir quem eu quiser, seu [*impropério apagado*].

E.W.: Vou colocar na sua mão e você me diz o que é. [*Testando a entidade, Ed coloca a água não abençoada na mão de Denise.*]

V.: Uuuuuh. É molhado!

E.W.: É isso mesmo.

V.: É molhado e eu não gosto. Gosto de colocar *gordura* humana sobre o meu corpo. E gosto de sangue. E gosto de ver sangue. E gosto de beber sangue.

E.W.: Tenho mais uma coisa para você. Tenho água benta para você.

V.: Água benta? Água o quê? Você?... Você não é um homem de Deus!

E.W.: Não, não sou.

V.: Você não está nem lá, nem cá, *não* é?

E.W.: Exatamente, nem lá, nem cá.

V.: Você não sabe! Ele está tanto no inferno quanto no céu. E não existe um inferno, e não existe um céu. Não, não existe um inferno, e não existe um céu. Existe apenas um lugar, e não vou lhe falar sobre esse lugar agora, vou? Você sabe, não é? Você sabe. Você está entre o céu e o inferno. E não existe céu *nem* inferno. Mas você vai entender!

E.W.: Não, é você que vai entender.

V.: [*Uma gargalhada diabólica soa por dez segundos.*] Eu gosto disso. Você sabe? Isso me dá paz. [*O espírito agora está chorando.*] Isto me dá paz, e eu gosto de paz. Gosto de paz, e gosto de ficar quieto. [*Berrando.*] *Mas não gosto de você!*

E.W.: Eu sei por que você não gosta de mim.

V.: [*Berrando, enraivecida.*] Por quê?

E.W.: Você já não tem Kendra para possuir, não é?

V.: [*Gargalhando.*] Eu tenho qualquer um que queira ter. Sou mais forte que você e seu homem de Deus [*o exorcista*]!

E.W.: Veremos. Veremos quem é o mais forte. Qual é o seu nome? Como você chama a si mesmo?

V.: Deixe-me colocar desta maneira, homem... [*vulgaridade*]. Sou um protegido de Lúcifer. Você sabe quem é Lúcifer?

E.W.: Diga-me *você*. Quem *é* Lúcifer?

V.: Rá, rá, rá, rá. Ele é o único deus que está certo! Você sabe que, quando quero uma coisa, *eu posso tê-la?* [*Proclamando.*] *Eu posso ter o que quiser!*

E.W.: Você quis Kendra, mas não conseguiu ficar com ela.

V.: Ro, ro, ro. Kendra não sabe! Kendra não sabe!

E.W.: O que ela não sabe?

V.: Ela vai beber o sangue! Ela vai beber o sangue! E ela vai me ver! Eu vou possui-la outra vez!

E.W.: Outra vez?

V.: [*Inflexível.*] *Outra vez!*

E.W.: Não, ela não vai fazer isso.

V.: [*Gritando.*] *E como você vai proteger aquela garota? Ela é minha! A alma dela é minha!*

E.W.: *Nada* dela pertence a você.

V.: Vou sugar todo o sangue dela!

E.W.: Você não vai fazer nada a ela!

V.: Rá, rá! Eu gosto dela. Ela é o meu brinquedinho [*arrulhando*].

E.W.: Ela *foi* o seu brinquedo, até ela me procurar. Mas você gostaria de acertar as contas comigo, não é?

V.: [*Gargalhando e rindo.*] Posso fazer *qualquer coisa* que eu quiser!

E.W.: Você não vai fazer nada! Tenho uma coisa [*água benta*] que é mais forte do que você nunca será. Você também sabe disso, não sabe?

V.: Aham! Sim. [*Gritando.*] Você acredita em coisas tão falsas! Ah! E o que é?

E.W.: Você tentou aparecer para mim naquela noite. O que pretendia fazer? Eu o expulsei, não foi?

V.: Eu queria matá-lo, e estou falando sério. [*Guinchos ininteligíveis.*] [...] Você vai cravar alguma coisa no meu coração? Eu não tenho coração!

E.W.: É isso mesmo, você não tem coração.

V.: Não.

E.W.: Mas eu vou lhe dar outra coisa. [*Ed joga água benta na jovem possuída.*] Você não gosta muito disso, gosta?

V.: [*Furiosa, gritando.*] Não!!!

E.W.: Você gosta do sinal da cruz?

V.: Não!

E.W.: Tudo bem, agora, eu vou lhe dizer uma coisa...

V.: [*Gritando violentamente.*]

E.W.: [...] Quero que você saia. E quero que nunca mais volte aqui!

V.: Pare com isso!

E.W.: Não, eu não vou parar. Em nome de Deus, você vai sair...

V.: [*Gritando violentamente.*] Em nome de Jesus Cristo, cale a boca!

E.W.: Vai ser em nome de Jesus Cristo! E você vai embora! E não vai voltar mais!

V.: [*Declarando.*] *Eu voltarei! Ou, se não voltar, outro mais forte virá! Eu sou fraco, mas existem outros mais fortes!!*

E.W.: Você é fraco, e você vai embora, vou expulsá-lo. Em nome de Deus, vou expulsá-lo!

V.: Rá, rá, rá, rá, rá, riiii...

E.W.: Aqui está mais uma coisa para fazê-lo pensar. [*Ed unta o corpo da jovem com água benta, traçando o sinal da cruz.*]

V.: [*Guinchos de agonia.*] Ah, meu Deus, fogo! Fogo, fogo, fogo!

E.W.: [*Sobrepondo-se aos guinchos e gemidos.*] Eu não quero que você volte a esta casa outra vez! Está me entendendo?

V.: Ah, meu Deus. Ah, meu Deus. Ah, meu Deus. Ah...

E.W.: Eu não quero que você volte de novo a esta casa! Nunca mais! Agora, saia. Saia!

Lamentos ameaçadores, guinchos como de uma briga de gatos e vários outros sons animalescos são então ouvidos como se estivessem se afastando quando a entidade possessora abandona o corpo da garota.

Ed coloca um fim aos gemidos apertando o botão STOP do gravador, deixando o Occult Museum silencioso como uma masmorra. Após um longo minuto de reflexão, ele enfim quebra o silêncio: "É isso que está lá fora. É isso que está possuindo essas crianças... espíritos inumanos, demoníacos. *Inumanos*, porque não são como o homem e não têm virtudes positivas; *demoníacos*, porque são uma ordem de anjos que se intitulam diabos; e *espíritos*, porque não têm existência no plano físico, mas no metafísico. São invisíveis e intangíveis... mas estão lá!".

O espírito realmente voltou para possuir Kendra?

"Ah, meu Deus, sim!", responde Ed de imediato. "Não mais de uma semana depois, o namorado da garota telefonou e me contou o que havia acontecido. Kendra bebeu a oferenda de sangue mais uma vez — exatamente como o espírito disse que aconteceria — e ela foi logo possuída pela mesma entidade mais uma vez. Tive que voltar outra vez à faculdade, confrontar o espírito e providenciar novamente que Kendra fosse libertada por meio de um exorcismo."

Por que o primeiro exorcismo feito em Kendra não funcionou?

"Ele *funcionou*", diz Ed. "Mas a cooperação da pessoa é necessária para que um exorcismo seja totalmente eficaz. Deus ajuda aqueles que se ajudam! O exorcista restaurou o livre-arbítrio da garota, mas o espírito a oprimiu *outra vez*. Em vez de resistir à tentação, ela seguiu em frente e tomou a oferenda de sangue uma semana depois. Isso reabriu o campo da sua vontade e deu ao espírito a permissão de que precisava para retornar e possuir o corpo da garota de novo."

O espírito possuiu Kendra uma terceira vez?

"Não, hoje ela está livre dele."

E quanto a Denise? O que houve com ela? E qual *era* o problema dela, afinal?

"Após o incidente da possessão", responde Ed, "suas feições voltaram ao normal e, com isso, dei continuidade à entrevista. O incidente que você ouviu na fita me mostrou que aquela garota era um vaso aberto para possessão, o que explicava por que estava manifestando personalidades diferentes — pelo menos, personalidades inumanas. Na verdade, descobriu-se que Denise era uma *médium* para comunicação entre o reino demoníaco e o reino humano. O que tentei descobrir foi *como* ela adquiriu tal capacidade.

"A água benta que eu havia jogado na garota conseguiu acalmá-la o suficiente para que pudéssemos conversar em um nível semirracional. Durante aquele intervalo, ela revelou um longo e complexo envolvimento com feitiçaria e práticas negativas, o qual se estendia para além dos limites da sua vida atual. Ela é o que chamamos de uma feiticeira natural: ninguém lhe disse o que fazer, tampouco ela leu sobre o assunto em algum livro. Ela *nasceu* com conhecimento e poder negativos. Seu conhecimento vinha de experiências adquiridas em vidas passadas — e conhecimento é algo que nunca se esquece, em especial o conhecimento negativo que é adquirido em outras encarnações. Esse caso, veja bem, entra bem no âmago da coisa, de volta à dimensão do verdadeiro mal, sobre o qual a maioria das pessoas não tem conhecimento nenhum.

"Em outras palavras, Denise era um instrumento do demônio: ela existia praticamente como uma porta-voz para espíritos demoníacos. No entanto, a moça não é uma bruxa; o poder da bruxaria deriva de um voto de servir ao diabo. Em vez disso, Denise era uma feiticeira. Semelhante à bruxaria, mas diferente dela, a feitiçaria é a capacidade de manipular o mundo físico por meio de um acordo com forças espirituais. A garota estava associada a espíritos inumanos negativos, um acordo feito em uma encarnação anterior — sobre a qual ela falava com conhecimento de causa e riqueza de detalhes.

"No entanto, ela não sabia exatamente *como* fazer o espírito demoníaco atender às suas vontades. Embora ele a usasse à vontade, ela não conseguia fazer o mesmo com o espírito. Foi por isso que Denise se permitiu ser trazida a mim. Ela sabia quem eu era, à boca pequena, e veio até o meu escritório com a equivocada suposição de que poderia me coagir ou intimidar a revelar certos segredos cruciais da demonologia, os quais ela ainda não havia aprendido por si mesma. É claro que eu não diria nada à garota. Dar conhecimento místico àquela menina seria como dar uma granada de mão a uma criança pequena.

"Ao longo do mês subsequente, eu me encontrei com Denise e o pai dela umas três vezes, mas não havia absolutamente nada que eu pudesse fazer para sanar a situação. Tudo o que pude fazer foi dar ao pai uma carta de encaminhamento a ser apresentada ao clérigo, na qual eu afirmava que Denise precisava de aconselhamento religioso: a sua vida, a menos que ela decidisse mudá-la, estava dedicada ao negativo. Na realidade, a menos que de fato veja a luz, ela viverá e morrerá sob aquela influência."

Ed acredita em reencarnação?

"Deixe-me colocar desta maneira", responde Ed, "eu sinceramente não sei dizer se a reencarnação é um princípio ou processo pelo qual todas as pessoas passam naturalmente. O que posso afirmar é que tenho registros de casos que provam que certos indivíduos tiveram mais de uma vida. Por outro lado, não tenho informações para provar que *todas* as pessoas vivenciam o fenômeno. Além disso, quando o demônio está envolvido em uma situação, você está lidando com uma perturbação da ordem natural. Consequentemente, se um indivíduo que faz um pacto com as forças demoníacas de fato acaba vivenciando o renascimento em outra vida, ele o faz em circunstâncias questionáveis. Aquela vida adicional — em certa medida — teria que ser considerada uma 'encarnação artificial'."

Kendra e Denise se conheciam antes de Ed se envolver no caso?

"Não", responde ele. "Elas nunca se encontraram, e não se conhecem até hoje. O único motivo para Denise ter vindo ao meu escritório foi a trama do espírito exorcizado para que isso acontecesse."

A psicometria é a capacidade de "saber pelo toque". Não seria possível que Denise, ao agarrar o escuro véu de renda, tenha feito uma conexão com Kendra e, portanto, reproduzido todo o evento por psicometria?

"Nesse caso", responde Ed, "isso seria estender demais o conceito de psicometria. *Poderia* ter havido um episódio de percepção extrassensorial, eu lhe garanto, mas não foi essa a situação. Uma entidade exterior, independente de ambas as garotas, estava envolvida. Quando o espírito não estava possuindo nenhuma delas, estava presente neste escritório. Ao efetivamente possuir Denise, a primeira coisa que ele me disse foi: 'Eu sei quem *você é*'. Eu não sabia quem ou o que ele era, é claro, mas eu já tinha ouvido aquilo muitas vezes antes, de outros espíritos inumanos possuindo outras pessoas. Em seguida, ele começou a dizer que estava 'sofrendo'. Isso não dizia respeito a Kendra nem a Denise, mas ao tormento emocional de um espírito que fora exorcizado. Também se nota que era uma entidade independente, porque se referia a Kendra *pelo nome*, o que indicava a distinção de identidade.

"Mais tarde, ignorando-se tudo o mais que a entidade disse, ela forneceu uma informação precognitiva de que a universitária, Kendra, seria possuída de novo. Essa segunda possessão ocorreu; existem registros da realização do segundo exorcismo. Por fim, acrescente a isso o fato simbólico de que a entidade conseguiu distinguir entre *água* abençoada e não abençoada: a água não abençoada dava uma sensação 'molhada', a água abençoada queimava como 'fogo'. Você já viu uma *pessoa* reagir daquele jeito quando tocada por água benta?"

Por que o espírito teve uma reação tão violenta à água benta?

"Água é água, mas a água benta está carregada com o espírito do positivo — com o espírito do que chamamos de Deus. Em pessoas, a água benta pode ter um efeito positivo e, em alguns casos, pode ser usada até mesmo para promover curas. Para o espírito demoníaco, porém, a água benta tem justamente o efeito contrário: a entidade a sente como se fosse ácido ou fogo."

O que o espírito quis dizer com 'gosto de paz' e 'gosto de ficar quieto'?

"O espírito encontra paz apenas ao possuir um corpo humano. Do contrário, ele permanece em um estado de sofrimento."

O espírito estava de fato sofrendo, como afirmou que estava? E, se estava, por quê?

"Sim, ele estava sofrendo por ter sido exorcizado; mas a resposta é mais complicada que isso. O espírito demoníaco é *levado* à possessão por dois motivos. Primeiro, o seu reino — chame-o inferno, chame-o como quiser — é tão intolerável que esses espíritos farão qualquer coisa para fugir dali. O lugar, veja você, é intolerável de viver — é o inferno! Esses espíritos não atormentam apenas pessoas — eles se atormentam uns aos outros. A única maneira de sair disso é possuindo um corpo humano. E quando uma pessoa pode ser possuída por uma entidade, ela pode ser possuída por muitas. Na realidade, a possessão por muitas entidades não é a exceção, é a regra. Em casos mais sérios, em geral seis ou mais espíritos estão habitando o corpo da vítima. Pela possessão, esses espíritos encontram 'paz' com relação aos constantes tormentos que vivenciam. O exorcismo, portanto, é a pior coisa que lhes poderia acontecer.

"O outro motivo para a possessão, e o mais importante, baseia-se no conceito do Anticristo. Todo o esforço do espírito inumano é dirigido a esta finalidade: conquistar a Terra e destruir a raça humana *diante* dos olhos de Deus. Assim, pela possessão, o espírito inumano mata dois coelhos com uma cajadada só: ele se esconde do inferno e cumpre a sua tarefa de arruinar o homem. O espírito demoníaco inumano é um verdadeiro inimigo da humanidade, não sei como expressá-lo de outra forma."

Você acredita no inferno como um lugar de fogo e enxofre?

"Não", responde Ed. "Não acredito em um inferno de fogo. Embora, através dos possuídos, eu tenha ouvido o espírito demoníaco se queixar do 'fogo do inferno', não posso nem por um instante crer que um Deus amantíssimo criaria um horror tão incompreensível como o inferno. No entanto, por sua abordagem pervertida da existência, esses espíritos *podem* ter criado o próprio inferno de fogo; considerando que a sua existência é a antítese do positivo, tal tormento seria a criação deles.

"Em última análise, porém, a noção que o espírito demoníaco tem de inferno é muito mais dolorosa que a de sofrimento físico. Esses espíritos sabem que estão condenados à punição eterna, o que significa que o espírito demoníaco — o portador da praga do mal — será eliminado do universo natural. Ou, como diz a Bíblia: 'Os maus perecerão'. Ainda assim, em vez de mudar, ele prefere ser o que é: mau e pernicioso. Portanto, em um nível intelectual, o inferno faz mais sentido quando visto como uma *separação* eterna de Deus: ou seja, separação total da fonte da existência."

Então, o que o espírito quis dizer quando declarou: "Não existe céu e não existe inferno, existe apenas um lugar"?

"Não posso dizer, porque não sei", responde. "Não se esqueça de que o espírito demoníaco é o mestre das mentiras. O exorcista, por exemplo, é orientado a *nunca* se envolver em uma conversa com o demônio. Então, não se pode julgar que tudo o que ele diz é verdadeiro. Nesse caso, porém, é possível que ele estivesse se referindo à ideia de ser — e à ideia de nada. Ou seja, no fim, quando tudo tiver sido computado, o *único* lugar em que haverá vida é onde existe o ser. Para além disso, realmente não sei. Sou um demonologista que atua na prática, não sou teólogo."

E quanto à afirmação do espírito a respeito de espalhar gordura sobre o corpo?

"Isso remonta a um passado muito, muito distante na história. Na magia malévola, o assassinato de uma criança era um presente tradicional a Lúcifer. O corpo era fervido até se desfazer e a gordura dele era transformada em um unguento que, então, podia ser misturado a beladona e outras ervas e espalhado sobre o corpo da bruxa. Isso mostra que aquele espírito já possuiu outras pessoas no passado, porque está familiarizado com a prática."

E a ênfase dada ao sangue?

"O sangue é a outra metade", responde Ed. "A entidade busca profanar o corpo *e* o sangue. O sangue é o dom da vida concedido pelo Criador. Essas entidades podem zombar da vida ou simulá-la ao beber sangue ou besuntar o corpo com gordura humana, mas o que sentem é ciúme do corpo encarnado e da sua substância vivificante, o sangue."

A entidade possessora disse que cultuava Diana, a deusa da bruxaria. Diana é uma entidade feminina?

"Não, Diana é um diabo. São as pessoas — os mitólogos — que atribuem gênero a tais entidades. Se o espírito demoníaco tem dois sexos, eles são o ódio e o ciúme. É preciso lembrar que o espírito demoníaco é, na realidade, um anjo, embora seja um anjo de perdição."

Como fica evidente neste caso do véu escuro, a possessão não é uma questão de confundir um problema psicológico com um problema religioso. Na verdade, é a captura de um corpo humano por uma entidade que claramente identifica a si mesma como um servo do diabo (neste caso, de "Lúcifer") e, a partir de então, passa a comprovar a sua declaração com conhecimento e poder preternaturais. Além disso, o espírito não hesita em revelar os seus motivos. Provavelmente, a afirmação mais significativa que a entidade possessora fez no escritório de Ed tenha sido a referência a Kendra. Com absoluta veemência, o espírito declarou: "Ela é minha. A *alma* dela é minha!". Essa apropriação da alma humana é a verdadeira essência da possessão. E a única maneira de resgatar a alma é pelo processo de exorcismo.

Nesse caso específico, foram realizados dois exorcismos em Kendra a fim de expulsar o espírito invasor. Como admitiu a própria entidade possessora, ela era "fraca", mas o espírito também declarou que "existem outros mais fortes", referindo-se à hierarquia diabólica. "Embora os diabos *ordenem* a possessão de um ser humano em particular", diz Ed, "um diabo quase nunca participará da possessão em si. Em vez disso, é o espírito demoníaco que possui as pessoas. Há exceções, é claro. Sabemos que o próprio Lúcifer esteve envolvido na possessão de uma mulher no Iowa, chamada Anna Ecklund, no ano de 1928, porque testemunhas relataram, à época, que ele se fez visível e esteve presente durante a última parte do exorcismo, permanecendo de pé em um círculo de fogo e usando uma coroa na cabeça."

De acordo com Ed Warren, a possessão diabólica *tem por propósito* desafiar a autoridade de Deus, pois, em tais casos, "o diabo, violando a lei cósmica, de fato comete o ato proibido e assume a forma encarnada. Quando isso acontece, não há alternativa *senão* realizar o exorcismo maior."

E, infelizmente, não há prova mais clara da existência do diabo que aquela obtida durante o exorcismo maior de uma pessoa possuída.

13
ALMA REFÉM

No dia 1º de julho de 1976, apenas seis meses depois de ocorrido o caso Amityville, em Long Island, uma jovem de 22 anos, estudante na Universidade de Wurzburg, na Alemanha Ocidental, morreu durante um exorcismo que rendeu a gravação de mais ou menos 43 horas de fita cassete. Partes do terrível e extenuante exorcismo foram transmitidas pela televisão alemã. A morte da garota, somada ao fato de que exorcismos ainda eram realizados nesta era de modernidade, chocou o público da Alemanha Ocidental. Como noticiou o jornal *The New York Times*, em 8 de agosto daquele ano:

> Após um ritual angustiante que bem poderia ter saído do filme *O Exorcista*, uma alemã-ocidental de 22 anos — possuída por demônios, de acordo com os padres que a atenderam — morreu de desnutrição no dia 1º de julho. [...] Que a prática de exorcismo ainda existisse na Alemanha Ocidental era fato desconhecido até a morte de Anneliese Michel, uma aluna de magistério. Porém, segundo alguns relatos posteriores ao caso, o exorcismo pode ser quase uma prática corriqueira.

Em reação à morte da srta. Michel, as autoridades alemãs denunciaram judicialmente os exorcistas católicos por negligência. O promotor local declarou que a jovem foi impedida de alimentar-se de forma adequada e, portanto, morreu em consequência de "desnutrição e desidratação".

Entretanto, as acusações eram um tanto simplistas, pois faziam parecer que os exorcistas jesuítas haviam sido responsáveis pela morte da jovem, o que certamente não foi o caso. A srta. Michel morreu não por causa da tentativa de exorcismo, mas porque já não conseguia suportar o suplício da possessão. Além disso, ao contrário das acusações judiciais, os exorcistas não impediram que a jovem se alimentasse; não teria havido motivo para isso. Um médico deu assistência à garota durante todo o suplício. De acordo com Ed: "O fato é que, por seis meses, ou seja, durante todo o processo do exorcismo, Anneliese Michel viveu completamente *sem* alimentos ou água".

Ademais, a srta. Michel fora submetida a variados graus de possessão ao longo dos três anos que antecederam a tentativa de exorcismo. Durante esse período, médicos e psiquiatras tiveram todas as oportunidades de curá-la de qualquer doença mental ou física que ela tivesse. Contudo, apesar dos melhores esforços da medicina, a saúde da jovem degenerou consideravelmente entre 1973 (ano em que a possessão teve início) e 1976. Anneliese Michel esteve em meio a uma batalha sobrenatural que dizia respeito não ao seu corpo, mas à sua alma; o exorcismo foi realizado apenas como último recurso, em um esforço de *evitar* a morte dela.

Ainda assim, a pergunta que permanece não é de cunho legal, mas religioso: por que Anneliese morreu?

"Já me fizeram esta pergunta muitas vezes", responde Ed, "mas as pessoas normalmente não estão preparadas para a resposta verdadeira. Eu acabo por evitar o assunto explicando que nem todos os exorcismos têm um final feliz. Mas o motivo da morte da garota alemã é que ela precisava morrer. O caso é complicado, mas equivale a um assassinato por parte das forças demoníacas.

"A garota era uma 'alma-vítima', como define a Igreja. Ela foi possuída não porque tivesse feito alguma coisa errada — mas porque era extremamente bondosa. Isso acontece mais ou menos uma vez a cada dez anos: o termo religioso para descrever o fenômeno é 'iniquidade' — indicando um flagrante crime moral. O demônio tomou essa garota *porque* ela era um ser humano devoto e bondoso. Ele possuiu o corpo da jovem em um esforço deliberado de desonrá-la *e* provocar um confronto com o Todo-Poderoso. Assim, o ato da possessão tinha significado físico e metafísico. Espíritos demoníacos entraram no corpo da jovem pela primeira vez em 1973. Então, de acordo com a minha interpretação, diabos passaram a participar da possessão em 1975. Sua presença neste reino é rara, como eu já disse, exceto em casos significativos de possessão.

"A propósito, esses diabos chamavam a si mesmos 'Hitler' e 'Nero', mas os nomes eram apenas simbólicos, usados para impedir a sua identificação. Apesar disso, avaliando os dados que tenho daquele exorcismo, há registros de que um diabo de alta hierarquia, Belzebu, *estava* presente na possuída e era o responsável pela possessão.

"Agora, no seu desejo desesperado de ajudar a filha, os pais da garota — sendo católicos romanos praticantes — buscaram a ajuda do clero jesuíta. Durante o período inicial da possessão, a garota tinha momentos de lucidez e instruía os jesuítas a não fazer concessões às entidades que a haviam possuído. Por sua vez, aqueles padres fizeram tudo o que podia ser feito, antes de recorrerem ao exorcismo. Eles rezaram constantemente por ela. Eles se colocaram em perigo físico e psicológico ao confrontar as entidades e tentar persuadi-las a desistir da possessão. O exorcismo foi deliberadamente deixado como último recurso. Veja bem, não se considerou a hipótese de realizar um exorcismo porque todos os envolvidos estavam agindo diante de uma proposta inaceitável feita pelas entidades possessoras — a proposta clássica em casos dessa natureza: *Acredite em mim, e a garota viverá; acredite em Deus, e a garota morrerá!*

Para a família e os exorcistas, a ideia toda era absolutamente impensável: eles não resgatariam o corpo da menina em troca da sua alma! Desse modo, a situação passou a ser uma questão de fé. A questão não era comida e água: como Teresa Neumann, uma estigmatizada do século XX, essa garota vivia sem nenhum alimento ou água. Em vez disso, a questão era se eles permitiriam que o diabo assumisse a forma encarnada no ano de 1975, *anno Domini*. E a resposta dessas pessoas foi *não*! Embora a família da garota tenha vivido em agonia cada minuto de cada dia dos três anos durante os quais ela foi possuída, eles compreenderam o que estava acontecendo e a sua fé nunca vacilou.

"Por fim, diante dessa resistência inabalável, as entidades diabólicas submeteram a garota a um tormento mental e físico tão terrível que a única alternativa restante foi recorrer ao exorcismo antes que aquelas coisas a destruíssem por completo. Assim, no início de 1976, os exorcistas jesuítas deram início à leitura do *Ritual Romano* de exorcismo sobre ela. Depois de seis árduos meses, os exorcistas haviam lido o ritual 66 vezes ao todo — observe o número — e, a essa altura, ela sucumbiu à morte. A morte foi uma libertação para a garota: como uma mártir, essa era a sua única saída para a liberdade."

Por que as entidades não obedeceram aos comandos do exorcista, como são obrigadas a fazer?

"As entidades demoníacas *abandonaram* o corpo da garota. Os diabos, porém, desafiaram não só as ordens do exorcista como também as leis de Deus, pelo que vão receber uma reprimenda maior do que seríamos capazes de conceber. Em vez de desistir da possessão, essas entidades diabólicas a usaram para *afirmar* seu ódio por Deus. Como com Cristo, a garota teve a vida injustamente arrancada por outros. E, embora tenha sofrido a morte física, ela sobreviveu com a alma intacta e o espírito imaculado. Não foram os padres que a mataram. Nem o ritual de exorcismo tem a mais remota relação com isso. A garota foi assassinada pelo diabo, e esse é um fato documentado em gravações."

Algumas pessoas agarram-se à crença de que a possessão diabólica é uma ocorrência de caráter puramente psicológico — que não existem "entidades exteriores" e que rumores sobre espíritos são bobagem. Considerando que grande parte da atividade demoníaca está de fato interligada à esfera psicológica, é justo perguntar onde fica a psicologia no tema da opressão e da possessão demoníaca.

Até cerca de um século atrás, *toda e qualquer* doença mental era tratada como um sinal de possessão. Hoje, toda e qualquer opressão ou possessão é tratada como um sinal de doença mental. Essa drástica mudança de uma interpretação absoluta para a outra de nada serviu para resolver o constante problema da influência demoníaca: resultou apenas em uma troca de rótulos. Assim, no passado, um indivíduo que apresentasse comportamento impróprio era rotulado como "possuído" e trancado em uma instituição. Hoje, o indivíduo oprimido ou possuído (que também apresenta comportamento inadequado) é diagnosticado como "mentalmente doente" e também é trancado em uma instituição.

"A maioria das pessoas que se queixa de estar sendo oprimida ou possuída por espíritos *está* mentalmente doente", observa Ed, "mas esse nem sempre é o caso, como aprendi na prática.

"Em 1971, fui abordado por uma família que, de maneira tranquila e racional, disse acreditar que o filho estivesse possuído por um espírito demoníaco. Eu os deixei falar, e então disse: 'Tudo bem. Onde está o seu filho para que eu possa dar uma olhada nele?' Eles me disseram que o rapaz estava em um hospital psiquiátrico no estado de Nova York, onde havia sido internado oito anos antes, como esquizofrênico.

"Já como paciente, o rapaz reclamava de alguma outra coisa *dentro* dele, ao mesmo tempo em que murmurava ocasionalmente coisas sobre o diabo. Ninguém o levava a sério, à exceção dos pais, que leram acerca do tema da possessão e encontraram dados suficientes para se convencer de que o filho poderia estar possuído.

"Algumas semanas depois, acompanhei a família ao hospital para ver o garoto. Bem, ele estava um farrapo mental, babava, mal se movia e não reconhecia ninguém. Eu havia levado uma cruz comigo e, então, comecei a me aproximar dele, pelas costas. Eu estava prestes a colocar a cruz atrás da cabeça do garoto quando ele de repente se virou, os olhos muito arregalados, e me encarou com aquele olhar de ódio furioso tão característico dos possuídos. O que todos nós vimos não foi o garoto que havia sido trazido para a sala em uma cadeira de rodas. Vimos outro ser vir à tona: um ser alerta e violento, que havia sido provocado por um objeto religioso que o rapaz nem chegou a ver.

"O histórico saudável do jovem antes da internação somado à sua reação à cruz me deu motivos para acreditar que ele pudesse estar possuído. Para abreviar a história, fui adiante e reuni todos os fatos disponíveis sobre o caso, os quais continuavam indicando a possibilidade de possessão. Então, fiz um tremendo esforço, inclusive arriscando a minha reputação, para conseguir que um exorcista fosse designado para o caso. Bem, eu consegui e, poucos meses depois, a Igreja Católica nomeou um exorcista para realizar o ritual.

"Quando o avião que trazia o padre chegou a Nova York, eu já havia providenciado tudo. Com a permissão das autoridades do hospital, os pais buscaram o rapaz e o levaram para casa. Ele estava fraco e prostrado, e precisava de ajuda para fazer tudo, como uma criança. O garoto foi colocado sobre uma cama. Então, o exorcista leu o ritual de exorcismo sobre ele. Durante a leitura, não ocorreu nada incomum. O rapaz apenas permaneceu deitado ali, inerte e quase inconsciente. Não houve absolutamente nenhuma indicação de possessão até o último instante, quando o exorcista ordenou que os espíritos deixassem o corpo do rapaz. De repente, ele ficou muito agitado, se debateu, gemeu, ofegou, suou, gritou e berrou.

"Um minuto depois, ele desabou sobre a cama outra vez. Uma expressão de serenidade e paz se espalhou pelo rosto do garoto. Ele abriu os olhos, agora límpidos e livres de qualquer influência negativa, e falou, de forma bastante clara: 'Acabou, o espírito foi embora'. Bem, vinte minutos depois, aquele rapaz se levantou e estava tão são e articulado como qualquer outra pessoa no quarto. Poucos dias depois, ele recebeu alta do hospital e não teve problemas desde então. Quer a condição daquele garoto fosse uma doença mental — ou possessão, como sustento — ou não, o fato é que o exorcismo curou o seu problema."

A psicologia tende a ver todos os casos de opressão e possessão como manifestações de um ou outro tipo de distúrbio mental. A tendência predominante é diagnosticar tais casos como paranoia, histeria ou esquizofrenia, porque os sintomas exteriores da opressão ou possessão espiritual (estresse, ansiedade, desorientação, imagens fantasiosas) *são* semelhantes aos sintomas clássicos de neurose e psicose. Contudo, independentemente da semelhança dos sintomas visíveis, a etiologia ou causa do problema não é a mesma. Antes, um exame mais minucioso das queixas do indivíduo oprimido ou possesso revelaria que, embora seu comportamento possa *parecer* anormal, ele está funcionalmente são. O que ele faz é tão somente relatar o que está acontecendo — ou seja, ele diz que está sendo assediado por forças exteriores. Entretanto, como essas "forças exteriores" foram há muito exorcizadas da literatura científica, um exame mais minucioso é raro. Então, o indivíduo afligido por espíritos é trancafiado em uma instituição.

O dr. Jean Lhermitte é um neurologista francês que faz exames clínicos para a Igreja Católica e a quem foram encaminhados para diagnóstico muitos indivíduos potencialmente possuídos. Em *Vrais et Faux Possedes* [Verdadeiros e Falsos Possuídos, 1956], o dr. Lhermitte observa que:

> Independentemente do que possam pensar os céticos, os ateus e os mal informados, as manifestações demonopáticas não estão extintas; ainda observamos os fenômenos que espantavam e preocupavam os nossos antepassados, mas com um senso crítico e um conhecimento do qual eles não dispunham. Porém, devo esclarecer que, embora o neurologista e o psiquiatra tenham qualificação para discernir e definir uma estrutura anormal da mente ou algum distúrbio físico, eles devem permanecer no papel de médicos e não ir além das suas capacidades, de modo que, quando a presença da doença mental não é clara, o neuropsiquiatra deve buscar a ajuda e a cooperação do teólogo.

Diante de tais conceitos, não admira que padres e psicólogos tenham sido chamados de "meios-irmãos" no estudo do homem. No entanto, como podem verdadeiros casos de possessão diabólica ser diferenciados de doenças mentais?

A primeira e provavelmente mais importante distinção seria a *perda do eu*. Não há nada no campo da psicologia que considere a perda do eu um fator real na doença mental. De fato, no seu *Esboço de Psicanálise* (1940), Freud observa que a perda do eu *não é* uma condição médica, não importa quão completa a degeneração da mente possa parecer.

> Mesmo em um estado tão apartado da realidade do mundo exterior como o da confusão alucinatória, descobre-se, pelos próprios pacientes, após a sua recuperação, que, na ocasião, em algum canto da sua mente (como eles dizem), escondia-se uma pessoa normal que, como um espectador desvinculado, observava passar por ele o tumulto da doença.

Não obstante, em casos genuínos de possessão, o indivíduo *experimenta* o fenômeno da perda do eu. O que substitui o eu, ou o espírito, do ser humano é uma entidade totalmente independente da pessoa. Como explica Ed: "O espírito demoníaco pode *tanto* desalojar o espírito humano *como* coabitar o corpo com ele. Quando isso acontece, a entidade possessora e a pessoa podem falar a partir do corpo *ao mesmo tempo*. Nos casos em que mais de uma entidade esteja possuindo um corpo humano, como costuma acontecer, o problema é determinar *quantas* entidades possessoras compõem o grupo. Naqueles casos raros em que mais de uma pessoa da família está possuída, as entidades possessoras tendem a revelar a sua identidade inadvertidamente ao falar a partir de *qualquer um* dos dois corpos.

"Quanto a características distintivas, entidades possessoras falam em geral com a voz masculina e rouca que mencionei anteriormente, mesmo quando falam a partir do corpo de uma mulher ou de uma criança. Quando fala através de uma mulher, porém, o espírito demoníaco por vezes usará um falsete agudo. A fala pode vir da laringe — ainda que o indivíduo possuído esteja inerte ou inconsciente na ocasião — ou simplesmente ressoar a partir de algum lugar fora do corpo. Se o quiser, o demônio *pode* se identificar pelo nome. Ele normalmente dirá, por exemplo: 'Meu nome é Ódio', 'Meu nome é Preguiça', 'Meu nome é Luxúria'. Ou, então, pode ir adiante e dar o nome demoníaco, geralmente um termo de origem antiga que já esteja nos livros. A entidade ou entidades possessoras podem usar uma língua conhecida, mas não é incomum que passem a línguas estrangeiras ou mortas, das quais o possuído não tenha nenhum conhecimento."

O indivíduo realmente possuído vive não só uma perda ou deslocamento do eu: existem sintomas adicionais que não guardam qualquer relação com distúrbios psicológicos clássicos. Um fator é a "metamorfose", por falta de um termo mais adequado. Em outras palavras, podem ocorrer transformações no rosto e no corpo. Mais uma vez, tal fenômeno *não é uma condição clínica*. Pessoas não podem passar e não passam por transformações flagrantes, mudando de uma aparência para a outra — a menos em casos de possessão. Não obstante, como afirma Ed: "Eu e outras testemunhas já vimos as feições de pessoas possuídas se transformarem naquelas de um lobo, de um porco e, mais comumente, de um gorila. Já vi indivíduos possuídos assumirem as feições dos mortos, bem como se transformarem em coisas que poderiam ser descritas apenas como grotescas e macabras. E todas essas mudanças são *físicas*. A pele e os ossos realmente mudam de forma, depois voltam ao normal, quando o episódio de possessão passa."

Além da perda do eu e da "metamorfose", um terceiro fator que não é detectado em casos de doença mental é a ocorrência de fenômenos claramente sobrenaturais nas cercanias do indivíduo possuído. "Em cerca de metade dos casos de possessão acontecem fenômenos exteriores observáveis", comenta Ed. "A atividade tende a ser da ordem de levitação, teletransporte, materialização e desmaterialização de objetos físicos. O espírito demoníaco provoca atividade insólita para *provar* às testemunhas que poderes inumanos estão atuando. Em resumo, a distinção entre doença mental e possessão diabólica genuína costuma ser tão grande quanto a diferença entre a noite e o dia."

Quando uma pessoa realmente é possuída pelo espírito demoníaco, apenas o exorcismo reverterá essa apropriação humilhante de um corpo humano. Todavia, não é tão somente o corpo que o demônio aprisiona e escraviza, mas, em última análise, a alma — a essência metafísica do ser humano. "Se você quiser compreender por que o exorcismo é necessário", diz Ed, "então precisa entender as dádivas de que o homem goza. Ele tem a vida, tem livre-arbítrio e tem aquele *toque de graça*, chamado alma. A vida e o livre-arbítrio pertencem ao homem, mas, teoricamente, a alma pertence a Deus. Assim, para usar uma analogia, a alma é como uma relíquia de Deus que foi dada ao homem para que ele não a perca. Mas aí vem o espírito demoníaco, que vê o homem como uma imagem odiosa de Deus, e então ataca a alma, por nenhum outro motivo além de rancor — para tirá-la do alcance de Deus como uma demonstração de força. No caso retratado em *O Exorcista*, as letras *S-P-I-T-E* [D-E-S-P-E-I-T-O] de fato surgiram, em vergões vermelhos, no peito do garoto possuído.

"No entanto, o espírito demoníaco não pode simplesmente possuir um corpo e levar a alma — porque, se pudesse, ele o faria! Em vez disso, ele tem que encontrar uma maneira de tirá-la de você. E isso ele faz enfraquecendo a vontade, ou influenciando a vontade para que se afaste do positivo e se volte ao negativo. Com o tempo, se a permissão é dada ou se a influência é bem-sucedida, chega um momento em que a possessão ocorrerá quase que de forma inevitável. E, na maioria dos casos de possessão, o espírito alega ter *conquistado* a alma porque conseguiu efetivamente dominar a vontade da pessoa. Ainda que a pessoa tenha sido enganada, a alegação é basicamente verdadeira. Portanto, a única coisa que pode ser feita é exorcizar o espírito e, então, reeducar a pessoa quanto aos fatos sombrios da vida."

Exorcismo significa literalmente "expulsar espíritos malignos em nome de Deus". Todas as principais religiões têm alguma forma de ritual de exorcismo como parte da sua liturgia. O ritual com que a maioria das pessoas está familiarizada é o *Rituale Romanum*, que foi desenvolvido pela Igreja de Roma com o propósito específico de exorcizar espíritos diabólicos do corpo humano. Entretanto, nem todo exorcismo tem um caráter de maior gravidade. Enquanto procedimento religioso, o exorcismo tem variados tipos e funções.

"Existem exorcismos menores e maiores", explica Ed Warren. "Exorcismos menores assumem a forma de uma bênção. Na realidade, é raro que uma pessoa não tenha passado pelo rito mais básico de exorcismo. Embora geralmente não se saiba, o batismo é, na verdade, um ritual de exorcismo e uma das principais razões pelas quais tão poucas pessoas sofrem uma possessão espontânea durante o seu curso de vida.

"Além disso, exorcismos menores são destinados a expulsar espíritos demoníacos de uma casa ou libertar uma pessoa de espíritos negativos que possam estar causando opressão. A questão é que uma influência negativa tem a capacidade de dominar uma pessoa ou uma residência simplesmente por não haver nenhuma influência positiva para neutralizá-la. Quando se procede a uma bênção, poder sobrenatural positivo é deliberada e metodicamente usado para neutralizar o negativo. O clérigo conduz o ritual em nome de Deus. Portanto, se o espírito demoníaco viola o exorcismo, ele não tem que se haver com o clérigo, mas com a ira divina."

Embora um exorcismo menor possa livrar uma casa de espíritos negativos, na realidade, o espírito demoníaco nunca possui casas ou objetos. O reverendo Christopher Neil-Smith, clérigo anglicano e um dos mais conhecidos exorcistas do mundo, assim o explica no seu livro *The Exorcist and the Possessed* [O Exorcista e os Possuídos]:

> Em essência, o exorcismo não se destina a lidar com fantasmas, nem mesmo com casas, mas com estados de alma de pessoas vivas molestadas por espíritos malignos. [...] O mal vem através das pessoas e [o exorcismo] tem apenas um efeito secundário ou residual sobre lugares ou casas. Lugares são afetados porque as pessoas que viviam ali cometeram atos maléficos.

Assim, uma residência não tem alma, e o diabo não tem alma. Apenas a pessoa tem alma e essa é a única commodity, a chave para a imortalidade que o demônio busca possuir — ainda que apenas para destruí-la. Por essa razão, o exorcismo maior dos possuídos não é uma bênção passiva, mas uma expulsão ativa de entidades espirituais que não irão embora a menos quando adequadamente ordenadas a fazê-lo. Em termos contemporâneos, espíritos demoníacos são terroristas inumanos que possuem o corpo de um indivíduo e fazem da sua alma um refém; o exorcismo maior é, portanto, um procedimento fundamentado em orações para libertar a alma dessa tirania. "Quando um exorcismo maior precisa ser realizado, isso significa que um espírito inumano tomou posse do corpo e da alma de uma pessoa, e essa alma *precisa* ser resgatada", declara Ed.

No caso ocorrido na Alemanha Ocidental, o ritual de exorcismo realizado em Anneliese Michel foi o *Rituale Romanum*, o ritual *máximo* de exorcismo. O dia em que esse ritual deve ser realizado é de fato um dia nefasto. E isso porque, se a necessidade da realização de um exorcismo maior foi reconhecida, as autoridades da Igreja concluíram, após longa e diligente deliberação, que um ser humano foi possuído por aquilo que chama a si mesmo de Legião. E essa não é uma decisão qualquer. Na verdade, antes que as autoridades eclesiásticas considerem a possibilidade da realização de um exorcismo maior, as provas da possessão devem ser incontestáveis e convincentes. Todas as explicações naturais precisam ser eliminadas, ao mesmo tempo em que as alegações sobrenaturais devem ser comprovadas e verificadas, sem exceção.

O indivíduo possuído terá que ser minuciosamente examinado por um médico. Tumores cerebrais, desequilíbrios hormonais e narcose, por exemplo, são apenas três dos muitos fatores corriqueiros que podem provocar alterações físicas e mentais em um indivíduo. Ainda que exames, radiografias e testes clínicos demonstrem que a pessoa está fisicamente saudável, será necessária uma avaliação psiquiátrica em seguida. A psicologia anormal é capciosa e complexa, e o psiquiatra responsável pela avaliação fica encarregado de determinar se a pessoa está ou não possuída ou apenas sofrendo de delírios, alucinações, personalidades múltiplas ou qualquer dentre uma variedade de distúrbios mentais que se parecem com a possessão.

Enquanto a saúde física e psicológica do indivíduo está sendo verificada, as autoridades eclesiásticas vão designar um demonologista para o caso.

"O demonologista é responsável por conduzir uma investigação *in loco* para determinar a validade de qualquer suposto caso de possessão", explica Ed. "Essa investigação envolve entrevistar todas as pessoas relacionadas ao caso, inclusive o indivíduo dado como possuído, para descobrir se estavam presentes fatores ou se foram cometidos atos que pudessem permitir que um espírito inumano infligisse a possessão. Se houve relatos de fenômenos exteriores associados ao caso, o demonologista deve testemunhar pessoalmente a ocorrência de qualquer aspecto de tal atividade e, em seguida, determinar se ela foi provocada por forças naturais ou sobrenaturais. Por fim, o demonologista deve testemunhar a possessão a fim de avaliar a natureza, o poder e o número de espíritos envolvidos, e, se possível, tentar descobrir a identidade das criaturas possessoras.

"No entanto, o espírito demoníaco dificilmente estará ansioso por revelar-se a alguém com autoridade, capaz de ocasionar a sua expulsão", prossegue Ed. "Assim, nos casos em que a possessão não fica logo aparente, o que acontece em mais ou menos metade das vezes, o demonologista é forçado a usar provocação religiosa — algo como usar gás lacrimogêneo — para trazer a entidade à tona."

Instado a dar um exemplo específico, Ed logo cita ao menos uma dúzia de casos em que teve que usar provocação para testar uma possessão, e então passa a dar detalhes de um caso específico que certamente ilustra o processo.

"Eu estava lidando com uma mulher de origem hispânica, muito bonita e refinada, de uns 25 anos de idade, que havia atraído um espírito demoníaco para a sua casa ao brincar com um instrumento de escrita automática", conta Ed. "Como geralmente acontece, a possessão foi notada não pela vítima, mas por membros da sua família. Essas pessoas perceberam o problema ao ouvirem vozes masculinas roucas e rudes falando alto no quarto da jovem. Quando membros da família, preocupados com a segurança da moça, acabaram entrando no cômodo, ficaram aturdidos ao descobrir que as vozes estavam *vindo do corpo da mulher*, embora ela estivesse em sono profundo na ocasião. Ao tentarem acordá-la, ela se levantou da cama e foi rosnando até eles, com os dentes à mostra e os dedos curvados como se fossem garras.

"Antes da minha entrada no caso, a família já havia procurado inúmeros médicos e psiquiatras, que em nada puderam ajudar aquelas pessoas. Tendo chegado a um impasse, eles consultaram o seu próprio ministro batista, que colocou a família em contato comigo.

"Na ocasião em que interroguei os familiares sobre o comportamento insólito da jovem, marquei uma tarde para poder entrevistá-la à luz do dia, quando ela ficava em casa. Agora, quando você lida com o demoníaco, está lidando com algo perigoso. Por isso, quando fui à casa da família, cheguei com três jogadores de futebol americano grandalhões que frequentavam uma faculdade perto dali. Também estavam presentes na casa, naquela tarde, o pai da jovem e o ministro batista, os dois tão grandes e fortes quanto os jogadores de futebol.

"Antes de entrar na casa, eu falei aos rapazes que faria a jovem se sentar na parte do meio do sofá da sala de estar, e então escolhi os dois homens maiores e pedi que se sentassem um de cada lado da moça. A um deles entreguei um pequeno crucifixo de prata, para que guardasse no bolso. Expliquei que, quando eu fizesse um aceno com a cabeça, o rapaz deveria colocar a mão no bolso, segurar o crucifixo na palma da mão fechada, colocar discretamente o braço sobre o encosto do sofá e, então, posicionar o crucifixo atrás da nuca da jovem.

"O teste habitual de possessão é feito por meio da recitação de orações, da leitura da Bíblia ou da exposição do possuído a um crucifixo ou outro objeto sagrado *abençoado*. O objeto ou método de provocação escolhido naturalmente depende da convicção religiosa do demonologista. Sou católico, portanto, uso métodos cristãos. Contudo não faz o meu estilo ficar de pé, lendo orações e tudo o mais, então, quando tenho que provocar — como você deve ter notado — uso um crucifixo abençoado, porque o considero o teste mais rápido e certeiro.

"Quando entramos, o pai e o ministro batista estavam esperando junto da jovem. Pedi que ela se sentasse no meio do sofá. Em seguida, os dois jogadores de futebol se sentaram ao lado dela, como eu os havia orientado. Pedi que o terceiro rapaz ficasse de pé ao meu lado, com uma atitude despreocupada, mas preparado para agarrar a garota, se necessário. Com isso, comecei a fazer à jovem uma série de perguntas corriqueiras: 'Como você se sente?'; 'Qual é a sua profissão?'; e assim por diante. Depois de mais ou menos cinco minutos, fiz o aceno de cabeça para o rapaz que estava com a cruz, e ele casualmente colocou o braço sobre o encosto do sofá, atrás do pescoço da jovem.

"No instante em que ele ergueu o crucifixo e o aproximou da nuca da moça, uma grande poltrona de estúdio no lado mais distante da sala tombou sozinha. Poucos segundos depois, uma mesa virou com as pernas para o ar e desabou no chão. Batidas e pancadas começaram a soar nas paredes, seguidas por golpes surdos no telhado, que pareciam passos de um gigante andando em cima da casa. Em seguida, uma grande luminária de mesa se ergueu no ar, atravessou a sala voando e colidiu contra uma parede.

"Vendo e ouvindo tudo aquilo, o pai ficou completamente aterrorizado", diz Ed, tomado de compaixão, "e pensei que o pobre ministro batista fosse enlouquecer ali mesmo. Enquanto isso tudo acontecia, as feições daquela bela moça se transformaram nas feições de uma grosseira fera sub-humana. Rosnados animalescos começaram a vir do corpo da jovem e, ao mesmo tempo, ela curvou os dedos em garras e tentou partir para cima de mim e retalhar o meu rosto. Todos aqueles cinco homens: os três jogadores de futebol, o pai da moça e o ministro — pesando, juntos, bem mais que 450 quilos — mal conseguiram impedi-la. Neste caso, subjuguei o espírito segurando um segundo crucifixo no espaço entre as sobrancelhas da jovem, ordenando então que a entidade possessora fosse embora, o que aconteceu depois de uns cinco minutos."

Após relatar o incidente da provocação, Ed reproduz a gravação original do episódio na casa da jovem, o qual provou ser uma demonstração horrenda e impressionante de ódio, fúria e violência inumana.

"Em resumo, portanto, enquanto demonologista, entrevistei a família, testemunhei a ocorrência de fenômenos exteriores na sala em que se encontrava a possuída e confrontei a entidade na presença de testemunhas. Depois de obter tais informações, recomendei a realização de um exorcismo para aquele caso, o que foi feito umas duas semanas depois. Em consequência, hoje a mulher está livre e leva uma vida respeitável na cidade de Nova York."

Embora relatos e recomendações dos médicos responsáveis pelos exames físicos e do demonologista oficiante possam, muitas vezes, ser suficientes para convencer as autoridades eclesiásticas da necessidade de exorcismo, normalmente devem ser apresentadas provas adicionais que ratifiquem inquestionavelmente tal necessidade — em especial quando se trata do *Rituale Romanum*. Por exemplo, gravações, fotografias, leituras de instrumentos de teste, substâncias ou objetos materializados têm que ser apresentados como provas físicas da ocorrência de fenômenos distintamente "preternaturais". Além disso, testemunhas confiáveis serão convocadas a atestar mudanças no caráter e na atitude da pessoa possuída e, quando cabível, confirmar que alguma atividade incomum aconteceu na sua presença. Os critérios para identificar uma possessão, em particular para os exorcismos católicos, são rigorosos. Isso porque, além de tudo o que se mencionou anteriormente, nenhuma decisão pelo exorcismo será concedida a menos que se responda *sim* a, no mínimo, uma destas quatro perguntas cruciais:

- O indivíduo revelou algum conhecimento secreto ou sobre o futuro?
- O indivíduo possuído falou em línguas ou idiomas que lhe eram desconhecidos anteriormente?

• O indivíduo demonstrou poderes inumanos ou provocou atividade claramente além da capacidade humana?

• A entidade possessora identificou-se pelo nome ou deu algum sinal irrefutável de uma presença diabólica?

Uma vez respondidas tais perguntas e reunidas todas as demais informações, o caso é então submetido às autoridades eclesiásticas. Se, depois de um estudo muito cuidadoso de todos os dados, é apresentada a decisão de que o exorcismo maior é necessário, designa-se um exorcista para resolver a questão.

"Cada uma das principais religiões tem o próprio ritual de exorcismo", comenta Ed, "não como um vestígio do passado, mas como uma necessidade cotidiana. É um equívoco difundido pensar que o exorcismo é um ritual medieval obsoleto que já não é realizado. O exorcismo ainda é necessário *e* realizado neste século assim como o foi em todos os séculos passados. Embora o número exato de exorcismos seja provavelmente o segredo mais bem guardado do mundo, posso lhe dizer que muito mais de seiscentos exorcismos maiores foram realizados entre 1970 e 1980, apenas na América do Norte."

Em última análise, as pessoas não deveriam ser possuídas por nenhum espírito além do seu próprio — muito menos por qualquer espírito demoníaco desumano. Portanto, é necessário poder sobrenatural positivo para desfazer a catástrofe espiritual da possessão. O diabo "não respeita homem algum"; assim, essa perturbação da ordem natural pode ser remediada tão somente por um clérigo devidamente ordenado, que atua como representante direto de Deus. Essa tarefa particularmente difícil exige um indivíduo muitíssimo piedoso que, sozinho, consiga confrontar as entidades decididamente ignóbeis que se engajam na possessão de seres humanos. "Na maioria das religiões não cristãs, o ritual costuma ser conduzido por um clero especializado", diz Ed. "Em outras palavras, o exorcista tem uma função especializada que os outros clérigos da sua religião não têm. Isso se aplica particularmente às religiões orientais. Na fé judaica, o exorcismo é conduzido por um exorcista, que lê o ritual estabelecido na sagrada Torá enquanto é, em regra, assistido por um *minyan* [quorum] de dez judeus piedosos que fazem parte do templo. Nas denominações cristãs também existem clérigos especializados, embora todo clérigo cristão ordenado seja um *potencial* exorcista, porque Cristo foi um. Na realidade, Jesus Cristo foi o maior exorcista que já viveu. Ele não só exorcizava os possuídos como trazia os mortos de volta à vida!" Além disso, as Escrituras indicam que Jesus transmitiu esse poder de exorcizar o demônio do corpo do homem aos seus Discípulos, usando as seguintes palavras, registradas no Capítulo 10 do evangelho de São Lucas:

> *Aquele que vos ouve, a mim ouve; e aquele que vos rejeita, a mim rejeita; e aquele que me rejeita, rejeita Aquele que me enviou [...]. Eis que vos dou poder para pisar serpentes e escorpiões, e toda a força do inimigo; e nada vos causará dano. Mas não vos regozijeis nisso, que os espíritos se vos submetam; antes, regozijai-vos de ter vossos nomes escritos nos céus.*

Embora talvez se imagine que os membros mais elevados do clero sejam chamados a efetivamente realizar um exorcismo maior, isso raramente acontece. "Já trabalhei com exorcistas de quase todas as principais religiões", diz Ed Warren. "E percebi que são homens mais velhos, geralmente entre 40 e 80 anos. Costumam ser homens muito santos e humildes, que demonstram um profundo cuidado pelas pessoas e o bem-estar delas. Geralmente, eles não têm outro título além de monge, padre, rabino, ministro ou iogue, mas todos parecem personificar uma combinação de sabedoria, bondade e compaixão que não se vê em pessoas comuns."

Todavia, piedade, sabedoria, devoção e humildade não são suficientes. Enquanto pessoa, o exorcista deve incorporar as virtudes de bondade e moralidade que representam os melhores aspectos humanos. E não menos importante: o exorcista deve ser forte o bastante para suportar os tormentos mentais e físicos que frequentemente ocorrem na batalha para recuperar uma alma humana das garras do demônio. "Em algum momento da sua vida, sem exceção, o espírito demoníaco ataca o exorcista por ser o homem bom que é. A tarefa do exorcista é o trabalho mais ingrato do mundo. Ainda que seja um homem de enorme valor pessoal", afirma Ed, "ele costuma ser criticado e ridicularizado por aqueles que são ignorantes demais para reconhecer o quanto ele deveria ser estimado."

Quando é preciso realizar um exorcismo maior, a data, o horário e o local do ritual são normalmente estabelecidos com antecedência, sempre que possível. "A preferência é por dias santos ou dias de festas de santos", observa Ed. "Via de regra, o ritual é marcado para as horas matutinas, de modo a evitar os ataques que o diabo — o Príncipe das Trevas — é capaz de empreender durante as horas psíquicas da noite. O exorcismo pode acontecer na moradia do indivíduo possuído, mas provavelmente será realizado em alguma casa religiosa. Exorcismos potencialmente violentos, envolvendo entidades muitíssimo malignas ou poderosas, costumam ser realizados em algum hospital vinculado a uma instituição religiosa, lugar em que médicos e equipamentos de sustentação da vida estão a postos."

Nesse ínterim, nos dias que precedem a um exorcismo maior, o exorcista se submeterá a uma rigorosa preparação. Ele se absterá de alimentos e tomará água abençoada apenas se necessário. A isso se chama Jejum Estrito. Espiritualmente, o exorcista ficará enclausurado em oração por um período mínimo de três dias, a fim de ser fortalecido com as três Virtudes Teológicas da fé, da esperança e da caridade: fé no que ele está fazendo, esperança de que terá êxito, e a caridade de doar-se livremente em benefício do próximo. Por fim, tendo-se colocado em um estado de graça, o exorcista vai implorar pela assistência Divina, uma vez que o homem não tem poder inerente sobre esses anjos negativos de perdição.

No dia do exorcismo, reúnem-se os assistentes, que também se prepararam para o ritual com oração e jejum. Se existe a possibilidade de haver violência durante o exorcismo, a pessoa possuída será deitada em uma cama e usará roupas folgadas. "Qualquer coisa que possa se mover, queimar ou ser atirada é removida do quarto", revela Ed. "Se você der um porrete ao espírito demoníaco, ele o acertará com isso. Portanto, a única coisa que deve permanecer no quarto é uma mesa, sobre a qual serão colocadas velas, óleos bentos e o Santíssimo Sacramento. Todos os outros móveis e objetos terão que ser retirados dali, para a segurança do exorcista e de seus assistentes."

Com isso, tem início o terrível suplício.

Em seu livro *Diabolical Possession and Exorcism* [Possessão Diabólica e Exorcismo], o padre John Nicola observou que: "O exorcismo não é uma batalha, mas uma guerra". A vitória nessa guerra ocorre quando o espírito demoníaco abandona o indivíduo por já não suportar a exposição a tudo o que lhe é oposto, ou seja, o Sagrado. Assim, é isto o que o exorcista recita:

> Eu te esconjuro, espírito imundo, todo o ataque do adversário infernal, toda a legião, grupo e seita diabólica. Em nome do nosso Senhor Jesus Cristo, sai e afasta-te desta criatura de Deus. Pois é Ele que te ordena, Ele que te mandou precipitar-te do alto dos céus ao profundo abismo da terra. [...] Estremeça e fuja, enquanto clamamos em nome do Senhor, perante Quem o inferno estremece, para

Quem as santas Virtudes e Poderes e Domínio estão sujeitos, a Quem os Querubins e Serafins louvam com vozes infinitas enquanto cantam: Santo, Santo, Santo, Senhor Deus de Sabaoth!

Embora o exorcismo previsto no *Rituale Romanum* seja um documento cerimonial com não mais de 25 páginas aproximadamente (metade delas contendo salmos), muitas vezes, o espírito(s) possessor(es) partirá(ão) apenas depois de um longo e excruciante suplício — como aconteceu no exorcismo realizado na Alemanha Ocidental. Sem interferências, o *Ritual Romano* é recitado em cerca de duas horas. Todavia, o que ocorre *durante* a leitura do texto é que se torna um suplício. O fraseado do documento é tão forte e desafiador ao espírito demoníaco que a resistência das entidades possessoras às declarações podem fazer o exorcismo arrastar-se por horas, dias, semanas e até meses ininterruptos.

O que acontece durante o desenrolar de exorcismos maiores é informação que não se disponibiliza ao público: um exorcismo não é um espetáculo. Contudo, como demonologista, Ed Warren trabalha junto de exorcistas e já auxiliou mais ou menos 43 exorcismos diferentes, tanto nos Estados Unidos quanto na Inglaterra. Ele testemunhou os fenômenos bizarros e também já foi alvo dos terríveis ataques e das perseguições que normalmente compõem o suplício.

"Em primeiro lugar", diz Ed, "compreenda que a minha função é sempre a de *auxiliar* o exorcista. Eu não fico andando de lá para cá como algum tipo de capelão bancando o padre; estou ali para ajudar. Conheço os sinais de perigo, então, quando surgem problemas, meu conhecimento pode ser útil. Por outro lado, é o exorcista que tem a função realmente perigosa de expulsar o espírito demoníaco, e é contra o exorcista que, em última análise, o demônio concentra a sua vingança.

"Com relação ao que acontece durante um exorcismo, primeiro deixe-me dizer que, de cada dez casos, em aproximadamente seis deles o espírito obedece às ordens do exorcista e vai embora à primeira leitura do ritual. A paz e a tranquilidade do quarto são o sinal de que os espíritos deixaram o corpo da pessoa possuída. Em geral, nessas ocasiões, o próprio possuído dirá 'Acabou' ou 'A possessão terminou'. É claro que o exorcista precisa ter cautela diante disso. Os mais eficientes entre eles têm o que se chama de 'dom do discernimento': eles sabem com certeza se o espírito ainda está possuindo ou não o indivíduo.

"Porém, surgem problemas em quatro de cada dez exorcismos. Ocorrem fenômenos no quarto, e as entidades possessoras oferecem resistência. Nesses casos, tão logo o exorcista dá início à leitura do *Ritual*, os espíritos respondem com um contra-ataque, cujo objetivo é impedir a continuidade do exorcismo. Geralmente, isso consiste em gritos desvairados, vaias ou berros produzidos pelas entidades dentro da pessoa. O relinchar de cavalos, o latir de cães, o grunhir de porcos são barulhos típicos emitidos pelo espírito demoníaco para interromper o ritual. Interrupções, aliás, são a palavra de ordem durante um exorcismo maior. Os uivos, ladridos e guinchos felinos sobrenaturais podem continuar por horas a fio. Para o exorcista, porém, esses sons bestiais não passam de inconveniências irritantes.

"À medida que o exorcismo prossegue", continua Ed, "as entidades possessoras costumam despejar vulgaridades e blasfêmias — linguajar grosseiro, repugnante e obsceno. Falando com voz inumana e rascante, essas coisas também desafiam as Escrituras que estão sendo lidas e, às vezes, até 'corrigem' o exorcista se ele por acaso omitir uma frase ou pronunciar inadequadamente uma palavra — em latim ou inglês — do *Ritual*. Esses insultos e calúnias mais tarde se transformam em ataques pessoais desmoralizadores contra todos os presentes. Esses espíritos, veja bem, conhecem não só as Escrituras, mas também a vida de todas as pessoas no quarto. Eles vão tentar afastar o exorcista e os assistentes ao mencionar incidentes dolorosos da vida de tais pessoas, relembrando tragédias pessoais com um prazer perverso. Vão revelar coisas particulares pelas quais a pessoa talvez se sinta extremamente culpada ou vão trazer à tona eventos que provoquem grande dor ou pesar. Quando isso não funciona, eles passam a humilhar cada uma das pessoas presentes fazendo uma lista de todos os pecados mortais cometidos por ela, na frente de todo mundo, demorando-se naqueles que provavelmente sejam mais embaraçosos a uma pessoa em particular. Para os católicos, este último problema é evitado por meio da confissão: curiosamente, o espírito demoníaco não tem conhecimento de pecados que foram confessados!

"Quando os ataques pessoais ao exorcista e aos assistentes se mostram insuficientes para fazer parar o exorcismo, é possível que ocorram fenômenos incríveis e assustadores nos casos em que estão envolvidas entidades muito poderosas. Nesses casos, já vi o que *não deveria* ser; já vi o que *não poderia* ser. Em um exorcismo, por exemplo, o demônio materializou algo como o equivalente a seis ou sete baldes de uma substância que parecia uma combinação de espaguete com cabelos. E o fedor de excremento misturado ao odor daquilo era tão intenso que fazia o estômago revirar. Entretanto, os piores fenômenos são infligidos ao possuído.

"Em pelo menos seis casos, vi o indivíduo possuído levitar acima da cama. Vi os cabelos da vítima arrancados do couro cabeludo por mãos invisíveis. Já vi a pessoa possuída vomitar *litros e litros* de substâncias pútridas e repugnantes, em geral fedendo a excremento. Vi queimaduras e cortes psíquicos aparecerem por todo o corpo do possuído, provocando gritos desesperados e dolorosos quando ele está consciente durante o ritual.

"No caso de uma garota de 13 anos que estava possuída por um íncubo, vimos marcas de dentes surgirem no braço da menina. Pelo que nos foi possível identificar, eram mordidas como as de um animal, com saliva úmida à sua volta. As marcas rompiam a carne e sangravam. Também já vi o demônio fazer inchar o corpo do indivíduo possuído até alcançar o dobro do tamanho normal. A cabeça, o tronco, os braços, os dedos, as pernas, o corpo inteiro ficou tão inchado e desfigurado que a pele começou a rasgar e exsudar sangue; chegamos a pensar que a pessoa fosse explodir! No entanto, todas essas queimaduras, marcas e mudanças físicas no corpo desaparecem imediatamente quando as entidades possessoras são exorcizadas, e é o que quis dizer com 'paz e tranquilidade' no quarto ao final de um exorcismo bem-sucedido.

"Essas são coisas que testemunhei pessoalmente. Mas, deixe-me lembrá-lo", continua Ed, "que esse tipo de fenômeno repugnante é definitivamente relatado em outros exorcismos, dos quais não participei. Em 1977, por exemplo, mais ou menos um ano antes da morte do papa Paulo VI, uma inexplicável onda de possessões parece ter ocorrido entre muitas freiras e diversos padres do Vaticano. Nesses casos, os possuídos não só assumiam formas grotescas como regurgitavam pregos, cacos de vidro, bile e animais vivos." Ed abre um livro intitulado *Begone Satan* [Afasta-te, Satã]. "E eis aqui o que aconteceu à mulher de Earling, Iowa, durante um exorcismo de 23 dias, em 1928."

> Incontáveis crias de diabos também interrompiam o procedimento do exorcismo com interferências desagradáveis e quase insuportáveis. Em consequência de tais perturbações, o rosto da mulher ficou tão distorcido que ninguém podia reconhecer as suas feições. Em seguida, o corpo inteiro dela ficou tão terrivelmente desfigurado que o contorno normal desapareceu. A cabeça pálida, emaciada e cadavérica, que assumia muitas vezes o tamanho e o formato de um cântaro de água invertido, ficou tão vermelha quanto brasas incandescentes. Os olhos se projetaram para fora das cavidades, os lábios incharam até ficarem

> quase do tamanho de mãos e o corpo magro e fino inchou tanto que o pastor e algumas irmãs recuaram de medo, achando que a mulher seria rasgada e explodiria em pedaços. Por vezes, a região abdominal e as extremidades da mulher ficavam rígidas como ferro e pedra. Em tais ocasiões, o peso do seu corpo fazia tanta pressão na estrutura de metal da cama que as hastes vergavam até o chão.

"É isso o que o nosso amigo, o diabo, faz às pessoas", diz Ed, com indisfarçável desdém. "Contudo, não importa o quanto os fenômenos possam se tornar intensos e irracionais, é impensável que o exorcista venha a sucumbir durante o processo. Atuando no interesse do bem, o exorcista e aqueles à sua volta devem lutar contra fenômenos físicos repulsivos que fariam até o indivíduo mais empedernido se encolher de choque e repugnância. No entanto, ainda assim, o exorcista resiste e continua repetindo o ritual, às vezes quase ao ponto da morte, até que por fim as entidades possessoras revelem as suas identidades e vão embora, em nome de Deus.

"Quando o exorcista intervém", conclui Ed, "ele enfrenta a *coisa de verdade*. Quando todo o lamentável processo termina, o indivíduo está livre de um espírito externo que admite querer dominar o homem e provocar sua completa ruína e destruição. Para o exorcista, porém, o suplício ainda não chegou ao fim. Nenhum exorcista *jamais* sai ileso de um confronto com o Mal. Ele permanece para sempre sozinho, apartado dos outros homens, sentindo o aguilhão e o ódio mordaz que o diabo reserva a Deus. *Essa* é a verdadeira natureza do exorcismo maior!"

Qual é o pior caso que Ed e Lorraine já investigaram?

"Isso é uma coisa de que eu nunca, nunca falo", admite Ed, ficando de repente muito sério. "O caso foi quase o nosso fim, isso eu garanto. Nós fomos levados a um lugar fora deste mundo, um lugar que você nunca acreditaria existir, mesmo que eu o descrevesse. Cada minuto, cada segundo daquelas longas horas foi tão inacreditável, tão incompreensivelmente horrível, que acho que agora conheço o verdadeiro significado de inferno e o valor da vida na Terra."

14
AS VOZES DE ENFIELD

"Há alguém vivo naquele carro ali embaixo?", o policial estadual da Pensilvânia perguntou.

O Ford LTD preto havia saído pela lateral da rodovia em alta velocidade, capotado várias vezes pela extensão de um barranco íngreme e parado uns nove metros abaixo da superfície da estrada, em um amontoado de gelo e neve.

"Estão todos bem", disse o motorista.

Depois de chamar um guincho, o policial abriu a sua caderneta de couro e perguntou: "O que aconteceu?".

Um motorista de carreta respondeu: "Eu vinha uns oitocentos metros atrás do carro. Por nenhum motivo aparente, ele saiu do controle. A traseira balançou da esquerda para a direita, da direita para a esquerda, até que o motorista conseguiu recuperar o controle. Alguns segundos depois, o carro deu um giro completo. Mas o giro não foi normal: eu tive a impressão de que as rodas do carro nem sequer estavam na estrada — que o carro estava, na verdade, girando no ar! E, então, enquanto ele estava no ar, pareceu que foi puxado de lado, antes de sair da estrada, passando por cima da proteção e descendo pelo barranco".

"Quem é o motorista?", perguntou o policial, em seguida.

"Sou eu", respondeu Ed Warren. "O carro saiu do controle duas vezes. Na segunda vez, não consegui virá-lo..."

O que *realmente* aconteceu, contudo, foi algo diferente — algo que poucos policiais teriam compreendido, mesmo após uma explicação longa e tediosa.

"Estava tudo bem", recorda-se Ed. "Era um dia de céu limpo. Lorraine e eu vínhamos conversando sobre a situação de vários casos em que estávamos envolvidos à época. Dois ou três minutos antes do acidente, tínhamos começado a falar sobre o caso Amityville, que, a propósito, não era diferente nem mais violento que os outros casos de que vínhamos tratando. De repente, o carro saiu do controle.

"Agora, eu dirijo mais de 80 mil quilômetros por ano, de modo que dou conta de conduzir o meu próprio carro. Só que aquilo foi esquisito; a sensação era como se uma espécie de mão gigantesca tivesse acertado o carro por trás. Na primeira vez, a traseira do carro subiu, saindo do chão. Na segunda vez, *o carro inteiro saiu do chão*! Nós giramos na horizontal uma ou duas vezes e, quando percebi, estávamos descendo um barranco a 80 km/h, *de ré*. A única coisa que nos impediu de bater no fundo foi a neve que o carro escavou enquanto estava descendo.

"Inacreditavelmente, não houve danos ao carro, exceto por alguns amassados na lataria. Um guincho puxou o carro barranco acima e, uma hora depois, já estávamos seguindo viagem. O estranho é que", interpôs Ed, "na noite que se seguiu à nossa visita a Amityville, naquela em que a entidade escura em forma de redemoinho me confrontou, ela projetou a visão desse acidente automobilístico. Ironicamente, o incidente aconteceu nas montanhas Pocono, em um lugar chamado Vale do Senhor!"

Depois de exorcismo, demonologia talvez seja a atividade mais perigosa do mundo. Portanto, nunca um caso é rotineiro para os Warren. De fato, com o passar de cada ano e a cada novo caso, eles se expõem a um perigo cada vez maior. Afinal, depois de dedicar a vida toda ao estudo do sobrenatural, Ed e Lorraine Warren se arriscam sempre que se envolvem em um caso no qual estão em atividade mais do que espíritos humanos presos à terra. E embora eles possam enfrentar e vencer forças vis e blasfemadoras ou ajudar a resolver uma perturbação, de modo que os moradores do lugar possam viver em paz, de uma forma ou de outra, os espíritos com que eles se deparam continuam a atormentá-los por anos após a ocorrência. É um risco desagradável, ainda que real, do trabalho.

Um exorcista passa por preparações elaboradas antes de confrontar o espírito demoníaco. Os Warren fazem alguma coisa especial para assegurar a própria segurança?

"Antes de avançarmos em um caso sério", responde Lorraine, "tomamos uma série de precauções. Primeiro, avaliamos minuciosamente as pessoas com quem estamos lidando. Não vamos colocar a nossa vida em risco por alguém que acabará voltando atrás e atraindo os mesmos espíritos uma semana depois. Assim, começamos por analisar a sinceridade e a necessidade por parte da pessoa ou da família que nos contatou. Depois disso, examinamos nossas próprias motivações e nossa consciência. Somos as pessoas certas para assumir o caso? Outros indivíduos — talvez do clero — poderiam fazer um trabalho melhor desde o início? No entanto, nós nunca recuamos diante de um caso por ele ser demasiado difícil ou perigoso.

"Agora, se decidimos prosseguir com uma investigação, então tomamos precauções adicionais", continua ela. "Somos católicos, por isso, eu geralmente passo uma tarde ou mais na igreja, orando por nossa segurança e para que tenhamos êxito. Eu uso o rosário. Aqueles de nós que estão neste trabalho têm conhecimento do poder palpável do rosário. Se é um caso grave, pedimos que vários padres rezem por nós e, muitas vezes, também pedimos que se celebre uma missa. Algumas pessoas talvez achem isso estranho, mas, a partir da nossa experiência, sabemos que não existe outra maneira: boas intenções não são suficientes para ser bem-sucedido neste trabalho. Sejamos francos: não estamos lidando com uma ideia, um conceito ou uma ilusão. *Estamos lidando com a manifestação real, física, do diabo* em uma da suas muitas formas poderosas.

"Quanto ao que nos protege", conclui Lorraine, "essa é uma questão totalmente diferente. Quando enfim entramos em uma casa em que esses espíritos negativos estão atuando, usamos medalhas sagradas especiais, abençoadas, e levamos conosco uma relíquia de um santo. Contra forças demoníacas, esses objetivos espiritualmente positivos trazem consigo um grande poder metafísico. Mas nunca realmente entramos sozinhos em uma casa: muitos outros entram conosco, em espírito. Além disso, podemos perceber que recebemos a ajuda de espíritos *positivos* em casos particularmente difíceis. Como clarividente, também consigo me comunicar com guias espirituais que nos dão proteção e orientação. Por fim, Ed deve a segurança dele a São Miguel, cuja presença às vezes nos é revelada por sinais simbólicos positivos.

"Em suma, não se consegue fazer este trabalho e, ao mesmo tempo, permanecer vivo sem a ajuda do alto; e me refiro às vezes à ajuda *física* do alto. Há ocasiões em que está ocorrendo um verdadeiro caos na casa em que Ed está prestes a entrar. Nessas situações, uma força impenetrável cerca a casa, ou duas 'mãos' fortes empurram Ed para trás, impedindo-o de entrar. Sabemos que a presença é de natureza positiva — talvez até mesmo angelical —, porque o cheiro de perfume e flores frescas é projetado ao mesmo tempo. Então, veja, nós não vamos simplesmente entrar em uma casa infernal e desafiar o diabo ou a sua legião. Em vez disso, se somos bem-sucedidos no nosso trabalho, é por causa do nosso conhecimento do sobrenatural, bem como das orações, do cuidado e da orientação de todos aqueles que nos dão apoio. Se não tomássemos essas precauções ou se fizéssemos este trabalho por mera curiosidade, então, uma coisa é certa: já estaríamos mortos a esta altura!"

Com isso, Ed entra na discussão. Ele havia chegado da Inglaterra no dia anterior. Sua viagem ao Reino Unido teve por objetivo visitar uma família em cuja casa fenômenos espirituais inumanos vêm acontecendo com crescente regularidade ao longo dos últimos três anos. Essa fora a terceira visita de Ed a Enfield só no último ano. Dessa vez, o propósito da visita foi reunir provas dos fenômenos que estão ocorrendo na casa, provas que pudessem ser usadas para comprovar a necessidade de exorcizar a residência.

"O caso Enfield faz o caso Amityville parecer uma casa de brinquedo", diz Ed. "E estou falando sério. Os Lutz conseguiram sair da casa depois de 28 *dias* de terror. Neste caso, as pessoas *não podem* sair da residência por motivos econômicos e estão sendo obrigadas a suportar a perturbação já há três *anos*. As pessoas que estão sendo vitimadas, como a imprensa londrina vem noticiando à exaustão, são uma mulher de 50 anos de idade, divorciada, e os três filhos. Eles vivem juntos em uma casa custeada pelo governo, no subúrbio de Enfield, zona norte de Londres. Na família há duas garotas, uma delas com 15 anos e a outra com 12 anos agora, e um menino de 8 anos. Embora os fenômenos tenham começado repentinamente em agosto de 1977, o caso começou em 1976, quando as duas garotas atraíram entidades inumanas para a casa depois de brincar com — você adivinhou! — um tabuleiro Ouija. As garotas não tinham nenhum propósito sinistro ao usá-lo: elas apenas não tinham mais nada para fazer e estavam brincando com o tabuleiro como se fosse um jogo. Para a infelicidade delas, Londres é um lugar espiritualmente ativo. O resultado foi que as meninas fizeram contato com um espírito demoníaco que fez o seu truque e conseguiu arrancar delas permissão para entrar na casa. Algumas semanas depois, esse espírito infestou a casa, e não estava sozinho: ele levou consigo seis camaradas! Esses seis espíritos estão presentes na casa neste exato instante, enquanto falo.

"Quando os espíritos foram inicialmente atraídos, irrompeu a costumeira torrente de fenômenos de infestação: batidas, pancadas, sons de algo raspando, golpes e assim por diante. Com o passar do tempo, os fenômenos progrediram. Objetos se materializavam, pessoas levitavam — principalmente as garotas — e inúmeras formas escuras se manifestavam e flutuavam pela casa durante a noite. Após a mãe relatar o problema à força policial local, a polícia investigou a queixa, mas em vão. No entanto, em pouquíssimo tempo, a imprensa soube do caso, e repórteres e pesquisadores de fenômenos psíquicos afluíram àquela casa geminada de tijolos. Entre 1977 e 1978, eles não só colocaram a família em evidência como documentaram em detalhes a realidade dos fenômenos que ocorriam ali. Então, eles foram embora, sem que ninguém jamais dissesse àquelas pessoas como poderiam se livrar da perturbação. Na realidade, parece que ninguém sequer *sabia* o que estava havendo. O caso havia sido classificado como um suposto 'ataque poltergeist', e assim permaneceu. Quando estive na Inglaterra, no verão de 1978, o caso me chamou a atenção e decidi visitar a família.

"Naquela ocasião", continua Ed, "passei uma semana em Enfield. Fiz entrevistas minuciosas com todos os membros da família, separadamente e juntos, enquanto testemunhava os fenômenos que aconteciam à minha volta, na casa. Como demonologista, pude perceber que aqueles indivíduos estavam sendo sistematicamente oprimidos e, por vezes, até possuídos por espíritos inumanos. Por exemplo, as garotas saíam do chão, levitando, se entrecruzavam no ar e eram colocadas no chão outra vez, em uma demonstração de poder inumano. Na verdade, parecia que, toda semana, uma ou outra das garotas era submetida à levitação, normalmente na companhia de testemunhas. A mãe me contou já ter entrado no quarto das meninas e encontrado a filha mais nova levitando em pleno ar enquanto dormia em sono profundo. Em outras ocasiões, ela havia testemunhado as filhas subindo e descendo sobre a cama, 'como um ioiô', nas palavras dela, sem que nenhuma das garotas conseguisse controlar a atividade. As crianças também falaram de uma massa escura que se manifesta nos seus quartos, à noite, e as aterroriza com a sua presença.

"Mesmo enquanto eu conversava com a família, coisas se erguiam no ar e flutuavam pela sala. Certa noite, uma cadeira de madeira se elevou no ar, permaneceu parada por um instante e então explodiu. Em outra ocasião, uma rocha grande e pesada, do tamanho de uma bola de *softball*, se manifestou do nada no meio da sala de estar e caiu no chão com um baque! Mais tarde, levei aquela rocha a um geólogo da Universidade de Londres, sem lhe dizer onde eu a havia conseguido. Eu apenas pedi ao professor que me dissesse de onde a rocha poderia ter vindo. 'A pedra é originária de um lugar único nas Ilhas Britânicas', ele me disse. 'Esse lugar é a Ilha de Wight.' A Ilha de Wight, é claro, se localiza no Canal da Mancha, uns 120 quilômetros a sudoeste de Londres, em linha reta.

"Mais sério que os fenômenos externos é o que está acontecendo às crianças daquela casa", prossegue Ed. "As meninas, em especial, estão sofrendo episódios de possessão nos quais assumem as feições de uma 'idosa morta', de acordo com a mãe, 'e têm a força de uma amazona'. O aspecto mais perigoso dos episódios de possessão é que uma das filhas normalmente é levada a atacar a mãe e tenta matá-la com as próprias mãos — e, em muitas ocasiões, quase conseguiu. Poucas semanas antes de eu chegar, uma das garotas foi possuída. Depois que a entidade possessora andou de forma ameaçadora pela casa, ela colocou a garota em um estado de agitação frenética. A mãe foi forçada a levar a filha a um hospital local, onde os médicos trabalharam por seis ou sete horas, tentando tirá-la daquele estado. O incidente parou de súbito depois que o espírito se retirou do corpo da garota e, então, ela se levantou e simplesmente saiu andando da sala de emergência.

"De longe, porém, o aspecto mais impressionante deste caso são as manifestações vocais físicas que ocorrem dentro da casa. As vozes de seis espíritos diferentes falam em alto e bom som *dentro do quarto*. É como se houvesse seis pessoas invisíveis presentes ali. É incrível: não dá para acreditar mesmo se você estiver lá!

"Ainda que a família esteja comendo na cozinha, as vozes falam em outro cômodo! A Sociedade Britânica de Pesquisas Psíquicas — que trabalhou no caso antes de mim — passou um pente-fino na casa e verificou que era impossível que as vozes estivessem sendo projetadas por alto-falantes ou por qualquer outro meio eletrônico.

"As vozes falam com um nítido sotaque *cockney*, característico da região leste de Londres. O espírito demoníaco é um imitador, portanto, ali ele fala com esse sotaque porque a família pode compreendê-lo, embora um dos espíritos acabe deslizando para o alemão quando bem entende. E essas vozes não são algo como uma frase ou sentença ocasional: elas falam *o tempo todo*. Esses espíritos tagarelam não só para as pessoas na sala; quando ninguém está se dirigindo a eles, eles conversam entre si! Eles falam mais do que as pessoas.

"A Sociedade Britânica de Pesquisas Psíquicas tem suas próprias gravações das vozes desses espíritos, mas, como a sua organização é particular, as provas até agora não foram disponibilizadas ao público em geral. Fui até a casa com o propósito específico de conseguir as gravações dessas vozes, o que poderia ser usado para documentar a necessidade de exorcismo."

Ed fez alguma gravação das vozes?

"Pode apostar que sim", responde ele, dando um tapinha em um par de fitas cassete sobre a mesa à sua frente. "Embora vá levar algum tempo para que o conteúdo destas fitas possa ser analisado, as evidências estão bem aqui. E, na minha opinião, este conteúdo representa uma das provas mais importantes da existência do espírito demoníaco obtidas até agora. Vou reproduzi-las..."

As fitas rodam por bem mais de três horas e o que se ouve nelas é algo verdadeiramente inacreditável. As gravações foram feitas enquanto Ed e dois assistentes, Paul Bartz e John Kenyhercz, entrevistavam a mãe e as três crianças na residência de Enfield. Enquanto os três homens faziam perguntas à família, era possível ouvir outras vozes — as vozes dos espíritos — falando na sala ao mesmo tempo: "Vamos apagar as luzes"; "Vá descascar o papel de parede"; "Arremesse a mesa"; "Não deixe que ele entre naquele quarto" estavam entre os muitos comentários que as vozes faziam quando nenhum ser humano da casa falava com elas. Com bastante frequência, uma voz estranhíssima, parecida com a de um papagaio, intrometia-se, dizendo apenas: "Olá". Por vezes, os demais espíritos uniam-se à voz de papagaio em uma rodada de olás. Entretanto, nem todos os sons produzidos pelos espíritos assumiam a forma de linguagem. Pelo menos 10% da gravação traz grunhidos, gemidos, "ecas" e imitações de sons de animais, dos quais o mais repetido era um latido de cachorro.

Quanto à comunicação com esses espíritos, parecia não haver nenhum problema. Por vezes, os espíritos dirigiam-se às pessoas no cômodo; outras vezes, as pessoas no cômodo dirigiam-se aos espíritos. O timbre das vozes é extremamente áspero e gutural. A elocução é definitivamente *cockney* — na realidade, *tão cockney* que o ouvido norte-americano tem bastante dificuldade para compreendê-la. A natureza das declarações dos espíritos haveria de colocá-los em uma baixa escala de inteligência humana, ainda que eles não sejam, em absoluto, ignorantes. Praticamente todas as perguntas feitas aos espíritos tiveram alguma resposta.

Embora as vozes inumanas geralmente fornecessem respostas diretas e racionais, muito do que diziam também era sem sentido e imprevisível. *Há* uma voz predominante na *multidão* e, por ocasião da gravação, o espírito identificou-se como "Fred". Foi a Fred que Ed Warren dirigiu a maior parte das suas perguntas. O que segue é um trecho daquele interrogatório.

Ed Warren: Olá?
Voz: Olá.
E.W.: Você sabe quem eu sou?
V.: Sim.
E.W.: Quem sou eu?
V.: Ed.
E.W.: É isso mesmo, sou Ed. Quem é você?
V.: Fred-die.
E.W.: Você é Freddie, hein? Qual é o seu nome verdadeiro?
V.: Eccccaa... [*barulho*]
E.W.: Quando você vai embora daqui, Fred?
V.: Quinhentos anos.
E.W.: É muito tempo. Você pode mover alguma coisa para nos mostrar que está aqui?
V.: Não.
E.W.: Por que não?
V.: Tommy arrancou o meu braço.
E.W.: Ah, então vocês estão em dois? Deixe-me falar com Tommy.
V.: [*Uma nova voz, embora ainda áspera e gutural.*] É. Eu sou Tommy.
E.W.: Tommy, como você acha que poderíamos nos livrar de todos os problemas que estão acontecendo nesta casa?
V.: Mate os fantasmas!
E.W.: Mate os fantasmas? *Você* não é um fantasma?
V.: Não!
E.W.: Diga-me, como você entrou nesta casa?
V.: Subi através das tábuas do piso.
E.W.: Vocês estão em quantos, ao todo?
V.: [*Contando devagar e deliberadamente.*] Ah... uh... um... dois... três... quatro... cinco... seis. Seis estão aqui — não, cinco.
E.W.: Quais são os nomes deles?
V.: Fred-die, Tom-mie, Billy, ah... Charlie e Dick. John não está aqui.
E.W.: Onde está John?
V.: Não sei.
E.W.: Quem é o líder? Você é o líder?
V.: Ninguém. Ninguém é o líder. Eu sou um mentiroso.
E.W.: Quem mais está aqui? Tem mais alguém aqui?
V.: Sim.
E.W.: Quem?
V.: O Homem-Sarjeta está aqui.

E.W.: Deixe-me falar com o Homem-Sarjeta. Deixe-o falar. Você está aí, Homem-Sarjeta?

V.: Sim. [*Uma voz gutural diferente; esta é um pouco mais clara.*]

E.W.: Homem-Sarjeta, o que você tem a dizer?

V.: [*Barulhos de ganidos.*] Esta casa está mal-assombrada. Mate os fantasmas!

E.W.: Homem-Sarjeta, você já esteve vivo?

V.: Sim.

E.W.: Onde?

V.: Entre soldados. Sou um soldado.

E.W.: Você é soldado de que exército?

V.: De todos os exércitos. Sou um soldado.

E.W.: Quem mais está aqui, Homem-Sarjeta?

V.: Ah... uh... Zachary está aqui.

E.W.: Deixe-me falar com ele, Homem-Sarjeta. Deixe Zachary falar.

V.: [*De repente, ouvem-se gemidos e lamentos inimagináveis. A voz é estranhíssima. Os queixumes terminam em um longo grito de "Socorro", que leva dez segundos para ser emitido.*]

E.W.: Caramba. O que foi isso? Coloque Zachary de volta.

V.: [*Repetem-se gemidos angustiosos.*]

E.W.: Quem mais está aqui, Fred?

V.: Não sou Fred, sou Tommy!

E.W.: Deixe-me falar com Fred... Fred, você está aí?

V.: Sim, Fred está aqui. [*A mudança de voz indica que "Fred" está falando.*]

E.W.: Fred, coloque Zachary de volta para falar.

V.: Ele não vai vir. [*Pausa.*] Vou dizer quem mais está aqui. Teddy está aqui. O Homem-Teddy está aqui.

E.W.: Deixe-me falar com o Homem-Teddy, Fred.

V.: Eccaaa... [*Barulho. Em seguida, silêncio, quebrado de poucos em poucos segundos por uma voz semelhante à de um papagaio, que diz "Olá". Uma segunda voz surge e diz "olá", à qual a voz de papagaio responde com dois olás. Uma terceira voz une-se aos olás, e uma quarta voz entra com seu "olá". Então, uma quinta e uma sexta voz reúnem-se às anteriores, formando um coro de vozes de papagaio, todas dizendo "olá", o que acaba progredindo para guinchos altos e desvairados. As vozes adicionais desaparecem em seguida, deixando a voz de papagaio original repetindo seu olá singular.*]

[*Ed dirige-se aos espíritos novamente após o tumulto, mas não há resposta.*]

"Durante todo o tempo em que estive falando com esses espíritos", observa ele durante o período de silêncio na gravação, "coisas voavam pela sala. Por isso os barulhos de objetos quebrando e batendo ao fundo. Cadeiras e mesas se erguiam no ar e caíam. Objetos pequenos, coisinhas, atravessavam a sala zunindo e ricocheteando pelas paredes. Na sala de jantar, o papel de parede era descascado das paredes enquanto observávamos. Uma faca de carne se materializou no colo do meu assistente, Paul. Um prego também surgiu do nada. E, como passou a ser esperado na casa, os espíritos deixaram uma pilha de excremento no carpete do quarto da mãe, no segundo andar, às 3h da tarde."

Quando os espíritos na gravação não estavam produzindo um arroubo de insanidade aleatória, eles pareciam se divertir enchendo a sala de grunhidos, grasnadas, latidos, guinchos e uma variedade de sons de outros animais, dos quais o mais irritante era um grito esganiçado de gato. Um espírito em particular emitiu um uivo intricado e sobrenatural que abriu uma nova comunicação.

E.W.: Rapazes, vocês parecem ter saído direto do inferno. Você sabe onde *é* o inferno, Fred?

V.: Sim.

E.W.: Onde fica o inferno, Fred?

V.: Eccaaa... [*Barulho.*]

E.W.: Quantos anos você tem, Fred?

V.: 16.

E.W.: Você é um fantasma, Fred?

V.: Não... ah... sim. Sou um fantasma.

E.W.: Quem?

V.: Batman. Sou o Batman.

E.W.: O Batman não é um fantasma.

V.: [*Os espíritos passam a uma sequência de sons animalescos, dos quais o que predomina é um latido de cachorro.*]

E.W.: Vocês querem ser animais? Imitem alguns animais. Imitem um porco.

V.: [*Grunhido de porco.*]

E.W.: E que tal um cachorro?

V.: [*Latidos.*]

E.W.: E um gato?

V.: [*Um miado alto e estridente.*]

E.W.: E que tal um peru?
V.: [*Grugulejo.*]
E.W.: Quantos anos você tem, Fred?
V.: 78. Sou um mentiroso. Tommy é um mentiroso.
E.W.: Eu sei.
V.: Posso cantar uma canção?
E.W.: É claro, Fred, vá em frente, cante.
V.: La-de-da-de-da... [*bruscamente*] Jack e Jill subiram a montanha para buscar um balde de água *benta*... rá... rá... rá...
E.W.: Você é cristão, Fred?
V.: Eca. Soldado. Sou um soldado!
E.W.: Quando você morreu, Fred, como soldado?
V.: Estou *sempre* morto.
E.W.: Você já foi casado, Fred? Já teve uma esposa?
V.: Sim.
E.W.: Qual era o nome dela?
V.: Não sei.
E.W.: Quantos anos você tem agora?
V.: 30. Tenho 30.
E.W.: Você sabe que dia é hoje?
V.: Sim. Dia, ah... sete.
E.W.: Correto. Você sabe em que mês estamos?
V.: A-gos. Aagoss. Agosto. Sete de agosto!
E.W.: Onde você arranjou estes nomes: Fred, Tommy, Billy e os outros?
V.: Os túmulos.
E.W.: Você vai ao antigo cemitério aqui perto?
V.: Sim.
E.W.: Por quê?
V.: Para ler os túmulos.
E.W.: Você gosta do cemitério, Fred? Por que gosta do cemitério?
V.: Morte! [*grunhidos*]
E.W.: O que você acha de nós, norte-americanos?
V.: Odeio vocês, odeio vocês, odeio vocês...
E.W.: Você sabe onde ficam os Estados Unidos, Fred?
V.: Não sei. Posso ir com você?
E.W.: Não, Fred. Já tenho muito o que fazer sem você.
V.: Ed. Ed... Ed...
E.W.: O que você quer, Fred?
V.: Arrebentar o gravador.
E.W.: Você gostaria de fazer isso, não é?

V.: Sim. [*Os espíritos tiram a fita original do gravador durante a sessão.*]

E.W.: [*Retomando.*] Você sabe o que vou fazer com estas fitas, Fred? Vou mostrá-las para alguns cientistas que conheço nos Estados Unidos. Eles vão ficar muito interessados em você, Fred!

V.: Vou arrebentar o gravador durante a noite! [*Então, começa uma briga entre dois espíritos, que discutem quem vai "arrebentar" o gravador. Enquanto as vozes avançam do nível de discussão para "arres" e "uivos", Ed pede que Paul saia e vá até o carro pegar uma garrafa de água benta vinda do Santuário Walsingham, no norte de Londres. Paul volta e informa que a garrafa de água benta desapareceu.*]

E.W.: Onde está a água benta, Fred?

V.: Eu a atirei para longe.

E.W.: Você a atirou para longe? Se você não trouxer aquela água benta de volta, vamos realizar um exorcismo *em você*!

V.: Rá, rá, rá.

E.W.: Você quer que eu traga um padre aqui?

V.: Sim, tudo bem. Traga-o aqui. Vou dar um chute no traseiro dele.

E.W.: O que você diria se a Mãe Bendita o mandasse ir embora, Fred?

V.: Eccaaa. Ugh.

E.W.: Você sabe o que é isto, Fred? O que você está vendo?

V.: Ah... uma cruz.

E.W.: É isso mesmo, uma cruz. Esta cruz significa que os seus dias aqui estão contados.

V.: Vou cortar a cabeça de alguém.

E.W.: Da próxima vez que eu voltar aqui, Fred, é melhor que você tenha ido embora. Porque, da próxima vez que eu vier, vou trazer comigo um exorcista muito poderoso, alguém com quem você não vai querer se meter.

V.: [*Há um longo intervalo.*] Ed. Ed. Ed... Ed... Ed-ward.

E.W.: O que é, Fred?

V.: Vamos brincar de exorcista. Vá pegar a água benta...

Reproduzida a gravação, Lorraine de repente levanta-se de um salto do sofá e, determinada, avança a passos largos até a porta do quarto. Em seguida, ela chama Ed. Ao verificar o quarto, o local está cheirando a álcool e, sobre a penteadeira de Lorraine, um crucifixo ornamental instalado dentro de uma cavidade na parede está virado de cabeça para baixo!

Por prudência, a discussão sobre o caso Enfield é encerrada. Não obstante, de certa forma aquilo pareceu ser apenas a ponta do iceberg em termos de fenômenos demoníacos hoje em dia. Periodicamente, os jornais noticiam horrendos assassinatos em massa perpetrados por pessoas que, mais tarde, afirmam com audácia que "o Diabo" ou alguma maligna "figura de preto" os instruiu a matar.

Ao menos uma ou duas vezes a cada década ocorre um caso grave de possessão diabólica em que o indivíduo possuído abriga entidades que se identificam como diabos *e* demônios, algumas chegando mesmo a proclamar o seu nome para todos ouvirem.

Em 1978, mais de novecentas pessoas morreram na Guiana em um caso sem precedentes de suicídio em massa que possivelmente poderia se dever, em *alguns* aspectos, a uma opressão demoníaca. Billy Graham, contudo, deu um passo adiante ao dizer a uma plateia no National Press Club, em Washington, que ele acreditava que o reverendo Jim Jones estava "possuído" e que "ele usava a igreja para os seus próprios objetivos demoníacos".

Por que tanta atividade sobrenatural negativa está acontecendo nos dias de hoje?

"Os espíritos inumanos vagueiam pela terra desde o princípio dos tempos", responde Lorraine, "de modo que não há nenhuma novidade com relação a isso. O que é novo é a situação que testemunhamos no século XX. Assim, eu diria que existem dois motivos básicos para o excesso de atividade negativa que está ocorrendo atualmente. Um deles tem a ver com números. Há mais pessoas no mundo hoje do que jamais houve na história. Muitíssimas dessas pessoas estão insatisfeitas com a vida, alienadas da religião ou em busca de conhecimentos extraordinários. Ao mesmo tempo, nunca na história tanta informação profana e negativa esteve à disposição de todos. No passado, essas informações eram conhecimento secreto, usado por algumas das pessoas mais perversas que já existiram. Hoje, grande parte desse conhecimento está impresso em livros que são vendidos como doce. Essas informações são as verdadeiras, e uma pessoa ingênua que decida usá-la para objetivos pessoais é bem capaz de ocasionar infestação, opressão ou possessão por espíritos inumanos. Portanto, basicamente, temos uma população alfabetizada muito grande com acesso ininterrupto a informações realmente tenebrosas. Basta que haja o desejo e a motivação errada para usá-las. A partir daí, é um passo muito pequeno para atrair o demoníaco.

"O outro motivo para estarmos vendo tanta atividade espiritual negativa", prossegue Lorraine, "tem a ver com a *falta* de conhecimento místico das pessoas. Veja, ataques espontâneos por iniciativa do espírito demoníaco são extremamente raros. Nos séculos XIX e XX, a maior parte da atividade demoníaca foi claramente instigada pelas pessoas. Isso tudo se resume ao fato de que os fenômenos demoníacos são um "problema com as pessoas". São as pessoas que abrem portas para o submundo com o próprio livre-arbítrio.

"Como dizemos muitas vezes, o reino demoníaco não é algo que uma pessoa descobre por acaso. Ele é descoberto por acidente, ou por se *fazer* voluntariamente algo que provoque a ocorrência dos fenômenos. Na maioria das vezes, o demônio é convocado de forma deliberada, pela escolha formalmente declarada de alguém. Esse é o âmago da questão, porque o homem pode *escolher* entre o bem e o mal. Portanto, toda vez que um indivíduo convoca um desses espíritos inumanos, ele repete todo o drama de Adão e Eva. Ou seja, muito tempo atrás, o homem foi alertado sobre o diabo, mas a ele também foi dada a liberdade de escolher aceitar ou não a sua influência. No entanto, hoje em dia, as pessoas *não sabem sequer* que têm uma escolha formal até que seja tarde demais — apenas *depois* que já acessaram o reino demoníaco. O problema básico é que este século assiste a uma grave desintegração no âmbito da religião, o que significa uma grave desintegração no ensino de conhecimento místico, de forma que, mais uma vez, as pessoas estão tendo que aprender com os seus erros. 'Aqueles que não aprendem com o passado estão fadados a repeti-lo', já diz o ditado. Quando Ed e eu damos palestras, fazemos com que as pessoas se lembrem de que o mundo tem aspectos místicos, tanto positivos como negativos, e que espíritos demoníacos deveriam ser deixados ardendo no seu devido lugar. No que diz respeito a esse assunto, o conhecimento é uma arma. Incidentes de fenômenos demoníacos seriam reduzidos *drasticamente* se as pessoas soubessem o pesadelo que o oculto negativo pode ser. E o seu número cairia ainda mais se os meios que possibilitam a sua conjuração não estivessem tão prontamente disponíveis nas prateleiras das lojas."

Enquanto milhões de pessoas estão brincando com fogo ao se envolver com o oculto, atuam nos Estados Unidos outros cultos quase religiosos, alguns dos quais invocam espíritos negativos para auxiliá-los como "guias" ao longo da vida. Seguindo para o extremo ainda mais sinistro, outros grupos estão ativamente engajados em rituais de magia malévola — e isso sem mencionar os satanistas, que, de forma declarada, "preferem o traseiro de Satã ao rosto de Jesus". No entanto, qual é o atual nível de difusão da magia usada para o mal?

"Provavelmente existem mais pessoas praticando magia malévola hoje do que em qualquer outro período da história", explica Lorraine.

"É evidente que essas pessoas não andam por aí usando um chapéu preto. Em vez disso, os satanistas e as bruxas de magia malévola com que já tivemos que lidar no nosso trabalho surgem como tipos bastante contemporâneos, filhos do seu tempo — ou então, agem de maneira estranha e maluca para causar a impressão de que são apenas excêntricos. As artes malévolas são muito mais praticadas do que as pessoas imaginam ou sabem. Na realidade, deixe-me citar uma coisa que vi no jornal desta manhã", diz Lorraine, abrindo o *Hartford Courant*:

> O cão farejador da cidade encontrou os corpos sem vida de quinze animais domésticos que se acredita que tenham sido mutilados em uma ação de caráter ritualístico e, então, descartados ou pendurados em árvores. O superintendente vem investigando diversos incidentes recentes em que foram encontradas pilhas de carneiros, ovelhas, coelhos e galinhas mortos. Algumas dessas pilhas aparentemente foram descobertas poucas horas depois de os animais terem sido abatidos. Duas semanas atrás, cães e gatos também foram encontrados pendurados em galhos de árvores. Alguns dos animais estavam sem sangue. Fontes policiais dizem que uma possível relação entre os aparentes abates e um grupo religioso ocultista está sendo investigado.

"Mal sabe a polícia", retoma Lorraine, "que essa destruição hedionda da vida — e a retirada de sangue para uso posterior em rituais de conjuração — é uma prática bastante rotineira em grupos de magia malévola. Contudo, com coisas macabras como essa acontecendo com regularidade por todo o país, as pessoas estão lentamente começando a perceber que a prática de magia negativa é muito mais comum do que elas supunham. Mas deixe-me dar um aviso aqui. A última vez que se teve notícia difundida da prática da magia malévola foi durante a Inquisição, um período horrendo. Naquela época, entre os séculos XVI e XVIII, aproximadamente 200 mil pessoas foram torturadas e mortas na Inglaterra, na Europa e na América sob condições de extrema crueldade. Naquele tempo, o verdadeiro crime não foi cometido por aqueles acusados de bruxaria, mas pelos fanáticos religiosos que, de forma cruel e sistemática, massacraram todas aquelas centenas de milhares de pessoas. Assim, embora magia negativa esteja sendo praticada hoje, e isso representa um problema muito sério e perigoso, ela deve ser, no entanto, combatida por meio da educação e do treinamento religioso adequado — *não* com acusações, tortura e assassinato. Como disse certa vez o psicólogo Carl Jung: 'Se nossa civilização tivesse que perecer, seria antes devido à estupidez que ao mal'."

Não há dúvidas de que o maior repositório de informações sobre a atuação demoníaca é o Vaticano, em Roma. Todavia, tais registros, que remontam a cerca de 2 mil anos, são absolutamente inacessíveis. De fato, a Igreja Católica não permite sequer que os próprios padres examinem os dados, exceto em casos de extrema necessidade das informações. Obviamente, o aspecto negativo do mundo é uma história que *não* se pretende contar. Mas por quê? Se a instituição religiosa sabe que toda essa atividade "iníqua" está acontecendo, por que não dá mais informações acerca daquilo que Ed e Lorraine chamam de os "fatos sombrios da vida"?

Esta é a resposta franca de Ed: "O motivo básico para que as instituições religiosas, cristãs ou outras, não revelem informações sobre o assunto é que o espírito demoníaco é considerado a manifestação física do Diabo.

"*Deveriam* ser divulgadas mais informações", continua ele, "mas, se a Igreja viesse a público e admitisse abertamente que possessão e exorcismo são realidades cotidianas, então, de repente, todo mundo começaria a chamar clérigos, padres, ministros e rabinos, com queixas de opressão e possessão por 'espíritos do mal'. Cada pessoa solitária que ouvir uma porta bater no meio da noite por causa do vento vai querer um exorcismo. Assim, tornar essas informações totalmente públicas causaria um verdadeiro desastre. Da maneira como se atua hoje, casos legítimos chegam ao conhecimento das autoridades religiosas apropriadas e *são* tomadas providências a respeito — embora isso demore muito a ser feito.

"Não é que não se deva dizer algo sobre o assunto", prossegue Ed. "Autoridades religiosas *deveriam* liberar mais detalhes sobre casos de possessão e exorcismo. Elas *deveriam* informar as pessoas de que esses espíritos negativos são reais, não uma superstição boba do passado. Do contrário, *como* as pessoas saberão que usar um tabuleiro Ouija ou realizar sessões espíritas são atos com o potencial de atrair espíritos que podem arruinar as suas vidas? Sabe, quando Lorraine e eu fazemos uma palestra em uma faculdade ou em um auditório municipal, a notícia se espalha pela cidade dias antes da data do evento. Por ocasião da palestra, todos os lugares da casa costumam estar ocupados, obrigando o restante das pessoas a ficar de pé ou a se sentar nos corredores, enquanto umas duzentas pessoas têm que ser dispensadas na entrada. Por quê? Porque, em meio a esta sociedade da informação, as pessoas anseiam por informações *subjetivas* sobre a vida e o lugar do homem no universo. Estamos todos juntos nisso, sabe? E se as pessoas estão tão avidamente interessadas no assunto, então, as instituições religiosas deveriam atentar a isso e explicar essas questões metafísicas com tranquilidade à sua congregação aos sábados ou domingos, quando se reúnem. Repito, se as informações necessárias são sonegadas, de que outra maneira as pessoas farão uma avaliação precisa da vida, da morte e do mundo que as cerca? Por isso, a resposta é sim, é possível tecer argumentos em favor da liberação de *algumas* informações sobre fenômenos espirituais. No entanto, isso também precisa ser feito de uma forma inteligente e crível."

Além do seu trabalho como investigadores, conselheiros e palestrantes, os Warren também oferecem, uma vez por ano, um curso de caráter universitário sobre Demonologia e Fenômenos Paranormais na faculdade Southern Connecticut State College.

"É aí que realmente abordamos o material", explica Ed, em um dia ensolarado, depois da aula. "Aqui, temos tempo de analisar toda a extensão do problema, em um ambiente acadêmico. O primeiro passo é familiarizar o aluno com os fenômenos paranormais — eventos que são estranhos ou incomuns, mas que têm uma explicação natural. Então, passamos à atividade espiritual. Estudamos o que espíritos podem e não podem fazer. Discutimos a filosofia, a psicologia, a física e a metafísica do assunto tanto quanto possível. No entanto, mais do que apenas falar, colocamos as provas sobre a mesa. Mostramos aos alunos objetos físicos *reais* que foram materializados ou teletransportados do outro lado. Também mostramos os verdadeiros instrumentos de conjuração que foram usados para invocar determinadas entidades espirituais. Discutimos casos em detalhes e examinamos as táticas, a estratégia e o significado dos fenômenos resultantes. Mostramos aos alunos fotografias e slides de atividade espiritual em curso, embora, no *futuro*, eu também queira usar filmes e vídeos gravados durante a ocorrência de perturbações. O material visual permite que o aluno veja os espíritos em forma *manifestada*. Eles também podem ver levitações em curso, bem como a aparência que as pessoas assumem quando são sujeitas a opressão ou possessão demoníaca.

"Abordamos ainda o que chamamos de *fotografias psíquicas* — aquelas em que imagens que não eram visíveis quando a fotografia foi tirada aparecem no filme. Muitas vezes, fotografias tiradas *em* uma casa mal-assombrada ou uma área psiquicamente ativa mostram uma pessoa viva como se fosse uma aparição — ou seja, parcialmente invisível. É possível ver *através* dela! É quase como mostrar o homem como o espírito que ele é de fato! Em outras ocasiões, fotografias psíquicas mostrarão formas bioluminescentes, fantasmas, aparições, faces de demônios, objetos que não estavam presentes quando a fotografia foi tirada e assim por diante.

"Por fim, encerramos o curso com gravações em fita cassete de vozes espirituais, tanto humanas quanto inumanas. Isso permite que os alunos ouçam por si mesmos as mensagens e as declarações que essas entidades transmitem. Eles ouvem espíritos presos à terra contando fatos precisos sobre si mesmos e seus parentes falecidos há muito tempo.

"Também os fazemos ouvir gravações de vozes de alguns espíritos inumanos dardejando blasfêmias, ameaças, maldições e previsões, bem como se gabando do Outro Reino, juntamente com referências por nome às antigas entidades diabólicas que eles servem. É material pesado, tenho que reconhecer. Porém, você sabia que os satanistas são um dos grupos que crescem mais rápido em *campi* universitários hoje em dia? E muitos estudantes desprevenidos estão sendo arrastados para essa teia porque ninguém nunca lhes deu quaisquer informações em contrário. O material que ensinamos é factual e objetivo, e garanto que nenhum dos nossos jovens jamais se tornará uma futura vítima do negativo. Na realidade, ao final do curso, eles vêm até nós e dizem: 'Obrigado por nos contar. Nunca saberíamos de outra forma'."

15
ÚLTIMA PERGUNTA, POR FAVOR

Não é exagero dizer que Ed e Lorraine Warren levam uma vida muito ocupada. Primeiro, eles raramente estão em casa. As palestras e o trabalho de campo mantêm o casal "lá fora, no mundo", como diz Lorraine, por dez dos dozes meses do ano. Um fim de semana por mês, no entanto, eles conseguem voltar para Connecticut e ficar em casa.

Nesses fins de semana em que os Warren estão em casa, sua residência é uma colmeia de atividade. Amigos, parentes e colegas de profissão entram e saem como membros de uma grande família.

Quando não há visitas, parece que o telefone está constantemente tocando, com ligações de todo o território dos Estados Unidos. E cada telefonema é urgente — ou assim parece para aqueles que estão fazendo a ligação.

"Com licença", diz Lorraine, estendendo o braço para atender ao telefone da varanda pela décima vez em uma hora. Por acaso, o telefone estava com a função viva-voz ativada para que ambos os Warren pudessem ouvir a ligação.

"Você é Lureen Wern, ou Warn, ou seja lá o que for?", pergunta uma mulher não muito articulada, quase desafiando Lorraine.

"Sou Lorraine *Warren*", responde ela, enfatizando as sílabas. "Posso saber o seu nome, por favor?"

"É claro", diz a mulher.

"E qual é?", Lorraine é forçada a perguntar.

"Aqui quem fala é Celia Hayden."

"Celia, posso ajudá-la em alguma coisa?"

"Sim, é por isso que estou ligando, Lureen. Você não é a, uh... *claribidentista* que falou no rádio ontem à noite, em New Haven? Você tava falando sobre conhecer um espírito, e teu marido é um demonismo ou alguma coisa assim?"

"É quase isso", responde Lorraine, paciente. "Posso ajudá-la em alguma coisa, Celia?"

"É."

"Então, o que é?"

"Bem, Lureen, vou te dizer, é sério! Quer dizer, tenho um problema misterioso de verdade aqui! Você tem *certeza* que é a mesma que estava no rádio, e os tiras pedem para você encontrar um assassino para eles, e então os tiras vão e prendem o cara na casa dele, certo?"

"Certo", responde Lorraine, sorrindo. "Por favor, diga qual é o seu problema misterioso, Celia. Tenho trabalho a fazer."

"Tudo bem, só espero que você tenha tempo para o meu *caso*..."

"Vá em frente para que possamos descobrir", Lorraine persuade a mulher.

"Certo. Bem, eu coloquei ela bem aqui, no fogão, Lureen. Eu sempre esquento ela antes de comer. E, agora, ela sumiu. Desapareceu!"

"O que desapareceu?", pergunta Lorraine, quase rindo agora.

"*Minha dentadura!* Eu sempre coloco ela no fogão e, agora, algum fantasma ou *dimônio* levou ela embora. Não consigo achar minha dentadura em lugar nenhum. E eu procurei."

Lorraine desata a rir. "Isso é terrível", ela consegue dizer.

"O que é tão engraçado, Lureen?", pergunta a mulher, irritada. "*Como é que eu vou comer?*"

"Celia", Lorraine consegue responder, "aposto que sei dizer onde está a sua dentadura!"

"Onde?", pergunta a mulher, ansiosa.

"Levante o dedo indicador direito, bem na sua frente. Entendeu, Celia?"

"Qual deles?"

"Seu indicador direito — na sua mão direita, o dedo que fica ao lado do polegar. Tudo bem?"

"Tudo bem", responde a mulher, obediente.

"Agora, coloque esse dedo na boca e morda de leve. Viu, sua dentadura esteve aí o tempo todo."

Faz-se uma longa pausa. "Jesus Cristo, você está certa!", diz a mulher, atônita. "Você é *boa mesmo*, Lureen. Espere até eu contar pro Ernie..."

Clique.

Perplexa e rindo do incidente, Lorraine desliga o telefone, e então brinca: "O que eu posso dizer? Quando você é bom, você é bom...".

Considerando que ninguém no seu juízo *perfeito* quer acordar no meio da noite e deparar com um espírito aterrorizante ao pé da cama, surge a pergunta: como impedir que tais fenômenos aconteçam na sua vida? Isto é, como podemos nos poupar de confrontos desagradáveis com o sobrenatural?

Quando os Warren apresentam palestras sobre demonologia, eles nunca deixam de enfatizar que "é preciso abrir as portas para que os espíritos possam entrar". Em regra, tais portas são abertas por meio da Lei do Convite ou da Lei da Atração, como lembra Lorraine.

"A Lei do Convite atua quando as pessoas convidam espíritos para entrar na sua vida ao realizarem algum ritual ocultista ou ao tentarem deliberadamente se comunicar com o mundo espiritual por meio de sessões espíritas, rituais e coisas do tipo. Embora o convite ao contato espiritual geralmente produza algumas comunicações falsas do outro lado, o que não se costuma reconhecer é que a entidade que está se comunicando nem sempre é humana — ainda que declare ser — e nem sempre vai embora quando o exercício de conjuração termina.

"A Lei da Atração", continua ela, "entra em jogo quando um indivíduo ou uma família é *atraída*, por alguma razão psíquica, para um lugar *específico* em que a infestação por espíritos negativos já tenha ocorrido. Por outro lado, pensamentos negativos obsessivos também podem atrair espíritos negativos, porque a vontade se mostra aberta e vulnerável. Contudo, seja pela Lei do Convite ou pela Lei da Atração, de uma forma ou de outra, o indivíduo deixou a porta do seu livre-arbítrio aberta, quer por não prezar adequadamente pela vida, quer procurando fora de si poderes que não são humanos. A questão é que *o espírito demoníaco é uma fera espiritual com a sabedoria das eras e o poder dos anjos.* A melhor escolha é evitá-lo, mas não se faz isso negando o fato de que o fenômeno existe. Em vez disso, você o evita sabendo que ele existe e está ali — de modo que possa ficar fora do caminho dele!"

Por que tanta atividade espiritual se concentra em casas?

"Espíritos presos à terra preferem lugares emocionalmente familiares", diz Ed, chegando para participar da conversa na varanda da frente. "Portanto, eles habitam a mesma residência que lhes era familiar durante a vida física. No entanto, espíritos inumanos existem para atormentar as pessoas, por isso eles infestam casas, pois é onde as pessoas tendem a ser mais vulneráveis a influências. Também há outro motivo: construções e lugares escuros ajudam a reter vibrações espirituais. Espaços abertos e luminosidade intensa enfraquecem forças espirituais."

Residências antigas estão mais propensas a serem mal-assombradas ou infestadas que casas novas?

"Em geral", responde Lorraine, "casas antigas têm um maior *potencial* de serem mal-assombradas porque mais vida aconteceu nelas. No entanto, mais importante que a idade da residência é sua história. Se houve algum assassinato, suicídio ou outra forma trágica de morte na casa, então, as chances de deparar com a atividade de espíritos presos à terra são maiores. Se o antigo proprietário praticava magia malévola, feitiçaria ou bruxaria, existe uma grande possibilidade de que forças inumanas tenham sido atraídas para a casa — e, a menos que tenha sido exorcizada, espíritos negativos permanecerão ali para infestar o local. Quanto ao que se pode fazer para evitar uma casa mal-assombrada ou infestada, seja cauteloso quando estiver procurando um imóvel para comprar ou alugar. Desconfie de casas que permaneceram vazias por longos períodos. Normalmente, casas permanecessem vazias porque são de fato inabitáveis. Converse com os vizinhos sobre a casa ou faça algumas verificações pela cidade, na tentativa de descobrir algum rumor sobre ela. Outra coisa: quando estiver examinando uma casa, seja antiga ou nova, fique atento a sinais físicos de alguma presença espiritual. Você pode notar odores estranhos que são detectáveis mas não têm uma origem óbvia; ou estranhos pontos frios em cômodos ou áreas em que não haveria motivo para uma mudança na temperatura. Se quiser ir além, peça a um amigo médium para andar pela casa com você."

Se você compra uma casa, mas não tem certeza se há ou não espíritos ali, o que se pode fazer para minimizar as chances de despertar um espírito dormente?

"Bem, vou lhe contar alguns truques", diz Ed. "Se do lado de fora da casa houver muitos arbustos e árvores perenes fazendo sombra nas janelas, corte-as. Deixe o sol entrar! Pinte as paredes internas da casa de branco, amarelo ou azul-claro. Essas cores interferem em vibrações espirituais. Livre-se de quadros e lembranças de proprietários anteriores que você encontrar no sótão, no porão ou na garagem. Você também pode considerar a possibilidade de vender espelhos e móveis antigos que tenham ficado na propriedade, e seria ainda uma boa ideia providenciar uma bênção da casa. *Mas, acima de tudo, uma família feliz, um lar feliz, é a melhor proteção contra o mal.* Emoções negativas geralmente disparam atividade espiritual, portanto, junto de tudo o mais, crie uma atmosfera emocional na casa para que nenhum problema *possa* ocorrer. Obviamente, é desnecessário dizer que não se deve dar oportunidade ao surgimento de problemas. Então, jogue fora toda e qualquer parafernália ocultista. Dessa maneira, uma pessoa não pode ser incentivada, quer por curiosidade, quer por opressão, a usá-la."

Se uma pessoa desconfia que tem um *fantasma* em casa e não quer ter problemas com ele, que medidas deveria tomar?

"Torne o ambiente físico iluminado, leve e alegre", responde Lorraine. "Muitas vezes, o simples ato de rearranjar a disposição dos móveis neutraliza um espírito ativo. Se isso não funcionar, consulte um clérigo e providencie uma bênção para a casa. Se, depois de tomadas essas medidas, o problema persistir, então volte ao seu clérigo e insista para que *ele* ajude a resolver o problema. Ou, se você não for religioso, entre em contato com uma organização de pesquisas psíquicas de boa reputação que possa colocar um clarividente no caso para fazer com que o espírito siga o seu caminho. Porém, em nenhuma circunstância se deve falar com uma entidade desconhecida, não importa o quanto seja linda a forma que ela possa assumir. E, principalmente, não realize uma sessão espírita: isso é como usar um rádio amador PX. Você talvez *pense* que está se comunicando com o espírito que está assombrando a casa, mas, na realidade, uma dúzia, dez dúzias de espíritos diferentes podem responder à atenção que você está oferecendo."

Se *houver* de fato um espírito na casa de alguém, quais são os sinais característicos que distinguem um espírito preso à terra de um espírito inumano?

"Um fantasma *pode* assustá-lo", responde Ed. "Um espírito demoníaco *vai* assustá-lo — e acabará ameaçando a sua vida. Nos estágios iniciais, os fenômenos associados a espíritos tanto humanos quanto inumanos podem ser os mesmos. Ambos os tipos de espírito vão manipular o ambiente físico na tentativa de fazer com que a presença deles seja notada. A diferença é a natureza da atividade associada a cada tipo. Em regra, fantasmas farão coisas à casa, enquanto espíritos demoníacos farão coisas às pessoas. Um tenta assustá-lo para que você saia da casa. O outro tenta assustá-lo para que você enlouqueça — mesmo. Fantasmas farão coisas esquisitas, misteriosas, assustadoras ou estranhas, mas só raramente aterrorizantes. Um fantasma vai acender e apagar luzes, transportar pequenos objetos de cômodo em cômodo, ou até projetar sons de passos, guinchos e gritos. De vez em quando, o fantasma se manifestará, mas é só isso. A atividade de espíritos presos à terra tende a ocorrer *de vez em quando*. Podem acontecer coisas estranhas, mas não será uma fúria desenfreada. Em resumo, o fantasma está preocupado consigo mesmo, não com você; portanto, ele fará coisas que podem lhe dar arrepios, mas não mais que isso.

"Se há um espírito inumano na casa, por outro lado, isso significa que a residência é, agora, o reino do demônio. Um espírito inumano nunca, ou apenas raramente, se manifestará no início. Em vez disso, o que se deve procurar é por atividade verdadeiramente sinistra. O espírito demoníaco é um espírito negativo, de modo que acabará provocando fenômenos claramente negativos. No começo, é provável que você escute batidas, pancadas, golpes e barulhos de coisas arranhando ou raspando. Esses barulhos têm por objetivo testar a sua paciência — e a sua sanidade. Odores repulsivos ou sensações inexplicáveis de terror também podem ser percebidos nesse estágio. Fique atento ao comportamento de crianças e animais. Crianças são clarividentes até mais ou menos os 12 anos de idade; todos os animais são naturalmente clarividentes. Se crianças ou animais reagirem mal à casa, isso é sinal de uma presença espiritual. No entanto, se a casa estiver infestada, então, com o passar do tempo, os fenômenos exteriores se intensificam até se transformarem em atividade abertamente perceptível, e não apenas estranha ou assustadora, mas absolutamente aterrorizante. Se for permitido, essa atividade negativa continuará e crescerá em frequência, poder e negatividade, até que se transforme em nada menos que um perpétuo e completo pandemônio. Naturalmente, o importante é desconfiar já no início. Se você notar a ocorrência de fenômenos estranhos ou incomuns e não fizer nada a respeito, o espírito infestador entenderá isso como uma permissão para continuar.

"Quanto à opressão interna promovida por espíritos inumanos, ela será percebida em termos de mudanças de opiniões, hábitos, comportamentos ou personalidade. Se a pessoa vive sozinha, a melhor recomendação aqui é 'conhece-te a ti mesmo'. Se a opressão está incidindo sobre um único membro da família, os outros devem procurar por mudanças negativas na pessoa: depressão, interesses mórbidos, reclusão — ou excessos, como episódios desvairados de raiva, embriaguez de cair ou explosões de violência destrutiva."

Se uma pessoa tem motivos para crer que um espírito inumano está de fato infestando a sua casa, o que ela deve fazer?

"Sair do lugar imediatamente", diz Ed. "Em seguida, procurar um clérigo, explicar o problema com o máximo possível de detalhes e pedir a ajuda dele. Mas, em hipótese alguma, um indivíduo deve agir como demonologista ou exorcista amador e desfilar pela casa com objetos abençoados. Isso apenas provocaria um ataque diabólico."

Por fim, dada a possibilidade inesperada de um indivíduo ter que lidar com um amigo ou parente que realmente tenha sido possuído, o que deve fazer?

"É improvável que alguém tenha necessidade desta informação", responde Ed, "no entanto, se a entidade que se manifestar através da pessoa não for particularmente violenta, apenas acusatória e blasfemadora, então, chame um clérigo. Se a entidade possessora fizer ameaças e for violenta, saia da casa e chame a polícia. *Só então* procure um clérigo. Em qualquer um dos casos, busque ajuda na hora. Mas não fique sozinho na companhia da pessoa possuída.

"Como digo aos jovens padres com quem trabalho, quem está falando não é a pessoa, mas uma entidade diabólica. Portanto, não lhe dê ouvidos. Não fale com ela. Concentre-se em se fazer envolver pelo que chamamos de luz de Cristo e, então tente sair do local até que alguém como eu ou um exorcista possa entrar na casa e confrontar a entidade."

Na sua opinião, qual seria o perigo *máximo* quando se lida com o demoníaco?

"No nível transitório", responde Ed, "a vida que você leva não seria sua, mas, em vez disso, seria conduzida por outro ser. Deixar a sua vontade aberta ao demônio é se permitir ser a sua marionete. O perigo máximo, porém, seria permitir que seu espírito humano absorvesse as características repreensíveis e blasfêmias do espírito demoníaco — o inimigo da existência —, pois quando isso acontece, o indivíduo corre o risco de compartilhar do destino desses espíritos de trevas: separar-se da fonte da existência. Esse seria o grave perigo de se permitir ser tomado por esses espíritos negativos de perdição. Veja, teologicamente falando, anjos sagrados são a ratificação suprema da vida; no entanto, passando ao lado negativo, o espírito demoníaco é uma *corrupção* da natureza — um espírito de perdição que, em vez de afirmar a vida, existe para destruí-la. Portanto, como ser humano, você pode escolher entre ser parte do problema — ou parte da solução."

Então, no final, que chances o homem tem contra forças tão extraordinárias de ruína?

"Na minha opinião", responde Ed, "a melhor proteção do homem é a sua essência inerentemente positiva. Como já dissemos, o espírito demoníaco é algo que está seguindo no caminho contrário. Porém, na sua queda, ele está determinado a levar consigo o maior número de pessoas que puder. Nossa tarefa enquanto humanos, por outro lado, é viver de forma adequada e confirmar o positivo. A lei cósmica nos diz: 'O bem produz ainda mais bem, o mal produz cada vez mais mal'. Lançando mão da nossa natureza positiva e a colocando em ação em um universo basicamente positivo, podemos construir uma vida do bem — e, em consequência, um mundo bom. Mas não basta se ajoelhar e rezar para que isso aconteça. Você tem que sair e *fazer* isso acontecer todos os dias, porque — pela prática — sabe e acredita que o princípio é verdadeiro."

"Por outro lado", observa Lorraine, "o espírito demoníaco recua quando confrontado com o positivo. Ele se fortalece apenas com o negativo ou com o que a religião chama de 'pecado'. E aquilo a que me refiro como pecado não é a violação de regras arbitrárias, mas a deliberada transgressão do bem. Ou seja, o pecado é algo que tem um efeito *prejudicial* sobre a própria vida. Em última análise, pecado é imaturidade espiritual, e aqueles que são tolos o suficiente para subestimar o valor e o propósito da vida acabam de fato atraindo o demoníaco para si. E eles o fazem porque, gostem ou não, ao realizar atos negativos que depreciam a vida, estão realmente auxiliando esses espíritos no seu papel cósmico. Afirmar o positivo gera um poder por si só. Portanto, *ser* positivo é a melhor proteção contra aquilo que é chamado de 'mal'."

"Veja", afirma Ed, "o que não se compreende de forma adequada é que existe um negativo místico *e* um positivo místico. Como em cima, assim embaixo. O negativo tem recebido tanta atenção e ênfase que as pessoas esqueceram que também existem poderosas forças *positivas* no mundo — forças reais que podem ser compreendidas e usadas para benefícios práticos. No entanto, neste século, estamos em um período sabático em relação ao constante problema do bem e do mal, de modo que essas forças positivas têm sido relegadas ao lixo como uma grande bobagem supersticiosa. Contudo, isso não muda o fato de que, ao enfatizar o positivo, você desencadeia uma sequência de eventos que ratificam a vida e a existência; ao passo que acentuar o negativo atrai tragédia, caos e morte.

"A jornada da vida", resume Ed, "é trabalhar com o positivo e enfatizá-lo — esse é o verdadeiro tesouro. As pessoas estão procurando soluções neste mundo, e a resposta não está no oculto. Ela está em seguir o fluxo *positivo* da natureza, porque ele é bom e assegura a vida em vez da morte."

Poucas pessoas descobrem, mesmo ao longo de uma vida inteira, a natureza mais profunda do mundo em que vivemos. Contudo, as pesquisas e a experiência dos Warren sugerem de maneira convincente que há um reino de existência completamente diferente lá fora: um reino de existência chamado espíritos — entidades não físicas que têm existência independente e separada do homem.

As descobertas de Ed e Lorraine Warren em nada corroboram a ideia de que o homem é tão somente uma criatura física que vive, morre e deixa de existir. Em vez disso, suas pesquisas apontam inevitavelmente para a conclusão de que o homem é uma criatura muito mais viva e dinâmica do que nossas percepções e filosofias restritivas nos levaram a crer até agora. Por essa razão, os Warren defendem que uma compreensão livre de preconceitos a respeito da dimensão espiritual da vida pode, em vez de ser algo ameaçador ou ruim, "enriquecer o nosso entendimento do mundo, de modo que possamos estar livres para viver a vida ao máximo".

Uma brisa leve agita as folhas, quebrando a magia do silêncio naquela tarde de verão, na varanda da frente da casa dos Warren. Erguendo os olhos, Lorraine vê que Ed está com a atenção concentrada no jardim.

"Algum problema, Ed?", pergunta ela.

"Há uma cobra por aqui", declara ele, fitando as flores. "Sei que sim. Posso sentir. Tenho certeza de que a coisa está aqui."

No entanto, não há nenhuma cobra à vista. Ao menos, não até um instante depois. Então, como era de se esperar — de sob a varanda, sai rastejando uma longa cobra escura. Ela se demora apenas o suficiente para ser vista, deslizando em seguida para o meio da hera.

"Ed sempre sabe quando há uma cobra no jardim", assegura-me Lorraine Warren.

ED E LORRAINE WARREN passaram por experiências sobrenaturais na infância, em Connecticut. Tornaram-se namorados na época do colégio. No seu aniversário de 17 anos, Ed foi recrutado pela Marinha dos Estados Unidos para servir na Segunda Guerra Mundial. Alguns meses depois, seu navio afundou no Atlântico Norte e ele foi um dos poucos sobreviventes. Logo após, Ed e Lorraine casaram-se e tiveram uma filha.

Em 1952, Ed e Lorraine fundaram a Sociedade da Nova Inglaterra para Pesquisas Psíquicas, o mais antigo grupo de caça-fantasmas da região. De Amityville a Tóquio, eles se envolveram em milhares de investigações e exorcismos autorizados pela Igreja em todo o planeta. Dedicaram suas vidas e talentos extraordinários para ensinar os outros e combater as forças demoníacas onde quer que fossem chamados. Ed Warren faleceu em 2006.

GERALD BRITTLE é autor de obras de não ficção, com formação em literatura e psicologia, especializado em teologia mística. Além de *Ed & Lorraine Warren: Demonologistas,* publicado originalmente em 1980, é autor de *The Devil in Connecticut* (1983).

PARCEIROS SOBRENATURAIS

"Para nós, o sobrenatural é aquilo que faz o ser humano indagar a própria existência e tudo o que o cerca. É a certeza da dúvida, a esperança da loucura, a obscuridade da ciência. Ele está no escuro do nosso quarto, no universo acima de nós e é, sem dúvida, a chama que nos instiga a querer saber sempre mais, mesmo que isso nos cause extremo terror." — O Assombrado

"É a janela com vista para o desconhecido, a essência dos principais pesadelos e o motor propulsor do medo. O Homem, como marionete de suas impressões prematuras, sente-se inadvertidamente cativado pelo misterioso e por aquilo que vai além de sua compreensão, ainda que os arrepios e o suor frio sejam inevitáveis." — *Marcelo Milici,* Boca do Inferno

---

"Vários não veem, alguns sentem, mas muitos acreditam; o sobrenatural está enraizado em nossa cultura e, por mais que tentemos escapar, não vamos conseguir." — David Herick

"O desconhecido sempre me fascinou muito; a questão não é acreditar ou não no sobrenatural, e sim, o quanto ele pode me instigar." — Redatora de M*rda

---

"Sobrenatural é aquilo que mexe com nossos instintos mais básicos. É uma sombra no meio da noite que parece ser mais do que um jogo de luzes. É o pesadelo assustadoramente real que te faz acordar sem ar. É aquela coisa que a gente não entende muito bem e, na verdade, nem quer entender mesmo, mas faz os pelos do pescoço levantarem quando rola aquele calafrio na cozinha, no meio da madrugada. Tem alguém ali, no corredor? Ou será... alguma coisa diferente?" — Judao.com.br

---

"O sobrenatural existir ou não, só depende de você. Do que você acredita, do que você conhece, ou até mesmo do que você tem medo." — Milho Wonka

"O sobrenatural se traduz como a esperança, ou o medo, de que algo inexplicável esteja lá." — *Fernando Ticon*, Fortaleza Vermelha

---

"O sobrenatural é uma zona esquecida entre a fé a ciência, para onde somos transportados todas as vezes em que a escuridão nos recebe com seu abraço sombrio. É a chave para os recônditos mais profundos da mente, onde nascem os pesadelos."— *Rafael Michalski,* Biblioteca do Terror

---

"O sobrenatural sempre influenciou a minha vida e o meu trabalho. Às vezes, por puro gosto e outras, por ter de extravasar algo que me assombra desde pequena, pesadelos." — Patricia Montrase

"O sobrenatural ultrapassa os limites entre vida e morte, e é o que nos causa verdadeiro Medo." — *João Marcos Pomo,* Medo B

"O que o nosso cérebro, a nossa razão, insiste em não admitir a existência, mas que um sentido aguçado, uma percepção que vai além, nos convence que os temores são reais." — Lana Burns

"A linha tênue entre o bem e o mal que inevitavelmente influencia nossas vidas."— Trilha do Medo

"O oculto, o desconhecido que nos rodeia. Ele não apenas desperta a curiosidade como também a mais primitiva das sensações, o medo. Para mim isso é o sobrenatural! Ele existe, só resta saber o que ele quer de todos nós." — *JP Gessle,* Acervo Maldito

Coexistimos com o inexplicável, algo sutil vibra entre nós enquanto buscamos um sentido para nossa existência.

CONECTADOS COM O OUTRO LADO POR 4 PRIMAVERAS

DARKSIDEBOOKS.COM